IL ROMANZO DI
RAMSES

✳ ✳

Di prossima pubblicazione:

LA BATTAGLIA DI QADESH

LA REGINA DI ABU SIMBEL

L'ULTIMO NEMICO

CHRISTIAN JACQ

IL ROMANZO DI
RAMSES

LA DIMORA MILLENARIA

Traduzione di Maria Pia Tosti Croce

MONDADORI

Titolo originale:
Le temple des millions d'années
© 1996 Éditions Robert Laffont
© 1997 Arnoldo Mondadori Editore S.p.A., Milano
Prima edizione: giugno 1997

LA DIMORA
MILLENARIA

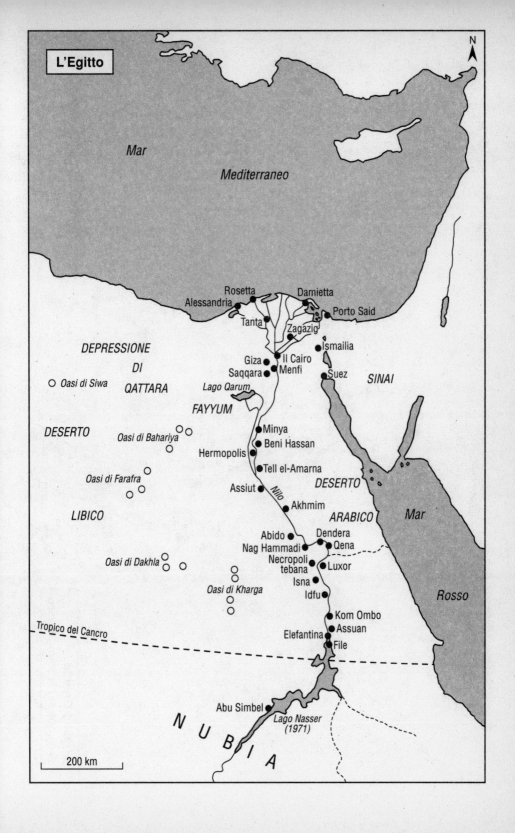

L'Egitto

Mar Mediterraneo

Rosetta
Alessandria
Damietta
Porto Said
Tanta
Zagazig
Ismailia
DEPRESSIONE
DI
QATTARA
Giza
Il Cairo
Menfi
Saqqara
Suez
Oasi di Siwa
Lago Qarum
SINAI
FAYYUM
DESERTO
Oasi di Bahariya
Minya
Beni Hassan
Hermopolis
Tell el-Amarna
Assiut
Nilo
DESERTO
Oasi di Farafra
Akhmim
LIBICO
ARABICO
Mar
Abido
Dendera
Nag Hammadi
Qena
Oasi di Dakhla
Necropoli
tebana
Luxor
Isna
Oasi di Kharga
Idfu
Rosso
Kom Ombo
Tropico del Cancro
Elefantina
Assuan
File
Abu Simbel
Lago Nasser
(1971)
N U B I A
200 km

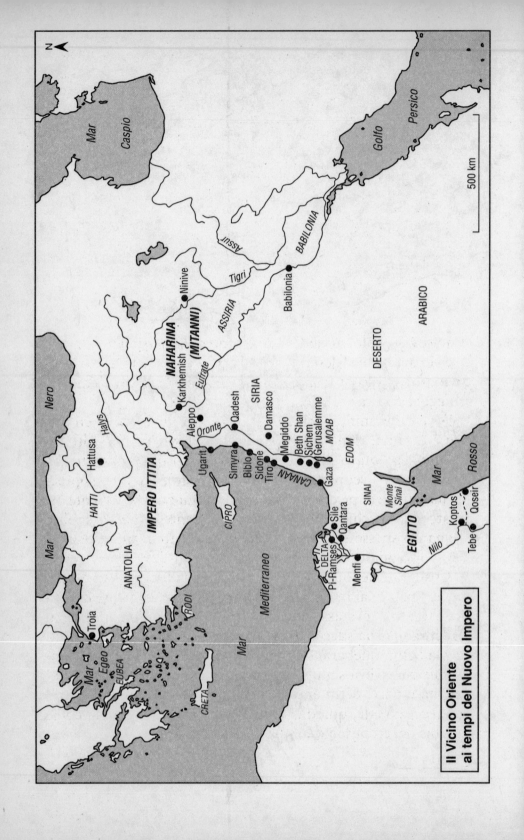

Il Vicino Oriente
ai tempi del Nuovo Impero

1

Ramses era solo, attendeva un segno dall'invisibile.

Solo di fronte al deserto, all'immensità di un paesaggio brullo e arido, solo di fronte al proprio destino la cui chiave gli sfuggiva ancora.

A ventitré anni, il principe Ramses era un atleta di un metro e ottanta, dalla splendida chioma bionda, dal volto allungato, e dotato di una muscolatura sottile e potente. La fronte larga e scoperta, l'arco prominente delle folte sopracciglia, gli occhi piccoli e vivaci, il naso lungo e lievemente arcuato, le orecchie rotonde e delicatamente orlate, le labbra alquanto spesse e la mascella forte contribuivano a dare al suo volto un piglio autoritario e seducente.

Così giovane, quanto cammino aveva già percorso! Scriba reale, iniziato ai misteri di Abido e reggente del regno d'Egitto, Sethi lo aveva associato al trono, designando così il figlio cadetto alla sua successione.

Ma Sethi, quel grandissimo Faraone, quel sovrano insostituibile che aveva saputo garantire alla sua terra felicità, prosperità e pace, Sethi era morto dopo quindici anni di un regno eccezionale, quindici anni troppo brevi, volati via come un ibis nel crepuscolo di una giornata estiva.

Senza che il figlio se ne accorgesse, Sethi, padre distante, temibile ed esigente, lo aveva a poco a poco formato alla pratica del potere, imponendogli numerose prove iniziate con l'incontro con un toro selvaggio, signore della potenza. L'adolescente aveva avuto il coraggio di affrontarlo, ma non la capacità di sconfiggerlo; senza l'intervento di Sethi, il mostro avrebbe dilaniato Ramses a colpi di corna. Fu così che si impresse nel suo cuore il primo compito del Faraone: proteggere il debole dai forti.

Era il re, e il re solo, che deteneva il segreto della vera potenza; attraverso la magia dell'esperienza, egli lo aveva trasmesso a Ramses, tappa dopo tappa, senza mai svelare il suo piano. Nel corso degli anni, il figlio si era avvicinato al padre, i loro spiriti comunicavano nella medesima fede, nel medesimo slancio. Severo, riservato, Sethi parlava poco; ma aveva offerto a Ramses il privilegio straordinario di alcuni colloqui durante i quali si era adoperato a trasmettergli i rudimenti del suo mestiere di re dell'Alto e del Basso Egitto.

Ore luminose, momenti di grazia ormai svaniti nel silenzio della morte.

Il cuore di Ramses si era aperto come una corolla per accogliere le parole del Faraone, conservarle come il più prezioso dei beni e farle vivere nel suo pensiero e nelle sue azioni. Ma Sethi aveva raggiunto gli dei suoi fratelli e Ramses era solo, privo della sua presenza, *della* presenza.

Si sentiva impreparato, incapace di sopportare il peso che gravava sulle sue spalle. Governare l'Egitto... A tredici anni lo aveva sognato, come un bambino sogna un giocattolo che non può avere; poi aveva rinunciato a quella folle idea, convinto che il trono fosse destinato a Shenar, suo fratello maggiore.

Il Faraone Sethi e la sua grande sposa reale Tuya avevano deciso diversamente. Dopo aver osservato il comportamento dei due figli, avevano scelto Ramses per assumere l'incarico supremo. Perché non avevano preferito un essere più forte e più abile, un essere della statura di Sethi? Ramses si sentiva pronto a sfidare a duello qualsiasi nemico, ma non a reggere il timone dello Stato sulle acque incerte del futuro. Nei combattimenti in Nubia aveva dato prova del suo coraggio; la sua instancabile energia poteva condurlo, se necessario, sul sentiero di guerra per difendere il proprio paese, ma come comandare un esercito di funzionari, dignitari e sacerdoti di cui gli sfuggivano tutte le astuzie?

Il capostipite della casata, il primo dei Ramses, era stato un anziano visir al quale i saggi avevano conferito un potere da lui non voluto. Quando fu incoronato, Sethi, il suo successore, era già un uomo maturo di notevole esperienza. Ramses aveva solo ventitré anni e si era accontentato di vivere nell'ombra protettrice del padre, seguendo i suoi insegnamenti e rispondendo a tutte le sue richieste. Com'era bello fidarsi di una guida che tracciava la via! Agire secondo gli ordini di Sethi, servire l'Egitto obbedendo al Faraone, ricevere sempre da lui le risposte alle proprie domande... Quel paradiso era diventato inaccessibile.

E il destino osava pretendere che lui, Ramses, un giovane impetuoso e ardente, sostituisse Sethi!

Non sarebbe forse stato meglio scoppiare a ridere e fuggire nel deserto, così lontano da non poter essere scovato!

Certo, poteva contare sui suoi alleati: sua madre Tuya, complice esigente e fedele; sua moglie Nefertari, così bella e tranquilla; e i suoi amici d'infanzia, Mosè l'ebreo, diventato costruttore presso i cantieri reali, Asha, il diplomatico, Setau, l'incantatore di serpenti, e il suo segretario particolare Ameni, la cui sorte era legata a quella di Ramses.

Ma il gruppo dei nemici non sarebbe stato più potente? Shenar non avrebbe rinunciato a impossessarsi del trono. Quali oscure alleanze aveva stretto per impedire al fratello di regnare? Se, in quel preciso istante, Shenar si fosse presentato davanti a lui, Ramses non avrebbe opposto la minima resistenza. Se proprio ci teneva tanto a quella duplice corona, poteva prendersela!

Ma aveva forse il diritto di tradire suo padre rinunciando all'incarico che gli aveva affidato? Sarebbe stato così semplice pensare che Sethi si era sbagliato o che avrebbe potuto cambiare opinione... Ramses non voleva mentire a se stesso. Il suo destino dipendeva dalla risposta dell'invisibile.

Ed era proprio lì, nel deserto, nel cuore di quella terra rossa, forte della sua pericolosa energia, che l'avrebbe ottenuta.

Seduto in posizione da scriba, lo sguardo perso nel cielo, Ramses aspettava. Un Faraone non poteva essere che un uomo del deserto, innamorato della solitudine e dell'immensità; il fuoco nascosto nelle pietre e nella sabbia avrebbe nutrito la sua anima, o l'avrebbe distrutta. Spettava al fuoco dare il suo verdetto.

Il sole era quasi allo zenit, il vento si placò. Una gazzella balzava da una duna all'altra. Un pericolo incombeva.

Improvvisamente apparve dal nulla.

Un leone enorme, lungo almeno quattro metri e di oltre trecento chili. La sua criniera fiammeggiante, di colore chiaro, lo faceva assomigliare a un guerriero trionfante il cui corpo muscoloso, bruno scuro, si muoveva con agilità.

Nello scorgere Ramses, emise un formidabile ruggito che venne udito a quindici chilometri di distanza. Dotata di fauci spaventose e artigli affilati, la belva fissò la sua preda.

Il figlio di Sethi non aveva nessuna possibilità di sfuggirle.

Il leone si avvicinò e si fermò, immobile, a qualche metro dall'uomo che poteva vedere i suoi occhi dorati; si sfidarono così per alcuni lunghi secondi.

L'animale scacciò una mosca con la coda; improvvisamente innervosito, avanzò ancora.

Ramses si alzò, fissando il leone.

— Sei tu, Massacratore, sei proprio tu che ho salvato da una morte certa! Cos'hai in serbo per me?

Dimentico del pericolo, Ramses ricordò quel leoncino che agonizzava nella boscaglia della savana nubiana; morso da un serpente, aveva dato prova di una resistenza fuori del comune prima di guarire grazie ai rimedi di Setau e di diventare una belva gigantesca.

Per la prima volta, Massacratore era fuggito dal recinto in cui veniva rinchiuso in assenza di Ramses. La natura del felino aveva forse ripreso il sopravvento, al punto da renderlo feroce e spietato nei confronti di colui che aveva considerato come il suo padrone?

— Deciditi, Massacratore. O diventi mio alleato per la vita, o mi dai la morte.

Il leone si alzò sulle zampe posteriori e posò quelle anteriori sulle spalle di Ramses. L'impatto fu violento, ma il principe resistette. Non aveva tirato fuori gli artigli, e con il muso annusava il naso di Ramses.

Tra i due, amicizia, fiducia e rispetto.

— Hai tracciato il mio destino.

D'ora in avanti, colui che Sethi aveva chiamato il Figlio della Luce non avrebbe avuto più scelta.

Avrebbe combattuto come un leone.

2

Il palazzo reale di Menfi era in lutto stretto. Gli uomini non si radevano più, le donne lasciavano sciolti i capelli. Per tutti i settanta giorni necessari alla mummificazione di Sethi, l'Egitto sarebbe rimasto sospeso in una specie di vuoto; il re era morto, il suo trono rimaneva vacante sino alla proclamazione ufficiale del suo successore, che sarebbe avvenuta solo dopo la sepoltura e l'unione della mummia di Sethi con la luce celeste.

Per ordine del reggente Ramses e della grande sposa reale Tuya, i posti di frontiera erano in stato d'allerta e le truppe pronte a opporsi a qualsiasi tentativo d'invasione. Benché il pericolo principale, rappresentato dagli ittiti,* non costituisse apparentemente una minaccia imminente, non si poteva escludere un'incursione. Da secoli ormai, le ricche province agricole del Delta rappresentavano una preda allettante per i "corridoi delle sabbie", i beduini erranti·del Sinai, e i principi dell'Asia, a volte capaci di coalizzarsi per attaccare insieme il nordest dell'Egitto.

* Antenati dei turchi.

14

Il viaggio di Sethi verso l'aldilà aveva suscitato paure; quando un Faraone scompariva, le forze del caos minacciavano di sommergere l'Egitto e di distruggere una civiltà costruita dinastia dopo dinastia. Il giovane Ramses sarebbe stato in grado di proteggere le Due Terre* dalla sciagura? Alcuni, fra i notabili, non si fidavano minimamente di lui e speravano che si sarebbe fatto da parte per lasciare il posto al fratello Shenar, più abile e meno impetuoso.

Tuya, la grande sposa reale, non aveva modificato le sue abitudini dopo la morte del marito. La donna, quarantadue anni, aspetto altezzoso, naso diritto e sottile, grandi occhi a mandorla dallo sguardo severo e penetrante, mento quasi quadrato, molto esile, godeva di un'indiscussa autorità morale. Il suo sostegno a Sethi non era mai venuto a mancare; in sua assenza, durante le permanenze del Faraone all'estero, era stata lei a governare il paese con pugno di ferro.

Quando iniziava ad albeggiare, Tuya amava fare due passi nel suo giardino, tra i tamarindi e i sicomori; passeggiando, organizzava la sua giornata di lavoro, un alternarsi di riunioni profane e di rituali inneggianti al potere divino.

Dopo la scomparsa di Sethi, ogni minimo gesto le sembrava privo di senso. L'unico desiderio di Tuya era di raggiungere al più presto il marito in un universo senza conflitti, lontana dal mondo degli uomini, ma avrebbe accettato il peso degli anni che il destino le avrebbe inflitto. Si sentiva in dovere di restituire al paese la felicità che le era stata offerta servendolo sino all'ultimo respiro.

L'elegante figura di Nefertari emerse dalla foschia mattutina; "più bella delle belle del palazzo", secondo l'espressione con cui il popolo amava definirla, la sposa di Ramses aveva i capelli di un nero lucido e gli occhi verdazzurri di una dolcezza sublime. Musicista del tempio della dea Athor a Menfi,

* L'Alto e il Basso Egitto, la valle del Nilo (il Sud) e il Delta (il Nord).

tessitrice eccelsa, educata nel culto dei grandi autori del passato quali il saggio Ptahhotep, Nefertari non discendeva da una famiglia nobile; ma Ramses si era perdutamente innamorato di lei, della sua bellezza, della sua intelligenza e della sua maturità, sorprendente in una donna così giovane. Nefertari non cercava di piacere, ma era la seduzione in persona. Tuya l'aveva scelta come intendente della sua casa, compito che continuava a svolgere benché fosse diventata la sposa del reggente. Tra la regina d'Egitto e Nefertari era nata una vera e propria complicità; le due donne si capivano al volo.

— Quanta rugiada questa mattina, Maestà; chi saprà cantare la generosità della nostra terra?

— Perché ti sei alzata così presto, Nefertari?

— Sei tu che dovresti riposare, non credi?

— Non riesco più a dormire.

— Come alleviare la tua pena, Maestà?

Le labbra di Tuya accennarono un triste sorriso.

— Sethi è insostituibile; il resto dei miei giorni non sarà che una lunga sofferenza, attenuata solo dal felice regno di Ramses. Questa è ormai la mia unica ragione di vita.

— Sono preoccupata, Maestà.

— Che cosa temi?

— Che la volontà di Sethi non venga rispettata.

— Chi oserebbe opporvisi?

Nefertari rimase in silenzio.

— Pensi al mio primogenito Shenar, vero? Conosco la sua vanità e la sua ambizione, ma non sarà così folle da disobbedire al padre.

I raggi dorati dell'alba illuminavano il giardino della regina.

— Mi ritieni forse ingenua, Nefertari? Non mi sembra che tu condivida il mio pensiero.

— Maestà...

— Sei in possesso di un'informazione precisa?

— No, è solo una sensazione, una sensazione vaga.

16

— La tua intelligenza è intuitiva e vivace, e la calunnia è un sentimento a te estraneo; ma quale altro mezzo di impedire a Ramses di regnare se non quello di sopprimerlo?

— È questo il mio timore, Maestà.

Tuya accarezzò un ramo di tamarindo.

— Shenar fonderebbe quindi il suo regno sul crimine?

— Un simile pensiero fa orrore anche a me, ma non riesco a scacciarlo dalla mia mente. Giudicami pure con severità se lo ritieni inverosimile, ma non potevo tacere.

— Da chi è garantita la sicurezza di Ramses?

— Il suo leone e il suo cane vegliano su di lui, e così anche Serramanna, il capo della sua guardia personale; da quando Ramses è tornato dal suo giro solitario nel deserto, sono riuscita a convincerlo a non rimanere senza protezione.

— Il lutto nazionale è iniziato da dieci giorni — ricordò la grande sposa reale. — Tra due mesi, il corpo immortale di Sethi verrà deposto nella sua dimora di eternità. Allora Ramses sarà incoronato e tu diventerai regina d'Egitto.

Ramses si inchinò di fronte a sua madre, poi la strinse dolcemente a sé. Quella donna, dall'aspetto così fragile, gli dava una lezione di dignità e nobiltà.

— Perché Dio ci impone una prova così crudele?

— Lo spirito di Sethi vive in te, figlio mio; il suo tempo è finito, il tuo comincia. Egli vincerà la morte se proseguirai la sua opera.

— La sua ombra è immensa.

— Non sei forse il Figlio della Luce, Ramses? Scaccia le tenebre che ci circondano, respingi il caos che ci assale.

Il giovane si allontanò dalla regina.

— Il mio leone e io abbiamo fraternizzato, nel deserto.

— Era questo il segno che aspettavi, vero?

— Sì, ma mi permetterai di chiederti un favore?

— Ti ascolto.

— Quando mio padre lasciava l'Egitto per manifestare la sua potenza all'estero, eri tu che governavi.

17

— Questa è la nostra tradizione.

— Possiedi l'esperienza del potere e sei venerata da tutti; perché non sali al trono?

— Perché non era questa la volontà di Sethi; egli incarnava la legge, quella legge che amiamo e rispettiamo. Ha scelto te, figlio mio, sei tu che devi regnare. Ti aiuterò con tutte le mie forze e ti consiglierò se lo riterrai opportuno.

Ramses non insistette.

Sua madre era l'unica persona che avrebbe potuto cambiare il suo destino e liberarlo dal suo peso; ma Tuya sarebbe rimasta sempre fedele al defunto re e non avrebbe mai mutato la sua posizione. Quali che fossero i suoi dubbi e le sue angosce, Ramses era destinato a tracciare il proprio cammino.

Serramanna, il capo della guardia personale di Ramses, non lasciava più l'ala del palazzo dove lavorava il futuro re d'Egitto. La nomina di quel sardo, un ex pirata, a un simile posto di fiducia aveva suscitato molti commenti; alcuni erano convinti che, prima o poi, il gigante dai baffi arricciati avrebbe tradito il figlio di Sethi.

Per il momento, nessuno poteva entrare nel palazzo senza la sua autorizzazione. La grande sposa reale gli aveva raccomandato di cacciare gli intrusi e di non esitare a ricorrere alla spada in caso di pericolo.

Quando giunse alle sue orecchie l'eco di un litigio, Serramanna si precipitò nell'atrio destinato ai visitatori.

— Cosa sta succedendo qui?

— Quest'uomo vuole entrare con la forza — rispose una guardia indicando un colosso barbuto dalla folta capigliatura e dalle spalle quadrate.

— Chi sei? — chiese Serramanna.

— L'ebreo Mosè, amico d'infanzia di Ramses e costruttore al servizio del Faraone.

— Che cosa vuoi?

— Di solito la porta di Ramses non è mai chiusa per me!

— Oggi sono io a decidere.

— Il reggente è stato forse sequestrato?

— Questioni di sicurezza... Il motivo della visita?

— Non ti riguarda.

— In tal caso, tornatene a casa e non avvicinarti più a questo palazzo o ti faccio arrestare.

Ci vollero ben quattro guardie per immobilizzare Mosè.

— Informa Ramses della mia presenza o te ne pentirai!

— Sono indifferente alle tue minacce.

— Il mio amico mi aspetta! Lo capisci?

I lunghi anni di vita piratesca e gli innumerevoli combattimenti feroci avevano sviluppato in Serramanna un acuto senso del pericolo. Malgrado la sua forza fisica e la sua arroganza, quel Mosè gli sembrò sincero.

Ramses e Mosè si abbracciarono.

— Non è più un palazzo — esclamò l'ebreo — ma una fortezza!

— Mia madre, la mia sposa, il mio segretario particolare, Serramanna e alcuni altri temono il peggio.

— Il peggio... Cosa significa?

— Un attentato.

Sulla soglia che dava sul giardino della sala di udienza del reggente, sonnecchiava il gigantesco leone di Ramses; tra le zampe anteriori stringeva Guardiano, il cane giallo oro.

— Con quei due, che cosa puoi temere?

— Nefertari è convinta che Shenar non abbia rinunciato al regno.

— Un atto di forza prima della sepoltura di Sethi... Non è da lui. Preferisce agire nell'ombra e lasciar fare al tempo.

— Di tempo ne ha ben poco ormai.

— Hai ragione... Ma non oserà mai affrontarti.

— Che gli dei ti ascoltino; l'Egitto non ci guadagnerebbe nulla. Cosa si dice a Karnak?

— Corrono molte voci contro di te.

Sotto la direzione di un capomastro, Mosè era stato nominato responsabile dell'enorme cantiere di Karnak dove Sethi aveva avviato la costruzione di una gigantesca sala ipostila, interrotta dalla morte del Faraone.

— Chi le diffonde?

— I sacerdoti di Amon, alcuni nobili, il visir del Sud... Incoraggiati da tua sorella Dolente e suo marito Sary. Non hanno accettato l'esilio che gli hai imposto, così lontano da Menfi.

— L'odioso Sary non ha forse tentato di sbarazzarsi di me e di Ameni, mio segretario particolare e nostro amico d'infanzia? Averli costretti, lui e mia sorella, a lasciare Menfi per Tebe è una pena assai leggera!

— Quei fiori velenosi crescono solo a Nord; nel Sud, a Tebe, deperiscono. Avresti dovuto punirli più severamente e condannarli a un vero e proprio esilio.

— Dolente è mia sorella, Sary è stato il mio tutore e precettore.

— Può forse un re dar prova di tanta debolezza nei confronti dei suoi cari?

Ramses si risentì.

— Non lo sono ancora, Mosè!

— Avresti dovuto sporgere denuncia e lasciare che la giustizia seguisse il suo corso.

— Se mia sorella e suo marito dovessero scoprire le loro carte, li punirò.

— Vorrei poterti credere; tu non ti rendi conto dell'animosità che cova tra i tuoi nemici.

— Sto piangendo mio padre, Mosè.

— E dimentichi il tuo popolo e il tuo paese! Pensi forse che Sethi, dall'alto dei cieli, apprezzi quest'atteggiamento mediocre!

Se Mosè non fosse stato un suo amico, Ramses avrebbe alzato le mani su di lui.

— Il cuore di un monarca deve quindi essere arido?

— Come può governare un uomo rinchiuso nel proprio dolore, per quanto legittimo? Shenar ha tentato di corrompermi e di istigarmi contro di te. Capisci meglio adesso l'entità del pericolo?

Questa rivelazione lasciò Ramses stupefatto.

— Hai un avversario tenace — proseguì Mosè. — Vuoi scuoterti dal tuo torpore?

3

Menfi, la capitale economica del paese, situata nel punto in cui il Delta raggiunge la valle del Nilo, era caduta in letargo. Nel porto di "Buon viaggio", la maggior parte delle navi mercantili rimanevano attraccate; durante i settanta giorni di lutto, le trattative commerciali sarebbero rimaste ferme e nelle grandi ville dei nobili non si sarebbe dato alcun banchetto.

Dopo la morte di Sethi la grande città era sotto choc. Durante il suo regno la prosperità si era consolidata, ma adesso essa sembrava fragile agli occhi dei commercianti più importanti, poiché un Faraone debole avrebbe reso l'Egitto vulnerabile e vacillante. E chi avrebbe mai potuto eguagliare Sethi? Shenar, il figlio maggiore, sarebbe stato un buon amministratore; ma il sovrano, malato, aveva preferito il giovane e impetuoso Ramses, la cui prestanza era più quella di un seduttore che di un capo di stato. Anche gli esseri più lungimiranti a volte sbagliavano; e si mormorava, come a Tebe, che Sethi potesse aver commesso un errore nell'indicare come successore il figlio minore.

Shenar, impaziente, camminava avanti e indietro nella sala degli ospiti della dimora di Meba, il ministro degli Affari esteri, un uomo di sessant'anni, discreto, di bel portamento, col viso largo e rassicurante. Nemico di Ramses, egli appoggiava Shenar, di cui condivideva pienamente le vedute politiche ed economiche. Aprire un vasto mercato mediterraneo e asiatico stringendo il maggior numero possibile di alleanze commerciali, anche a costo di mettere da parte alcuni valori superati: non era forse questo il futuro? Meglio vendere le armi che usarle.

— Verrà? — chiese Shenar.

— È dei nostri, stai tranquillo.

— Non amo i bruti del suo stampo; cambiano parere a seconda del vento che tira.

Il primogenito di Sethi era un uomo piccolo, tarchiato e paffuto, col viso rotondo e le guance piene; le sue labbra spesse e avide rispecchiavano il gusto per la buona tavola, gli occhietti marroni la sua perpetua agitazione. Pesante, massiccio, detestava il sole e l'esercizio fisico; la sua voce melliflua e fluttuante voleva creare l'illusione di una distinzione e una calma di cui era spesso sprovvisto.

Shenar era pacifista per interesse. Difendere il suo paese isolandolo dal flusso degli affari gli sembrava assurdo; il termine "tradimento" veniva usato solo dai moralisti incapaci di far fortuna. Ramses, educato all'antica, non meritava di regnare e ne sarebbe stato incapace. Perciò, Shenar non provava nessun rimorso nel fomentare il complotto che gli avrebbe offerto il potere: l'Egitto gliene sarebbe stato grato.

A condizione però che il suo alleato principale non avesse rinunciato al loro progetto comune.

— Dammi da bere — ordinò Shenar.

Meba offrì all'illustre ospite un calice di birra fresca.

— Non avremmo dovuto fidarci di lui.

— Verrà, ne sono convinto; non dimenticare che desidera tornare a casa al più presto.

Finalmente, il guardiano della casa del ministro degli Affari esteri annunciò l'arrivo del tanto sospirato visitatore.

Il biondo Menelao dagli occhi penetranti, figlio di Atreo, amato dal dio della guerra e re di Lacedemone, grande sterminatore di troiani, indossava una doppia corazza e una larga cintura con le fibbie dorate. L'Egitto gli aveva concesso ospitalità, giusto il tempo di riparare le sue navi; ma sua moglie Elena non voleva più lasciare la terra dei Faraoni, temendo di subire maltrattamenti alla corte del marito e di esservi ridotta in schiavitù.

Dato che Elena godeva dell'appoggio e della protezione della regina Tuya, Menelao aveva le mani legate; per fortuna Shenar era venuto in suo aiuto, esortandolo a pazientare finché avesse messo a punto una strategia vincente.

Appena Shenar fosse diventato Faraone, Menelao avrebbe salpato per la Grecia con Elena.

Da diversi mesi, i soldati greci si erano integrati nella popolazione; alcuni erano ormai agli ordini degli egiziani, altri avevano aperto delle botteghe, e tutti sembravano soddisfatti della loro buona sorte. In realtà, aspettavano soltanto un ordine del loro capo per passare all'azione, rinnovando così su scala più grande l'episodio della guerra di Troia.

Il greco considerò Meba con sospetto.

— Fai uscire quest'uomo — chiese a Shenar. — Voglio parlarti da solo.

— Il ministro degli Affari esteri è un nostro alleato.

— Non me lo far dire due volte.

Con un gesto, Shenar ordinò al suo compatriota di eclissarsi.

— A che punto siamo? — chiese Menelao.

— È giunta l'ora di intervenire.

— Ne sei proprio sicuro? Con le vostre strane usanze e quest'interminabile mummificazione, si finisce col perdere la testa!

— Dobbiamo agire prima della sepoltura della mummia di mio padre.

— I miei uomini sono pronti.

— Sono contrario a inutili violenze e...

— Non tergiversiamo, Shenar! Voi egiziani avete paura di combattere; noi greci abbiamo passato anni e anni a lottare contro i troiani che abbiamo massacrato. Se desideri la morte di questo Ramses, dillo una buona volta e fidati della mia spada!

— Ramses è mio fratello, e a volte l'astuzia è più efficace della forza bruta.

— Solo il connubio tra questi due elementi porta alla vittoria; vuoi forse insegnare la strategia a me, un'eroe della guerra di Troia?

— Devi riconquistare Elena.

— Elena, Elena, ancora lei! Quella donna è maledetta, ma non posso tornare a Lacedemone senza di lei.

— In tal caso attueremo il mio piano.

— E cioè?

Shenar sorrise. Questa volta la fortuna era dalla sua parte; con l'aiuto del greco, avrebbe raggiunto il suo scopo.

— Ci sono due ostacoli principali: il leone e Serramanna. Avveleneremo il primo e sopprimeremo il secondo. Poi rapiremo Ramses e tu lo porterai in Grecia.

— Perché non ucciderlo?

— Perché il mio regno non può essere fondato sul sangue. Ufficialmente Ramses avrà rinunciato al trono e deciso di intraprendere un lungo viaggio, durante il quale rimarrà vittima di un malaugurato incidente.

— Ed Elena?

— Non appena sarò incoronato, mia madre dovrà obbedirmi e cesserà di proteggerla. Se Tuya non dovesse mostrarsi ragionevole, la farò rinchiudere in un tempio.

Menelao ci pensò.

— Per un egiziano, è assai ben congegnato... Hai il veleno necessario?

— Certo.

— L'ufficiale greco che siamo riusciti a fare assumere tra le guardie personali di tuo fratello è un soldato di grande esperienza; sgozzerà Serramanna nel sonno. Quando agiremo?

— Ancora un po' di pazienza, devo recarmi a Tebe; colpiremo al mio ritorno.

Elena assaporava ogni attimo della felicità che credeva di aver perso per sempre. Vestita con un abito leggero dal profumo di nettare, la testa coperta da un velo per proteggersi dal sole, viveva un sogno meraviglioso alla corte d'Egitto. La donna che i greci chiamavano "cagna perversa" era riuscita a sfuggire a Menelao, quel tiranno vizioso e vigliacco il cui piacere più grande era quello di umiliarla.

Tuya, la grande sposa reale, e Nefertari, la moglie di Ramses, le avevano offerto la loro amicizia e permesso di vivere libera, in un paese dove la donna non veniva rinchiusa in fondo a una dimora, per principesca che fosse.

Ma Elena era veramente responsabile di quelle migliaia di morti greci e troiani? Lei non aveva desiderato quella follia omicida che, durante tutti quegli anni, aveva spinto giovani uomini a uccidersi a vicenda; ma le voci continuavano ad accusarla e a condannarla senza lasciarle la possibilità di difendersi. Lì, a Menfi, nessuno le rimproverava nulla; Elena tesseva, ascoltava musica, suonava, faceva il bagno nelle vasche delle installazioni balneari e godeva del fascino infinito dei giardini del palazzo. Il fragore delle armi era svanito e aveva ceduto il posto al canto degli uccelli.

Elena dalle bianche braccia pregava gli dei più volte al giorno affinché il sogno non svanisse: voleva solo dimenticare il passato, la Grecia e Menelao.

Mentre camminava su un viale sabbioso, tra due filari di persee, scorse il cadavere di una gru cenerina. Avvicinandosi, notò che lo splendido uccello era stato sventrato. Elena si inginocchiò per esaminarne le viscere; le sue doti d'indovina erano note sia ai greci che ai troiani.

La moglie di Menelao rimase prostrata per alcuni lunghi minuti.

Ciò che aveva letto nelle viscere della povera gru la spaventava.

4

Tebe, la grande città del sud dell'Egitto, era il feudo di Amon, il dio che aveva armato il braccio di coloro che avevano cacciato, molti secoli prima, gli Hyksos, crudeli e barbari occupanti asiatici. Da quando il paese aveva ritrovato la sua indipendenza, i Faraoni rendevano omaggio ad Amon e ne abbellivano il tempio, generazione dopo generazione. E fu così che Karnak, enorme cantiere ininterrotto, diventò il più grande e il più ricco dei santuari egiziani, una specie di Stato nello Stato, il cui sommo sacerdote assomigliava più a un amministratore dai vasti poteri che a un uomo di culto.

Non appena arrivato a Tebe, Shenar sollecitò un'udienza. I due uomini parlavano sotto un gazebo di legno, sul quale si intrecciavano glicini e caprifogli, poco lontano dal lago sacro la cui brezza procurava un po' di frescura.

— Sei forse senza scorta? — si stupì il sacerdote.

— Pochissime persone sanno della mia presenza qui.

— Ah... Conti quindi sulla mia discrezione.

— La tua opposizione a Ramses è sempre ferma?

— Più che mai. È giovane, impetuoso e collerico; il suo regno sarebbe disastroso. Sethi ha commesso un errore designandolo.

— Ti fidi di me?

— Quale posto riserverai al tempio di Amon, se salirai al trono?

— Il primo ovviamente.

— Sethi ha favorito altri santuari, come quelli di Heliopolis e Menfi; la mia unica ambizione consiste nell'evitare che Karnak si trovi relegata al secondo posto.

— È proprio questa l'intenzione di Ramses, ma non la mia.

— Cosa suggerisci, Shenar?

— Di agire, di agire rapidamente.

— E cioè prima della sepoltura della mummia di Sethi.

— Infatti, è la nostra ultima possibilità.

Shenar non sapeva che il sommo sacerdote di Amon era gravemente malato; secondo il suo medico, gli rimanevano solo pochi mesi, se non poche settimane, di vita. Perciò, una soluzione così rapida fu percepita dal sacerdote come un'espressione della benevolenza degli dei. Prima di morire, avrebbe avuto la fortuna di vedere Ramses allontanato dal potere e Karnak messa in salvo.

— Non tollererò la benché minima violenza — decretò il sacerdote. — Amon ci ha dato la pace e nessuno la può infrangere.

— Stai tranquillo; anche se è incapace di regnare, Ramses è comunque mio fratello e provo un grande affetto nei suoi confronti. Non ho mai pensato neanche per un momento di fargli del male.

— Quale sarà il suo destino?

— È un ragazzo pieno d'energia, amante delle avventure e della natura selvaggia; una volta sollevato da questo fardello per lui troppo pesante, intraprenderà un lungo viaggio e visiterà vari paesi stranieri. Quando tornerà, la sua esperienza sarà per noi un bene prezioso.

— Esigo anche che la regina Tuya rimanga tua consigliera privilegiata.

— È naturale.

— Sii fedele ad Amon, Shenar, e il destino ti sorriderà.

Il primogenito di Sethi si inchinò con deferenza. La credulità del vecchio sacerdote costituiva per lui una meravigliosa opportunità.

Dolente, la sorella maggiore di Ramses, cospargeva di unguenti la sua pelle grassa. Né bella né brutta, troppo alta, perennemente stanca, odiava Tebe e il Sud. Una donna della sua classe poteva vivere solo a Menfi dove trascorreva le giornate a occuparsi degli innumerevoli drammi domestici che animavano l'esistenza dorata delle famiglie nobili.

A Tebe si annoiava. Certo, era stata accolta dalla migliore società e correva da un banchetto all'altro, godendo della sua posizione di figlia del grande Sethi; ma la moda era molto in ritardo rispetto a Menfi e suo marito, il panciuto e gioviale Sary, un tempo precettore di Ramses, sprofondava sempre più nella nevrastenia. Lui, ex direttore del *Kap*, la scuola incaricata della formazione dei futuri dirigenti del regno, si trovava ridotto all'inoperosità per via di Ramses.

Certo, Sary era stato all'origine di un mediocre complotto volto a eliminare Ramses; certo, sua moglie Dolente aveva parteggiato per Shenar contro il fratello; certo, avevano sbagliato, ma Ramses non avrebbe dovuto perdonarli dopo la morte di Sethi?

L'unica risposta a tanta crudeltà era la vendetta. La fortuna di Ramses avrebbe finito per voltargli le spalle e, quel giorno, Dolente e Sary ne avrebbero tratto vantaggio. Intanto, Dolente si prendeva cura della sua pelle e Sary leggeva o dormiva.

L'arrivo di Shenar li scrollò dal torpore.

— Beneamato fratello! — esclamò Dolente abbracciandolo. — Porti forse buone notizie?

— Può darsi.

— Non ci lasciare sulle spine! — intimò Sary.

— Diventerò re.

— L'ora della vendetta è vicina?

— Tornate con me a Menfi; vi nasconderò fino alla scomparsa di Ramses.

Dolente impallidì.

— La scomparsa...

— Non ti preoccupare, sorellina; se ne andrà all'estero.

— Mi darai un incarico importante a corte? — chiese Sary.

— Non sei stato molto abile — rispose Shenar — ma le tue qualità mi saranno preziose. Se mi rimarrai fedele, avrai una carriera brillante.

— Hai la mia parola, Shenar.

La bella Iset languiva nello splendido palazzo di Tebe dove allevava con amore Kha, il figlio che Ramses le aveva dato; occhi verdi, naso piccolo e diritto, labbra sottili, graziosa, sbarazzina, allegra, Iset era una bellissima donna e la seconda consorte del reggente.

"Seconda consorte"... Com'era difficile accettare quel titolo e subire la condizione che esso implicava! Eppure, Iset non riusciva a essere gelosa di Nefertari, così bella, dolce e profonda; aveva il contegno di una futura regina, benché non mostrasse di avere nessuna ambizione.

Iset aveva sperato che l'odio infiammasse il suo cuore procurandole il pretesto per lottare ferocemente contro Ramses e Nefertari, ma continuava ad amare colui che le aveva offerto tanta gioia e tanto piacere, l'uomo a cui aveva dato un figlio.

Alla bella Iset non importava nulla del potere e degli onori; amava Ramses per quello che era, per la sua forza e il suo fulgore. Vivere lontana da lui era una prova talvolta insopportabile; perché il reggente non si rendeva conto del suo sconforto?

Presto Ramses sarebbe diventato re e le avrebbe concesso solo qualche visita fugace durante la quale la donna avrebbe ceduto, incapace di resistere. Se almeno avesse potuto innamorarsi di un altro uomo... Ma i pretendenti, discreti o insistenti che fossero, erano insulsi e senza personalità.

Quando il suo servitore le annunciò la visita di Shenar, la bella Iset fu sorpresa; cosa ci faceva a Tebe il primogenito di Sethi prima del funerale?

Lo ricevette in una sala ben ventilata grazie alle strette aperture praticate sotto al tetto, da cui filtravano pallidi fasci di luce.

— Sei splendida, Iset.

— Cosa vuoi?

— So che non mi ami, ma so anche che sei intelligente e in grado di valutare una situazione tenendo conto dei tuoi interessi. Secondo me, hai la stoffa di una grande sposa reale.

— Ramses ha deciso diversamente.

— E se non dovesse più decidere in futuro?

— Cosa intendi dire?

— Mio fratello non è privo di buon senso; ha capito che governare l'Egitto era una cosa al di sopra delle sue capacità.

— Ovvero...

— Ovvero, sarò io ad assumere il difficile compito per il bene del nostro paese e tu sarai la regina delle Due Terre.

— Ramses non ha rinunciato; tu menti!

— Ma no, mia tenera e bella amica; Ramses si accinge a partire per un lungo viaggio, in compagnia di Menelao, e mi ha chiesto di succedere a Sethi, per rispetto verso la memoria di nostro padre. Al suo ritorno, mio fratello godrà di tutti i privilegi dovuti al suo rango, non dubitarne.

— Ha parlato di me?

— Temo che ti abbia dimenticata, così come ha dimenticato suo figlio; è animato soltanto dalla passione del viaggio.

— Porta con sé Nefertari?

— No, ha voglia di scoprire altre donne; mio fratello non è forse insaziabile in quanto a piaceri?

La bella Iset apparve sgomenta. Shenar ebbe voglia di prenderle la mano, ma era troppo presto; la precipitazione lo avrebbe portato al fallimento. Doveva innanzitutto rassicurare la giovane donna per poi conquistarla con dolcezza e persuasione.

— Il piccolo Kha riceverà la migliore educazione possibile — promise — e non dovrai più preoccupartene. Dopo la sepoltura di Sethi, torneremo insieme a Menfi.

— Ramses... Ramses è dunque già partito?

— Certo.

— Non assisterà al funerale?

— Lo deploro, ma è così; Menelao non vuole ritardare ulteriormente la sua partenza. Dimentica Ramses, Iset, e preparati a diventare regina.

5

Iset passò la notte in bianco.

Shenar aveva mentito. Ramses non avrebbe mai lasciato l'Egitto per stordirsi con un viaggio all'estero; se non fosse stato presente ai funerali del padre, sarebbe stato indubbiamente suo malgrado.

Certo, Ramses era crudele con lei; ma Iset non lo avrebbe mai tradito gettandosi tra le braccia di Shenar. Non aveva minimamente voglia di diventare regina e odiava quell'ambizioso dal viso smorto e dal tono mellifluo, già così sicuro della propria vittoria!

Il suo dovere era chiaro: avvertire Ramses del complotto che si stava tramando contro di lui e delle intenzioni che gli attribuiva il fratello maggiore.

Scrisse su un papiro una lunga lettera in cui narrava con minuzia le affermazioni di Shenar, poi convocò il capo dei messaggeri reali, incaricati di inoltrare la corrispondenza a Menfi.

— Questo messaggio è importante e urgente.

— Me ne occuperò personalmente — assicurò il funzionario.

Durante il periodo del lutto, l'attività del porto fluviale di Tebe era, come a Menfi, assai ridotta. Sulla banchina riservata alle imbarcazioni veloci in partenza verso nord, i soldati sonnecchiavano. Il capo dei messaggeri reali chiamò un marinaio.

— Salpa l'ancora, partiamo.

— Impossibile.

— Per quale motivo?

— La nave è stata requisita dal sommo sacerdote di Karnak.

— Non ne sono stato avvertito.

— L'ordine è stato dato adesso.

— Salpiamo lo stesso; ho un messaggio urgente per il palazzo reale di Menfi.

Un uomo apparve sul ponte della nave con la quale il funzionario desiderava partire.

— Gli ordini sono ordini — dichiarò — e devi rispettarli.

— Chi sei per parlarmi con questo tono?

— Shenar, primogenito del Faraone.

Il capo dei messaggeri reali si inchinò.

— Perdona la mia insolenza.

— Sono disposto a dimenticare, se mi rimetti il messaggio che ti è stato affidato dalla bella Iset.

— Ma...

— È destinato al palazzo reale di Menfi, vero?

— Infatti, a tuo fratello Ramses.

— Sto andando proprio adesso da lui; non mi ritieni forse adatto come messaggero?

Il funzionario consegnò la lettera a Shenar.

Quando l'imbarcazione salpò e prese il largo, Shenar strappò la lettera di Iset e i frammenti vennero dispersi dal vento.

La notte estiva era calda e profumata. Era difficile credere al fatto che Sethi aveva lasciato il suo popolo e che l'anima dell'Egitto piangeva la morte di un re degno dei monarchi dell'Antico Regno. Solitamente, le serate erano allegre e animate; sulle piazze dei villaggi, nei vicoli delle città, si ballava, si cantava e si raccontavano storie, spesso favole in cui gli animali prendevano il posto degli umani, comportandosi peraltro più saggiamente. Ma in quel periodo di lutto e di mummificazione del corpo del re, risate e giochi erano scomparsi.

Guardiano, il cane giallo di Ramses, dormiva sdraiato al fianco di Massacratore, l'enorme leone incaricato della sorveglianza del giardino privato del reggente. Il cane e il leone si erano sistemati sull'erba fresca, dopo che i giardinieri avevano annaffiato le piante.

Uno di questi era un greco, un soldato di Menelao, che si era intrufolato nella squadra. Prima di uscire dal giardino, aveva lasciato su un'aiuola di gigli alcune polpette di carne avvelenata. La golosità dei due animali non avrebbe permesso loro di resistere. Anche se la belva avesse impiegato svariate ore a morire, nessun veterinario sarebbe stato in grado di salvarla.

Guardiano fu il primo a sentire aleggiare un insolito profumo.

Sbadigliò, si stiracchiò, fiutò l'aria notturna e avanzò trotterellando verso i gigli. L'odorato lo condusse sino alle polpette che annusò a lungo prima di tornare verso il leone. Guardiano non era un egoista; non voleva approfittare da solo di una simile scoperta.

I tre soldati appollaiati sul muro del giardino videro con soddisfazione il leone che usciva dal suo torpore per seguire il cane. Ancora un po' di pazienza e la via sarebbe stata libera; avrebbero potuto dirigersi senza intoppi verso la stanza di Ramses, sorprenderlo nel sonno e condurlo sulla nave di Menelao.

Il leone e il cane si erano fermati, fianco a fianco, col muso immerso nell'aiuola.

Ormai sazi, si sdraiarono sui fiori.

Una decina di minuti dopo, uno dei greci balzò a terra; data la potenza del veleno e la quantità ingerita, la belva era già paralizzata.

Il soldato in avanscoperta fece un segno ai suoi compagni che lo raggiunsero sul viale che portava alla stanza di Ramses. Si apprestavano a entrare nel palazzo quando una specie di lamento li fece voltare.

Massacratore e Guardiano erano dietro di loro e li fissavano. Tra i gigli strapazzati, le polpette di carne intatte che il naso del cane aveva scartato; il leone aveva confermato l'intuizione dell'amico calpestando il cibo avvelenato.

I tre greci, armati di coltello, si strinsero tra loro.

Massacratore balzò sugli intrusi tirando fuori gli artigli e spalancando le fauci.

L'ufficiale greco che era riuscito a farsi assumere nella guardia personale di Ramses avanzava lentamente nel palazzo addormentato verso gli appartamenti del reggente. Aveva l'incarico di ispezionare i corridoi e segnalare qualsiasi presenza insolita, perciò i soldati, che lo conoscevano bene, lo avevano lasciato passare tranquillamente.

Il greco si diresse verso la soglia di granito sulla quale dormiva Serramanna; il sardo non diceva forse che chiunque volesse colpire Ramses avrebbe dovuto prima tagliargli la gola? Una volta eliminato Serramanna, il reggente avrebbe perso il suo protettore principale e la guardia tutta intera si sarebbe schierata con Shenar, nuovo signore dell'Egitto.

Il greco si bloccò e ascoltò attentamente.

Non si sentiva il minimo rumore, eccetto il respiro regolare di un uomo addormentato.

Malgrado la sua potenza fisica, Serramanna aveva bisogno di qualche ora di sonno. Ma se si fosse comportato come un gatto che si sveglia nell'avvertire un pericolo? Il greco doveva colpire di sorpresa, senza dare alla vittima nessuna possibilità di reagire.

Prudente, il mercenario tese ancora l'orecchio. Non vi era dubbio: Serramanna era alla sua mercé.

Il greco sfoderò il pugnale e trattenne il respiro. Con uno slancio furioso, si precipitò sull'uomo addormentato e lo colpì alla gola.

Una voce grave risuonò alle spalle dell'aggressore.

— Bella prodezza, per un codardo!

Il greco si voltò.

— Hai ucciso un corpo di paglia e di stoffa — dichiarò Serramanna. — Siccome mi aspettavo un attacco del genere ho imitato il respiro di una persona addormentata.

L'uomo di Menelao strinse il manico del suo pugnale.

— Mollalo.

— Ti sgozzerò lo stesso.

— Provaci.

Il sardo era molto più alto del greco.

Il pugnale squarciò l'aria; malgrado la sua statura e il suo peso, il sardo si muoveva con sorprendente agilità.

— Non sai nemmeno combattere — osservò Serramanna.

Offeso, il soldato greco azzardò una finta: un passo di lato seguito da uno scatto in avanti, con la lama puntata verso la pancia dell'avversario.

Il sardo, con un fendente della destra, gli ruppe il polso e, col pugno sinistro, gli sfondò la tempia. La lingua di fuori e l'occhio vitreo, il greco crollò a terra e morì ancor prima di toccare il suolo.

— Un vigliacco di meno — borbottò Serramanna.

Ramses si svegliò e constatò il fallimento dei due attentati orditi contro di lui. In giardino, i tre greci era morti tra le grinfie del leone; in corridoio, c'era un altro greco, membro della guardia personale del reggente, passato dalla vita alla morte.

— Volevano ucciderti — affermò Serramanna.

— L'uomo ha parlato?

— Non ho avuto il tempo di interrogarlo; non rimpiangere quel mediocre, non aveva affatto le qualità di un guerriero.

— Questi greci non erano vicini a Menelao?

— Odio quel tiranno. Permettimi di sfidarlo a duello e lo spedirò in quell'inferno che tanto teme, popolato di fantasmi ed eroi disperati.

— Per il momento, accontentati di raddoppiare la guardia.

— La difesa non è una buona strategia, mio signore; solo l'attacco porta alla vittoria.

— A condizione che si individui il nemico.

— Menelao e i suoi greci! Sono dei bugiardi e degli impostori. Cacciali al più presto, altrimenti ricominceranno.

Ramses appoggiò la mano sulla spalla di Serramanna.

— Dal momento che mi sei fedele, cosa posso temere?

Ramses passò il resto della notte in giardino, vicino al leone e al cane. La belva si era addormentata, Guardiano sonnecchiava. Il figlio di Sethi aveva sognato un mondo pacifico, ma la follia umana non rispettava nemmeno il periodo di mummificazione del defunto Faraone.

Mosè aveva ragione: non era mostrandosi clemente nei confronti dei propri nemici che si faceva cessare la violenza. Al contrario, si alimentava negli avversari la certezza di avere a che fare con un essere debole, facile da abbattere.

All'alba, Ramses uscì dalle tenebre del suo dolore. Anche se Sethi era insostituibile, doveva mettersi al lavoro.

6

Nell'Egitto di Sethi, i templi curavano la ridistribuzione delle derrate alimentari e dei prodotti loro affidati. Sin dalla nascita della civiltà faraonica, la regola di Maat, fragile dea della giustizia e della verità, esigeva che ogni bambino della terra benedetta dagli dei non mancasse di nulla. Come celebrare una festa, se anche solo uno stomaco pativa la fame?

Ai vertici dello Stato, il Faraone era al contempo il timoniere che indicava la rotta e il capitano della nave che garantiva l'affiatamento dell'equipaggio. Spettava a lui gettare le basi di quell'indispensabile solidarietà senza la quale una società si sarebbe dilaniata e sarebbe rimasta vittima dei propri conflitti interni.

Benché la distribuzione del cibo dipendesse essenzialmente da un corpo di funzionari la cui competenza costituiva una delle chiavi di volta della prosperità egiziana, alcuni mercanti indipendenti, che lavoravano in collaborazione con i templi, viaggiavano in tutto il paese e commerciavano liberamente.

Fra questi, Raia, un siriano stabilitosi in Egitto da una decina d'anni. Possedeva una nave mercantile e un branco di asini. Andava e veniva ininterrottamente, dal nord al sud, dal sud al nord, per vendere vino, conserve di carne e vasi importati dall'Asia. Di media statura, col mento ornato da un pizzetto a punta, indossava una tunica a strisce colorate. Cortese, riservato e onesto, egli godeva della stima di numerosi clienti che apprezzavano la qualità dei suoi prodotti e i suoi prezzi contenuti. Ogni anno, il suo permesso di lavoro veniva rinnovato, al punto che il siriano era ormai perfettamente integrato nel suo paese d'adozione. Come tanti altri stranieri, si era assimilato alla popolazione e non era più possibile distinguerlo dagli autoctoni.

Nessuno sapeva che il mercante Raia era in realtà una spia assoldata dagli ittiti.

Questi ultimi lo avevano incaricato di raccogliere il maggior numero possibile d'informazioni e di trasmetterle rapidamente. I guerrieri dell'Anatolia sarebbero così stati in grado di scegliere il momento più adatto per attaccare i vassalli del Faraone e impadronirsi delle loro terre prima di invadere l'Egitto stesso. Siccome Raia aveva stretto amicizie con i militari, i doganieri e i poliziotti, riceveva numerose confidenze e trasmetteva le notizie essenziali a Hattusa, la capitale degli ittiti, sotto forma di messaggi in codice, introdotti in vasi di alabastro destinati ai capiclan della Siria del Sud, alleata ufficiale dell'Egitto. La dogana aveva frugato la merce a più riprese e letto i testi redatti da Raia, innocenti missive commerciali e fatture da pagare. L'importatore siriano, che apparteneva alla rete di spionaggio, consegnava i vasi ai destinatari e i messaggi a un suo collega della Siria del Nord, sotto protettorato ittita, che li faceva pervenire a sua volta a Hattusa.

E così, la più grande potenza militare del Vicino Oriente, l'Impero ittita, seguiva mese dopo mese l'evoluzione della politica egiziana, basandosi su informazioni di prima mano.

La morte di Sethi e il periodo del lutto sembravano costituire un'ottima occasione per colpire l'Egitto; ma Raia aveva insistito molto per dissuadere i generali ittiti dal lanciarsi in un'avventura insensata. Diversamente da quanto pensavano, l'esercito egiziano non era smobilitato, ma piuttosto il contrario; temendo un'invasione prima dell'investitura del nuovo monarca, aveva rafforzato le precauzioni alle frontiere.

Inoltre, grazie alle chiacchiere di Dolente, la sorella di Ramses, Raia era venuto a sapere che Shenar, fratello maggiore del futuro re, non avrebbe accettato di essere relegato al secondo posto. In altre parole, egli complottava per impadronirsi del potere prima dell'incoronazione.

La spia aveva studiato a lungo la personalità di Shenar: attivo, abile, ambizioso, spietato quando si trattava di difendere il proprio interesse, egli era astuto e molto diverso da Sethi e da Ramses. Vederlo accedere al trono era una prospettiva piuttosto piacevole, poiché Shenar sarebbe potuto cadere nella trappola tesa dagli ittiti, e cioè il loro ostentare di voler stringere relazioni diplomatiche e commerciali con l'Egitto, dimenticando le antiche inimicizie. Sethi non aveva forse avuto la debolezza di rinunciare a impadronirsi della famosa fortezza di Qadesh, cardine del sistema ittita? Il sovrano assoluto dei guerrieri dell'Anatolia dava volentieri a intendere che avrebbe abbandonato qualsiasi velleità espansionistica, nella speranza che il futuro Faraone credesse al suo discorso distensivo e allentasse lo sforzo militare.

L'unico scopo di Raia divenne allora identificare i complici di Shenar e scoprire il suo piano. Dando prova di grandissimo istinto, aveva accentrato la sua attenzione sulla colonia greca stabilitasi a Menfi. Menelao non si presentava forse come un mercenario crudele i cui ricordi migliori erano i massacri perpetrati a Troia? Secondo le persone a lui vicine, il sovrano greco non sopportava più quella permanenza in Egitto e sognava di tornare a Lacedemone, in compagnia di Elena, per celebrarvi le sue vittorie. Shenar aveva di certo pagato lautamente alcuni mercenari greci per sbarazzarsi di Ramses e assumere la successione di Sethi.

Raia aveva ormai la certezza che Ramses sarebbe stato un Faraone pericoloso per gli ittiti; egli aveva infatti un carattere bellicoso, aveva la stessa determinazione di suo padre e rischiava di lasciarsi trascinare dalla foga della sua giovane età. Conveniva favorire i disegni di Shenar, più ponderato e malleabile.

Ma le notizie non erano buone: secondo un servo del palazzo, diversi mercenari greci erano stati uccisi nel tentativo di assassinare Ramses. Apparentemente il complotto era fallito.

Le ore successive sarebbero state istruttive: infatti, o Shenar riusciva a declinare la propria responsabilità, dando così prova di essere un uomo di grande avvenire, oppure ne sarebbe stato incapace e avrebbe meritato di essere eliminato.

Menelao calpestò lo scudo che gli aveva permesso di parare innumerevoli colpi sui campi di battaglia e spezzò una delle lance che aveva trapassato il petto di numerosi troiani. Poi afferrò un vaso e lo scaraventò contro il muro dell'anticamera della sua villa.

Ancora in preda al furore, si voltò verso Shenar.

— Un fallimento... Come sarebbe a dire un fallimento! Sappi che i miei uomini non falliscono mai! Abbiamo vinto la guerra di Troia, siamo dei vincitori!

— Mi dispiace doverti contraddire; il leone di Ramses ha ucciso tre dei tuoi mercenari, e Serramanna il quarto.

— Sono stati traditi!

— No, sono stati semplicemente incapaci di portare a termine la missione che gli avevi affidato. Adesso, Ramses non si fida più di te; ti ordinerà sicuramente di lasciare il paese.

— E ripartirò senza Elena...

— Hai fallito, Menelao.

— Il tuo piano era stupido!

— Eppure ti sembrava realistico.

— Fuori di qui!

— Preparati a partire.

— So io cosa devo fare.

Portasandali e segretario particolare di Ramses, Ameni era soprattutto il suo amico d'infanzia; aveva giurato fedeltà al reggente e legato il suo destino a quello di Ramses, qualsiasi esso fosse. Piccolo, esile, magro, coi capelli radi malgrado la giovane età, incapace di portare pesi eccessivi, era però un lavoratore instancabile e uno scriba fuori del comune, perennemente chino sui documenti amministrativi da cui traeva l'essenziale per permettere a Ramses di essere informato correttamente. Ameni non nutriva alcuna ambizione per se stesso, ma non tollerava la minima approssimazione nel servizio dei venti funzionari scelti che lavoravano sotto di lui; rigore e disciplina erano per lui valori sacrosanti.

Benché non apprezzasse un bruto dello stampo di Serramanna, Ameni dovette riconoscere che si era dimostrato efficace nel proteggere Ramses dall'aggressore greco. La reazione del suo amico lo aveva sorpreso; molto calmo, il futuro Faraone aveva chiesto ad Ameni di descrivergli dettagliatamente i grandi corpi dello Stato, il loro funzionamento e i legami che li univano.

Quando Serramanna avvertì Ameni della presenza di Shenar, il segretario particolare del reggente si mostrò irritato; questa visita lo disturbava proprio mentre stava studiando le riforme delle leggi arcaiche riguardo all'uso delle chiatte collettive.

— Non lo ricevere — consigliò Ameni a Ramses.

— Shenar è mio fratello.

— È un intrigante che cerca solo il proprio tornaconto.

— Mi sembra indispensabile ascoltarlo.

Ramses accolse il fratello nel giardino dove il leone sonnecchiava all'ombra di un sicomoro, mentre il cane giallo rosicchiava un osso.

— Sei sorvegliato meglio di Sethi! — si stupì Shenar. — È quasi impossibile avvicinarti.

— Ignori forse che dei greci hanno tentato di introdursi nel palazzo con intenzioni ostili?

— Non lo ignoro, ma sono venuto a rivelarti il nome dell'autore del complotto.

— Come lo hai saputo, beneamato fratello?

— Menelao ha tentato di corrompermi.

— Che cosa ti ha offerto?

— Il trono.

— E tu hai rifiutato...

— Amo il potere, Ramses, ma conosco i miei limiti e non ho nessuna intenzione di oltrepassarli. Sei tu il futuro Faraone, e nessun altro; la volontà di nostro padre deve essere rispettata.

— E perché Menelao ha corso un simile rischio?

— Per lui, l'Egitto è una prigione; il suo desiderio di tornare a Lacedemone, insieme a Elena, lo fa andare fuori di senno. È convinto che sei tu a sequestrare la sua sposa. Il mio ruolo consisteva nell'esiliarti nelle oasi, liberare Elena e dargli il permesso di andarsene.

— Elena è perfettamente libera delle sue azioni.

— Agli occhi di un greco, ciò è inconcepibile; dev'essere per forza sotto l'influenza di un uomo.

— È quindi così ottuso?

— Menelao è testardo e pericoloso. Reagisce come un eroe greco.

— Cosa mi consigli?

— Dato il delitto imperdonabile da lui commesso, lo devi espellere senza indugio.

7

Il poeta Omero alloggiava in una vastissima dimora, poco lontano dal palazzo del reggente. Usufruiva dei servizi di un cuoco, di una cameriera e di un giardiniere, aveva la cantina colma di otri di un vino del Delta al quale aggiungeva un po' di anice e di coriandolo, e non usciva mai dal giardino, il cui albero più prezioso era un limone, indispensabile alla sua ispirazione.

Con il corpo cosparso di olio d'oliva, Omero fumava volentieri foglie di salvia, che caricava dentro a una pipa il cui fornello era costituito da un grosso guscio di lumaca. Con un gatto bianco e nero sulle ginocchia, che aveva battezzato Ettore, egli dettava i versi della sua *Iliade* talvolta ad Ameni, talvolta a uno scriba mandatogli dal segretario particolare di Ramses.

La visita del reggente rallegrò il poeta; il suo cuoco portò un vaso di Creta a collo stretto che lasciava passare solo un filo di vino fresco e aromatizzato. Sotto il gazebo a quattro colonne di legno d'acacia, ricoperte da un tetto di foglie di palma, il calore era sopportabile.

— Questa torrida estate guarisce i miei acciacchi — osservò Omero, il cui viso segnato e coperto di rughe era ornato da una lunga barba bianca. — Scoppiano anche qui i temporali, come in Grecia?

— Ogni tanto il dio Seth ne scatena di terrificanti — rispose Ramses. — Il cielo si copre di nuvole scure e viene squarciato dai lampi, cadono i fulmini, rimbombano i tuoni, un diluvio riempie gli uadi e i torrenti precipitano giù trascinando con sé un'enorme quantità di pietre. I cuori si riempiono di paura e vi è anche chi teme la distruzione del paese.

— Sethi non portava forse il nome di Seth?

— Questo per me fu a lungo un grande mistero; come osava un Faraone scegliere come dio protettore l'assassino di Osiride? Capii poi che egli aveva domato la forza di Seth, l'incommensurabile potenza del cielo, e che vi ricorreva per alimentare l'armonia, non il caos.

— Che strano paese questo Egitto! Non hai appena subìto una specie di tempesta?

— L'eco dei drammi giunge quindi fino a questo giardino?

— Ho la vista debole, ma ho un ottimo udito!

— Sai dunque che i tuoi compatrioti hanno tentato di sopprimermi.

— L'altro ieri ho scritto questi versi: "Temo assai che veniate stretti nelle maglie di una rete che nulla lascia sfuggire, e che diveniate tutti la preda e il bottino dei guerrieri nemici. Essi saccheggeranno le vostre città. Pensate a ciò giorno e notte, senza sosta, se volete sfuggire ai rimproveri".

— Sei forse un indovino?

— Non metto in dubbio la tua cortesia, ma il futuro Faraone è senz'altro venuto a chiedere qualche consiglio a un vecchio greco inoffensivo.

Ramses sorrise. Omero era piuttosto rude e diretto, ma questo suo atteggiamento gli piaceva.

— Secondo te, gli aggressori hanno agito di loro iniziativa o su ordine di Menelao?

— Non conosci bene i greci! Fomentare un complotto è il loro gioco preferito. Menelao vuole Elena, voi la nascondete; unica soluzione: la violenza.

— È fallita.

— Menelao è un essere debole e ottuso; non rinuncerà a dichiararvi guerra dentro al vostro stesso paese, senza pensare alle conseguenze.

— Cosa mi consigli?

— Rimandalo in Grecia con Elena.

— Ma lei si rifiuta!

— Quella donna genera suo malgrado solo disgrazie e morte. Voler cambiare il corso del destino è un'utopia.

— È libera di scegliere il paese in cui vuole risiedere.

— Ti ho avvertito. Ah, non dimenticare di farmi avere dei papiri nuovi e dell'olio d'oliva di prima scelta.

Qualcuno avrebbe potuto ritenere il comportamento del poeta dalla barba bianca un po' sgarbato, ma Ramses amava la sua schiettezza, che gli era più utile delle parole mielose dei cortigiani.

Non appena Ramses varcò la soglia dell'ala del palazzo a lui riservata, Ameni gli venne incontro precipitosamente. Una simile agitazione era insolita da parte sua.

— Cosa succede?

— Menelao... È Menelao!

— Che cosa ha fatto?

— Ha preso in ostaggio degli impiegati del porto, delle donne e dei bambini e minaccia di giustiziarli se non gli restituisci Elena oggi stesso.

— Dove si trova?

— Sulla sua nave, con gli ostaggi; tutte le imbarcazioni della sua flotta sono pronte a salpare. Non vi è più nessuno dei suoi mercenari in città.

— C'è un responsabile della sicurezza del porto?

— Non essere troppo severo... Menelao e i suoi uomini hanno colto di sorpresa i nostri soldati incaricati della sorveglianza delle banchine.

— Mia madre è stata avvertita?

— Ti aspetta, in compagnia di Nefertari e di Elena.

La vedova di Sethi, la sposa di Ramses e quella di Menelao avevano un'espressione preoccupata. Tuya era seduta su una sedia bassa di legno dorato, Nefertari su un seggiolino pieghevole, mentre Elena era in piedi, appoggiata contro una colonna verde chiaro, a forma di pianta di loto.

La sala di udienza della grande sposa reale era un luogo fresco e rilassante; raffinati profumi aleggiavano nell'aria. Sul trono del Faraone, un mazzo di fiori rivelava l'assenza momentanea di un monarca.

Ramses si inchinò davanti a sua madre, baciò teneramente sua moglie e salutò Elena.

— Sei stato informato? — chiese Tuya.

— Ameni non mi ha nascosto la gravità della situazione. Quanti sono gli ostaggi?

— Una cinquantina.

— Anche se ce ne fosse uno solo, la sua esistenza dovrebbe essere preservata.

Ramses si rivolse a Elena.

— Se diamo l'assalto, Menelao giustizierà gli ostaggi?

— Li sgozzerà lui stesso.

— Oserebbe commettere una simile barbarie?

— Vuole me. Se dovesse fallire, ucciderà prima di essere ucciso a sua volta.

— Sterminare così degli innocenti...

— Menelao è un guerriero; per lui esistono solo alleati e avversari.

— E i suoi uomini... È consapevole del fatto che nessuno di loro sopravviverà, se gli ostaggi dovessero essere uccisi?

— Moriranno da eroi, il loro onore sarà salvo.

— Eroi, gli assassini di esseri indifesi?

— Vincere o morire; Menelao non conosce altro.

— L'inferno degli eroi greci non è forse un abisso buio e disperato?

— La nostra morte è tenebrosa, è vero, ma il gusto della battaglia è più forte del semplice desiderio di sopravvivere.

Nefertari si avvicinò a Ramses.

— Cosa intendi fare?

— Mi recherò da solo e disarmato sulla nave di Menelao e tenterò di farlo tornare in senno.

— È pura utopia — osservò Elena.

— Devo comunque tentare.

— Ti prenderà in ostaggio! — intervenne Nefertari.

— Non ti devi esporre — opinò Tuya. — Faresti il gioco dell'avversario cadendo nella trappola che ti ha teso!

— Ti porterà in Grecia — profetizzò Nefertari — e un altro regnerà sull'Egitto. Un altro che tratterà con Menelao e gli restituirà Elena in cambio di un accordo commerciale.

Ramses interrogò sua madre con lo sguardo; la donna condivideva l'opinione di Nefertari.

— Se è impossibile trattare con Menelao, allora bisogna piegarlo.

Elena si avvicinò al reggente.

— No — disse quest'ultimo. — Rifiutiamo il tuo sacrificio. Proteggere un ospite è un dovere sacro.

— Ramses ha ragione — confermò la grande sposa reale. — Cedendo al ricatto di Menelao, l'Egitto sprofonderebbe nella codardia e sarebbe privato della presenza di Maat.

— Sono io la responsabile di questa situazione e...

— Inutile insistere, Elena; dal momento che hai scelto di vivere qui, noi siamo i garanti della tua libertà.

— Spetta a me preparare una strategia — affermò il figlio di Sethi.

Tremante e madido di sudore, Meba, il ministro degli Affari esteri, dialogò con Menelao dalla banchina del porto di Menfi. Temeva a ogni istante di essere trapassato dalla freccia di un arciere greco. Riuscì comunque a fare ammettere al re di Lacedemone la posizione di Ramses, che voleva almeno dare un grande banchetto in onore di Elena prima che questa lasciasse per sempre l'Egitto.

Al termine di ardue trattative, il sovrano greco accettò, ma precisò che gli ostaggi sarebbero rimasti senza cibo finché Elena non fosse salita a bordo. Sarebbero stati rilasciati quando la sua flotta si fosse trovata al sicuro al largo, senza essere stata seguita da nessuna nave da guerra egiziana.

Sano e salvo, Meba si allontanò a passi veloci dalla banchina, accompagnato dai commenti sarcastici dei soldati greci. Ebbe la consolazione di ricevere le congratulazioni di Ramses.

Nell'arco di una notte, il reggente doveva trovare il modo di liberare gli ostaggi.

8

Setau, l'incantatore di serpenti, un uomo di media statura, dotato di una forza erculea, dai capelli neri e dalla pelle scura, stava facendo l'amore con la sua deliziosa sposa nubiana, Loto, il cui corpo esile e armonioso era un richiamo costante al piacere. La coppia abitava sul limitare del deserto, lontano dal centro di Menfi, in una grande dimora che fungeva da laboratorio. Varie stanze erano riempite di fiale di ogni dimensione e di oggetti dalle forme bizzarre che permettevano di trattare il veleno e di preparare le diluizioni necessarie ai dottori.

La giovane nubiana era di una flessuosità meravigliosa e si prestava alle innumerevoli fantasie di Setau, la cui immaginazione sembrava inesauribile. Da quando l'aveva portata in Egitto, dopo averla sposata, la donna non aveva mai smesso di sorprenderlo con quella sua conoscenza approfondita e acuta dei serpenti. La loro passione comune gli permetteva di fare continui progressi e di scoprire nuovi rimedi la cui elaborazione richiedeva lunghi esperimenti.

Mentre Setau accarezzava i seni di Loto come se stesse sfiorando dei boccioli, il cobra domestico si erse sulla soglia della loro casa.

— Ci sono visite — constatò Setau.

Loto guardò lo splendido rettile. A seconda di come oscillava, lei riusciva a capire se il nuovo arrivato era un amico o un nemico.

Setau lasciò il comodo letto e afferrò un randello. Benché si fidasse del suo cobra, la cui calma era piuttosto confortante, quell'intrusione notturna non prometteva niente di buono.

Il cavallo, lanciato al galoppo, si fermò a pochi metri dalla casa; il cavaliere balzò a terra.

— Ramses? A casa mia, in piena notte?

— Non disturbo spero?

— Per la verità sì, un poco. Io e Loto...

— Mi dispiace di avervi importunato, ma ho bisogno del vostro aiuto.

Setau e Ramses avevano studiato insieme, ma il primo aveva disdegnato la carriera nell'alta amministrazione per dedicarsi agli esseri che, secondo lui, detenevano il segreto della vita e della morte: i serpenti. Reso immune dal loro veleno, aveva sottoposto il giovane Ramses a una durissima prova, facendogli incontrare il signore del deserto, un cobra particolarmente pericoloso dal morso letale. La loro amicizia era sopravvissuta a questo confronto e Setau apparteneva alla stretta cerchia di amici di cui il futuro Faraone si fidava ciecamente.

— Il regno è forse in pericolo?

— Menelao ha preso degli ostaggi che minaccia di uccidere se non gli restituiamo Elena.

— Non è poi la fine del mondo! Perché non ti sbarazzi di quella greca che ha causato la distruzione di un'intera città?

— Tradire la legge dell'ospitalità farebbe dell'Egitto un paese di barbari.

— Lascia dunque che i barbari si spieghino tra loro.

— Elena è una regina e desidera rimanere da noi; è mio dovere salvarla dalle grinfie di Menelao.

— Parli proprio come un Faraone! È proprio vero che il destino ti ha condotto ad assumere quest'incarico disumano, che può far gola solo ai pazzi e agli incoscienti.

— Devo dare l'assalto alla nave di Menelao mettendo in salvo la vita degli ostaggi.

— Le scommesse impossibili ti sono sempre piaciute.

— Gli ufficiali superiori dei reggimenti di stanza a Menfi non mi hanno proposto nessuna idea degna di essere presa in considerazione; i loro progetti non possono che concludersi con un massacro.

— La cosa ti sorprende?

— Tu hai la soluzione.

— Io, nelle vesti di un militare che dà l'assalto alle navi greche?

— Non tu, i tuoi serpenti.

— Cos'hai escogitato?

— Prima dell'alba, alcuni nuotatori si avvicineranno in silenzio alle navi, ne scaleranno le pareti portando con sé dei sacchi con dei rettili che libereranno sul ponte, lanciandoli in direzione dei greci che sorvegliano gli ostaggi. I serpenti morderanno qualche soldato creando un effetto di sorpresa che i nostri uomini sapranno sfruttare.

— Astuto, ma assai rischioso; credi che i cobra sceglieranno le loro vittime con discernimento?

— Sono consapevole dell'enorme rischio che correremo.

— Che correremo?

— Noi due faremo ovviamente parte della spedizione.

— Vuoi forse che rischi la vita per una greca che non ho mai visto in vita mia?

— Per gli ostaggi egiziani.

— Che ne sarà di mia moglie e dei miei serpenti se dovessi morire in questa stupida avventura?

— Riceveranno un vitalizio.

— No, è troppo pericoloso... E quanti serpenti si dovrebbero sacrificare per aggredire quei maledetti greci?

— Ti verranno pagati il triplo del prezzo; inoltre trasformerò il tuo laboratorio sperimentale in un centro di ricerca ufficiale.

Setau guardò Loto, così attraente in quella calda notte estiva.

— Invece di parlare, dovremmo mettere i serpenti nei sacchi.

Menelao andava avanti e indietro sul ponte principale della sua nave. Le vedette non avevano notato nessuna animazione sulle banchine; come aveva previsto il re di Lacedemone, gli egiziani, quei codardi intrisi di umanità, non avrebbero osato fare nulla. Il sequestro non era certo un'azione gloriosa, ma efficace; non vi era altro modo di strappare Elena dalle mani delle sue protettrici, Tuya e Nefertari.

Gli ostaggi avevano smesso di piangere e gemere; con le mani legate dietro la schiena, prostrati, erano stipati a poppa, sotto la sorveglianza di una decina di soldati cui veniva dato il cambio ogni due ore.

L'aiutante di campo di Menelao si fermò vicino a lui.

— Credi che attaccheranno?

— Sarebbe stupido quanto inutile; saremmo costretti a uccidere gli ostaggi.

— In tal caso, non avremmo più alcuna protezione.

— Potremmo massacrare molti egiziani prima di prendere il largo... Ma non metteranno a repentaglio la sicurezza dei loro compatrioti. Recupererò Elena all'alba e torneremo a casa.

— Rimpiangerò questa terra.

— Stai perdendo la ragione?

— Non abbiamo forse vissuto felici e in pace a Menfi?

— Siamo nati per combattere, non per oziare.

— E se fossi assassinato anche tu? In tua assenza le ambizioni si saranno senz'altro moltiplicate.

— La mia spada è ancora solida; quando vedranno Elena sottomessa, capiranno che il mio potere è ancora intatto.

Ramses aveva selezionato trenta soldati scelti, tutti ottimi nuotatori; Setau aveva mostrato loro come aprire i sacchi per fare uscire i serpenti senza essere morsi. Il viso dei volontari era teso; il reggente fece un discorso determinato e focoso per alimentare il loro ardore guerriero. La sua convinzione, unita alla forza tranquilla di Setau, persuase il manipolo delle proprie probabilità di riuscita.

Ramses si rammaricava di aver dovuto nascondere a sua madre e a sua moglie la sua partecipazione all'offensiva; ma né l'una né l'altra avrebbero accettato di lasciargli commettere una simile follia. Lui solo doveva assumersi la responsabilità di questo assalto. Se il destino doveva condurre il figlio di Sethi al supremo potere, gli avrebbe consentito di superare questa prova con successo.

Setau parlava con i serpenti chiusi nei sacchi e pronunciava degli incantesimi destinati a placarli. Aveva imparato da Loto una successione di suoni privi di significato per un orecchio umano ma convincenti per il misterioso udito dei rettili.

Quando Setau ritenne che quegli strani alleati fossero pronti, la piccola truppa si mosse verso il Nilo. I soldati entrarono nell'acqua all'estremità della banchina principale, in un punto in cui non potevano essere scorti dalle vedette greche.

Setau toccò il polso di Ramses.

— Un momento... Guarda, sembra che la nave di Menelao stia salpando.

Setau non si sbagliava.

— Rimanete qui.

Ramses mollò il sacco che conteneva una vipera del deserto e corse in direzione della nave greca. La luce argentata della luna rischiarò la prua dove si trovavano Menelao ed Elena, che il re di Lacedemone stringeva a sé.

— Menelao! — urlò Ramses.

Il greco, che indossava una doppia corazza e una cintura con le fibbie dorate, riconobbe subito il reggente.

— Ramses, sei venuto ad augurarmi buon viaggio... Lo vedi con i tuoi occhi: Elena ama suo marito e d'ora in avanti gli sarà fedele. Com'è stata saggia a raggiungermi! A Lacedemone sarà la più felice delle donne.

Menelao scoppiò a ridere.

— Libera gli ostaggi!

— Non temere, li riavrai vivi.

Ramses seguì la flotta greca su una piccola imbarcazione a due vele che rimase a dovuta distanza. Quando giunse l'alba, i soldati di Menelao fecero un gran fracasso colpendo gli scudi con lance e spade.

Conformemente agli ordini del reggente e della grande sposa reale, le navi da guerra egiziane non intervennero, lasciando ai greci libero accesso al Mediterraneo. Menelao era libero di navigare verso nord.

Per un attimo, Ramses credette che si fossero presi gioco di lui e che il re di Lacedemone avrebbe sgozzato gli ostaggi; ma una barca venne messa in mare e i prigionieri si calarono lungo una scala di corda. Gli uomini validi afferrarono i remi e si allontanarono il più rapidamente possibile da quella prigione galleggiante.

Dalla poppa della nave di suo marito, Elena dalle bianche braccia, avvolta in un mantello color porpora, con la testa coperta da un velo bianco e il collo ornato da una collana d'oro, contemplava la costa dell'Egitto, quel paese che le aveva dato qualche mese di felicità nella speranza di sfuggire al destino impostole da Menelao.

Quando gli ostaggi furono fuori dalla portata delle frecce, Elena fece ruotare l'ametista di un anello che portava alla mano destra e bevve il liquido racchiuso in quella minuscola fiala di veleno sottratta nel laboratorio di Menfi. Aveva giurato a se stessa che non sarebbe diventata schiava e non avrebbe finito i suoi giorni, percossa e umiliata, nel gineceo di Menelao. Menelao il subdolo, triste vincitore della guerra di Troia, che avrebbe riportato a Lacedemone solo un cadavere e sarebbe stato per sempre un essere ridicolo e disprezzato.

Com'era bello quel sole dell'estate egiziana! Come avrebbe voluto Elena poter perdere il candore della sua pelle per il color rame delle belle egiziane, libere d'amare, così appagate nel corpo e nell'anima.

Elena scivolò lentamente a terra, con la testa china sulla spalla e gli occhi spalancati a contemplare l'azzurro del cielo.

9

Quando Asha, il giovane diplomatico, tornò a Menfi dopo una breve missione informativa nella Siria del Sud, compiuta su ordine del ministro degli Affari esteri, il periodo di lutto era già iniziato da quaranta giorni. L'indomani stesso, Tuya, Ramses, Nefertari e le più alte personalità dello Stato sarebbero partiti per Tebe, dove si sarebbe svolta la sepoltura della mummia di Sethi e l'incoronazione della nuova coppia reale.

Unico figlio di una famiglia benestante, nobile, elegante, il volto allungato e fine ornato da piccoli baffi estremamente curati, gli occhi che sprizzavano intelligenza, la voce ammaliante, a volte sprezzante, Asha era stato un condiscepolo di Ramses e un amico alquanto distaccato, non privo di senso critico. Parlava varie lingue straniere e si era appassionato giovanissimo ai viaggi, allo studio di altri popoli e alla carriera diplomatica; grazie ad alcuni notevoli successi che avevano sorpreso i funzionari più esperti, l'ascesa di Asha era stata fulminea. A ventitré anni, era già considerato uno dei più eminenti specialisti a riguardo dell'Asia. A suo agio sia negli ambienti amministrativi che sul campo, qualità assai rara, egli era capace di analizzare i fatti in modo così perspicace da essere ritenuto da alcuni un visionario. E la sicurezza dell'Egitto dipendeva appunto dal giusto apprezzamento delle intenzioni del suo principale nemico, l'Impero ittita.

Venuto a fare il suo rapporto a Meba, Asha aveva trovato il ministro sulla difensiva; quest'ultimo si era accontentato di qualche vacua formula e gli aveva consigliato di chiedere al più presto un'udienza a Ramses, che aveva espresso l'esigenza di incontrare uno a uno tutti gli alti funzionari.

Asha venne quindi ricevuto da Ameni, segretario particolare del reggente. I due uomini si congratularono a vicenda.

— Non hai messo su neanche un grammo — constatò Asha.

— E tu indossi sempre una tunica lussuosa all'ultima moda!

— Uno dei miei innumerevoli vizi! Il tempo in cui studiavamo insieme è già così lontano... Ma sono felice di vederti ricoprire quest'incarico.

— Ho giurato fedeltà a Ramses e rispetto il mio impegno.

— Hai fatto un'ottima scelta, Ameni; se gli dei lo vorranno, Ramses sarà presto incoronato.

— Gli dei lo vogliono. Sai che è sfuggito a un attentato da parte degli scagnozzi del re greco Menelao?

— Un reuccio scellerato e senza futuro.

— Scellerato, senza alcun dubbio! Ha preso degli ostaggi e minacciato di giustiziarli se Ramses non gli avesse restituito Elena.

— E qual è stata la reazione di Ramses?

— Ha rifiutato di violare le leggi dell'ospitalità e ha preparato un assalto contro i greci.

— Rischioso.

— Cos'altro avresti proposto?

— Trattare e trattare ancora... Ma con un bruto come Menelao, ammetto che si tratti di un compito quasi sovrumano. Ramses è riuscito nel suo intento?

— Elena ha lasciato il palazzo per tornare da suo marito, salvando così numerose vite. Mentre la nave di Menelao si dirigeva verso il mare aperto, si è data la morte.

— Gesto sublime ma definitivo.

— Sei sempre così ironico?

— Prendere in giro gli altri come se stessi non è forse una sana abitudine per lo spirito?

— Non sembri toccato dalla morte di Elena.

— Per l'Egitto è una gioia essersi liberato di Menelao e della sua cricca; se vogliamo guardare dalla parte dei greci, dobbiamo cercare alleati migliori.

— Omero è rimasto.

— Quel delizioso vecchio poeta... Sta scrivendo i suoi ricordi sulla guerra di Troia?

— Talvolta ho l'onore di offrirgli i miei servigi di scriba; i suoi versi sono spesso tragici ma non privi di nobiltà.

— L'amore per la scrittura e gli scrittori ti perderà, Ameni! Quale incarico ti riserva Ramses nel suo futuro governo?

— Lo ignoro... Quello che rivesto attualmente mi soddisferebbe appieno.

— Meriti di meglio.

— E tu, a cosa aspiri?

— Innanzitutto, a vedere Ramses quanto prima.

— Notizie allarmanti?

— Mi permetti di riservarle al reggente?

Ameni arrossì.

— Perdonami; lo troverai nelle scuderie. Sapendo che sei tu, ti riceverà.

La trasformazione di Ramses sorprese Asha. Il futuro re d'Egitto, altero e sicuro di sé, guidava il suo carro con eccezionale maestria, facendo fare ai cavalli manovre incredibilmente difficili sotto lo sguardo esterrefatto di alcuni vecchi scudieri.

Quell'adolescente dalla statura impressionante si era trasformato in un atleta dall'agile e potente muscolatura che aveva il portamento di un monarca la cui autorità non poteva essere messa in discussione. Asha notò però una foga eccessiva e un'esaltazione che avrebbe potuto condurlo a valu-

61

tazioni sbagliate; ma a cosa poteva servire mettere in guardia un essere la cui energia sembrava inestinguibile?

Non appena vide l'amico, Ramses lanciò il carro verso di lui; i cavalli si fermarono a un suo ordine, a meno di due metri dal giovane diplomatico la cui tunica nuova fu ricoperta di polvere.

— Mi dispiace Asha! Sono giovani destrieri indisciplinati.

Ramses balzò a terra, chiamò due staffieri per affidare loro i cavalli e prese Asha per le spalle.

— Esiste ancora quella maledetta Asia?

— Temo di sì, Maestà.

— Maestà! Non sono ancora Faraone!

— Un buon diplomatico dev'essere previdente; in questo caso, il futuro è piuttosto facile da immaginare.

— Sei l'unico a pensarla così.

— È un rimprovero?

— Parlami dell'Asia, Asha.

— In apparenza è tutto tranquillo. I nostri principati attendono la tua ascesa al trono, gli ittiti non escono dai loro territori e dalle loro zone d'influenza.

— Hai detto "in apparenza"?

— È quanto leggerai nei rapporti ufficiali.

— Ma tu la pensi diversamente...

— La calma precede sempre la tempesta, ma di quanto?

— Vieni, beviamo qualcosa.

Ramses si accertò che i cavalli fossero trattati con le dovute cure; poi sedette con Asha all'ombra di una tettoia, davanti al deserto. Un servo portò loro immediatamente birra fresca e teli profumati.

— Credi alla volontà di pace degli ittiti?

Asha rifletteva sorseggiando la squisita bevanda.

— Gli ittiti sono dei conquistatori e dei guerrieri; nel loro lessico la parola "pace" è una specie di immagine poetica senza una consistenza reale.

— Quindi mentono.

— Sperano che un giovane sovrano, con ideali pacifisti, allenti la difesa del paese, rendendolo così ogni mese più debole.

— Come Akhenaton.

— Un esempio calzante.

— Costruiscono molte armi?

— C'è stato un aumento della produzione.

— Ritieni che la guerra sia inevitabile?

— Il ruolo dei diplomatici consiste nel respingere quest'eventualità.

— Come ti comporteresti?

— Sono incapace di rispondere a questa domanda; le mie competenze non mi permettono di avere una visione globale e di proporre rimedi soddisfacenti per la situazione attuale.

— Ti piacerebbe assumere altri incarichi?

— Non spetta a me deciderlo.

Ramses guardò il deserto.

— Quand'ero bambino, Asha, sognavo di diventare Faraone, come mio padre, perché credevo che il potere fosse il più meraviglioso dei giochi. Sethi mi ha aperto gli occhi imponendomi la prova del toro selvaggio e io mi sono rifugiato in un altro sogno: rimanere sempre al suo fianco, sotto la sua ala protettrice. Ho pregato l'invisibile affinché allontanasse da me quel regno non più desiderato, e ho capito che mi avrebbe risposto solo attraverso un'azione. Menelao ha tentato di uccidermi; il mio leone, il mio cane e il capo della mia guardia personale mi hanno salvato mentre ero in comunione con l'anima di mio padre. Da quell'istante in poi, ho deciso di non rifiutare più il mio destino. La volontà di Sethi verrà rispettata.

— Ricordi quando parlavamo del vero potere con Setau, Mosè e Ameni?

— Ameni l'ha trovato servendo il suo paese, Mosè nell'arte della costruzione, Setau nella conoscenza dei serpenti e tu nella diplomazia.

— Il vero potere... Sarai tu ad averlo.

— No, Asha, io sarò un tramite, il mio cuore e le mie braccia lo incarneranno, e mi abbandonerà se sono incapace di accoglierlo.

— Offrire la tua vita al regno... Non è un prezzo troppo alto da pagare?

— Non sono libero di agire secondo la mia volontà.

— Le tue parole mi fanno quasi paura, Ramses.

— Credi forse che io ignori la paura? Malgrado gli ostacoli, governerò e proseguirò l'opera di mio padre per lasciare al mio successore un Egitto saggio, forte e bello. Accetti di aiutarmi?

— Sì, Maestà.

10

Shenar era molto contrariato.

I greci avevano fallito clamorosamente. Menelao, ossessionato dal desiderio di possedere Elena, come fosse una preda, aveva perso di vista l'essenziale, l'eliminazione di Ramses.

Unica consolazione, non priva d'importanza: Shenar era riuscito a persuadere il fratello della propria innocenza. Dopo la partenza di Menelao e dei suoi soldati, nessuno avrebbe accusato Shenar di aver fomentato il complotto.

Ma Ramses sarebbe salito al trono e non avrebbe diviso con nessuno la guida del paese... E lui, Shenar, figlio maggiore di Sethi, sarebbe stato costretto a obbedirgli e a comportarsi come un semplice servo! No, non avrebbe mai accettato una simile decadenza.

Per questo che aveva dato appuntamento al suo ultimo alleato, un uomo vicino a Ramses, un uomo insospettabile che forse l'avrebbe aiutato a lottare dall'interno contro il fratello e a rubargli il trono.

Il quartiere dei vasai era molto animato al crepuscolo; passanti e clienti andavano e venivano tra le botteghe, dando un'occhiata ai vasi di ogni dimensione e prezzo esposti dagli artigiani. All'angolo di un vicoletto, un portatore d'acqua offriva un liquido fresco e delizioso.

Fu lì che Asha, coi fianchi coperti da un comunissimo telo e sulla testa una parrucca banale che lo rendeva irriconoscibile, aspettò Shenar, che a sua volta si era premurato di modificare il proprio aspetto. I due uomini comprarono un orcio d'acqua in cambio di alcuni grappoli d'uva, come semplici contadini, e si sedettero fianco a fianco contro un muro.

— Hai rivisto Ramses?

— Non dipendo più dal ministro degli Affari esteri, ma direttamente dal futuro Faraone.

— Cosa significa?

— Una promozione.

— E cioè?

— Ancora non lo so. Ramses sta pensando alla composizione del prossimo governo; siccome è fedele in amicizia, Mosè, Ameni e io dovremmo ottenere dei posti chiave.

— E chi altro?

— Tra i suoi intimi, ci sarebbe soltanto Setau, ma quest'ultimo è talmente legato allo studio dei suoi cari serpenti che rifiuta ogni responsabilità.

— Ramses ti è sembrato determinato a regnare?

— Benché si sia reso conto del peso di un simile incarico e della sua inesperienza, non si tirerà indietro. Non ci sperare.

— Ti ha parlato del sommo sacerdote di Amon?

— No.

— Perfetto, sta sottovalutando la sua influenza e la sua capacità di nuocere.

— Ma non si tratta di un personaggio pavido, che teme l'autorità del re?

— Temeva Sethi... Ma Ramses è solo un ragazzo poco avvezzo alle lotte di potere. Per quanto riguarda Ameni, non c'è nessuna speranza: quel maledetto scribacchino è legato a

Ramses come un cane al proprio padrone. Non dispero invece di irretire Mosè.

— Ci hai già provato?

— Ho fallito, ma era solo il primo tentativo. Quell'ebreo è un uomo tormentato, alla ricerca della propria verità che non per forza coincide con quella di Ramses. Se riusciamo a offrirgli ciò che desidera, cambierà bandiera.

— Non hai tutti i torti.

— Hai un po' di influenza su Mosè?

— Non credo, ma il futuro ci darà forse qualche mezzo di pressione.

— E su Ameni?

— Sembra incorruttibile — osservò Asha — ma chissà? Con l'età, diventerà schiavo di bisogni del tutto inattesi, e potremo sfruttare i suoi punti deboli.

— Non ho nessuna intenzione di aspettare che Ramses tessa intorno a sé una tela indistruttibile.

— Nemmeno io, Shenar, ma ci vorrà comunque un po' di pazienza. Il fallimento di Menelao e dei suoi uomini ti dovrebbe dimostrare che una buona strategia non tollera approssimazioni.

— Quanto tempo?

— Lasciamo che Ramses gusti l'ebrezza del potere; il fuoco che lo anima si nutrirà dei fasti di corte e gli farà perdere il senso della realtà. Inoltre, io sarò una delle persone che lo terranno informato sull'evoluzione della situazione in Asia, e darà più ascolto a me che agli altri.

— Qual è il tuo piano, Asha?

— Vuoi regnare, vero?

— Sono degno di essere Faraone e ne ho le capacità.

— Occorre quindi rovesciare o eliminare Ramses.

— Necessità fa legge.

— Abbiamo due alternative: il complotto interno o l'aggressione esterna. Per quanto concerne la prima soluzione, dobbiamo garantirci un numero sufficiente di connivenze tra le personalità influenti del paese; il tuo ruolo, a questo riguardo, sarebbe essenziale. Quanto alla seconda possibilità, questa dipende dalle vere intenzioni degli ittiti e dalla preparazione di un conflitto che dovrebbe portare alla sconfitta di Ramses, ma non alla rovina dell'Egitto; se il paese dovesse essere devastato, sarebbe un ittita a impadronirsi delle Due Terre.

Shenar non nascose la propria contrarietà.

— Non è troppo rischioso?

— Ramses è un avversario notevole; non prenderai il potere facilmente.

— Se gli ittiti dovessero vincere, invaderanno l'Egitto.

— Non è detto.

— Quale miracolo proponi?

— Non si tratta di miracoli, ma di una trappola nella quale attireremo Ramses, facendo in modo che il nostro paese non venga implicato direttamente. O morirà o verrà ritenuto responsabile della sconfitta; in entrambi i casi, non potrà continuare a regnare. A quel punto tu farai la figura del salvatore.

— E questo non è un sogno?

— Non passo per essere uno che si nutre di illusioni. Quando saprò esattamente quale ruolo mi verrà affidato da Ramses, comincerò ad agire. A meno che tu non voglia rinunciare.

— Mai! Morto o vivo, Ramses dovrà farsi da parte.

— Se dovesse funzionare, spero che non ti dimostrerai un ingrato.

— Su questo punto, non devi preoccuparti; avrai meritato cento volte di diventare il mio braccio destro.

— Permettimi di dubitarne.

Shenar trasalì.

— Non ti fidi di me?

— Assolutamente no.

— Ma allora...

— Non fare finta di essere sorpreso; se fossi un ingenuo, mi avresti già eliminato da tempo. Come si può credere alle promesse di un uomo di potere? Il suo comportamento gli viene dettato solo dall'interesse personale, da
nient'altro.

— Sei così disincantato, Asha?

— Realistico. Quando sarai Faraone, sceglierai i ministri
soltanto in funzione dei criteri del momento; e forse allonta-
nerai coloro che, come me, ti avranno permesso di accedere
al trono.

Shenar sorrise.

— La tua intelligenza è fuori del comune, Asha.

— Viaggiare mi ha permesso di osservare società e uomini molto diversi, ma tutti sono sottoposti alla legge del più
forte.

— Non era così nell'Egitto di Sethi.

— Sethi è morto, Ramses è un guerriero la cui violenza
non ha ancora avuto la possibilità di esprimersi. Ed è proprio questa la nostra fortuna.

— In cambio della tua collaborazione, vuoi quindi un tornaconto immediato.

— Anche la tua intelligenza non è trascurabile, Shenar.

— Gradirei qualche precisazione.

— La mia famiglia è certo facoltosa, ma si è mai ricchi abbastanza? Per un viaggiatore come me, possedere numerose
ville è un piacere apprezzabile. A seconda del capriccio del
momento, gradirei poter riposare nel Nord o nel Sud del
paese. Tre dimore sul Delta, due a Menfi, due in Medio Egitto, due nella regione di Tebe, una ad Assuan mi sembrano il
minimo per godere come si deve della vita durante le mie
permanenze in Egitto.

— Mi chiedi una piccola fortuna.

— Un peccato veniale, Shenar, solo un peccato veniale in
cambio del servizio che ti renderò.

— Vuoi anche oro e pietre preziose?

— Naturalmente.

— Non ti credevo così venale, Asha.

— Amo il lusso, il lusso sfrenato; un amante di vasi preziosi come te, non può forse capire quest'inclinazione?

— Sì, ma tutte quelle case...

— Case riccamente decorate che faranno da scrigno a mobili magnifici! Saranno il mio paradiso terrestre, luoghi di piacere di cui sarò il padrone, un padrone assoluto e rispettato, mentre tu salirai uno a uno gli scalini della predella che porta al trono d'Egitto.

— E quando dovrò cominciare a versare il mio debito?

— Immediatamente.

— Non sai ancora quale ruolo ti verrà affidato.

— Comunque sia, si tratterà di un incarico importante; incoraggiami a servirti bene.

— Con cosa vogliamo iniziare?

— Una villa a nordest del Delta, vicino alla frontiera. Devi prevedere una vasta tenuta, con uno stagno per fare il bagno, un vigneto e servi zelanti. Anche se vi abiterò solo qualche giorno all'anno, desidero essere trattato come un principe.

— Non hai altra ambizione?

— Mi stavo dimenticando delle donne. In missione, la porzione è spesso congrua; ma a casa mia, voglio che siano numerose, belle e poco scontrose. Poco importa la provenienza.

— Accetto le tue esigenze.

— Non ti deluderò, Shenar. Vi è però una condizione essenziale: che i nostri incontri rimangano rigorosamente segreti e che tu non ne parli con nessuno. Se Ramses venisse a sapere che siamo in contatto, la mia carriera sarebbe finita.

— È anche nel mio interesse.

— Non esiste miglior pegno di amicizia; a presto, Shenar.

Guardando il giovane diplomatico che si allontanava, il

fratello maggiore di Ramses pensò che la fortuna non lo aveva abbandonato. Quell'Asha era un personaggio di eccezionale levatura; quando sarebbe stato costretto a sbarazzarsene, lo avrebbe rimpianto.

11

La nave di Tuya, la grande sposa reale, si pose alla testa della piccola flotta che da Menfi si dirigeva verso Tebe e la Valle dei Re, dove avrebbe riposato la mummia di Sethi. Nefertari rimaneva costantemente al fianco di Tuya, di cui percepiva la sofferenza contenuta con ammirevole serenità. Il semplice contatto con la vedova del grande re insegnò a Nefertari quale doveva essere il comportamento di una regina che subiva una dura prova. La presenza discreta della giovane donna fu per Tuya di grandissimo conforto; né l'una né l'altra sentivano il bisogno di lasciarsi andare a confidenze, ma la comunione dei loro cuori fu intensa e profonda.

Durante tutta la durata del viaggio, Ramses lavorò.

Ameni, benché soffrisse della calura estiva, aveva preparato una quantità impressionante di dossier sulla politica estera, la sicurezza del territorio, la pubblica sanità, i lavori pubblici, la gestione delle derrate, la manutenzione delle dighe e dei canali, e innumerevoli altri temi più o meno complessi.

Ramses prese in tal modo coscienza di quanto fosse pesante il suo compito. Certo, lo avrebbe condiviso con numerosi funzionari, ma doveva imparare a conoscere la gerarchia amministrativa nei minimi particolari e non perderne mai il controllo, se voleva evitare che l'Egitto beccheggiasse e si inabissasse come una nave senza timone. Il tempo agiva contro di lui; subito dopo l'incoronazione, gli sarebbe stato chiesto di prendere delle decisioni e di comportarsi come il signore delle Due Terre. Se avesse commesso qualche grosso errore, quali sarebbero state le conseguenze?

La sua angoscia svanì pensando a sua madre, alleata preziosa che gli avrebbe evitato molti passi falsi e lo avrebbe istruito sulle astuzie cui ricorrevano i notabili per mantenere i propri privilegi. Quanti di loro lo avevano già sollecitato, nella speranza che non modificasse lo stato delle cose?

Dopo le lunghe ore di lavoro in compagnia di Ameni, il cui rigore e la cui precisione erano insostituibili, Ramses amava restare sulla prua della nave a contemplare il Nilo, le cui acque portavano la prosperità, e a godere di quel vento vivificante nel quale si celava il soffio della divinità. In quei momenti privilegiati, Ramses aveva la sensazione che tutto l'Egitto, dalla punta del Delta sino alle solitudini della Nubia, gli appartenesse. Avrebbe saputo amare quella terra come essa desiderava?

A tavola, Ramses aveva invitato Mosè, Setau, Asha e Ameni, ospiti d'onore della nave del reggente. Veniva così ricostituita quella confraternita di amici che avevano studiato insieme diversi anni nell'ambito del *Kap*, la scuola superiore di Menfi, alla ricerca della conoscenza e del vero potere. La gioia di ritrovarsi e di condividere un pasto non cancellò il dolore: ognuno di loro percepiva infatti la scomparsa di Sethi come un cataclisma dal quale l'Egitto non sarebbe uscito indenne.

— Questa volta — disse Mosè a Ramses — il tuo sogno si avvererà.

73

— Non è più un sogno, ma un peso enorme che mi fa paura.

— Tu non conosci la paura — obiettò Asha.

— Al tuo posto — borbottò Setau — rinuncerei; l'esistenza di un Faraone non è per niente invidiabile.

— Ho esitato a lungo, ma cosa si potrebbe pensare di un figlio capace di tradire il proprio padre?

— Che la ragione è stata più forte della follia; Tebe rischia di diventare la tua tomba, oltre che quella di tuo padre.

— Corrono forse voci di un nuovo complotto? — chiese preoccupato Ameni.

— Un complotto... Ce ne saranno dieci, venti o cento! È per questo che mi trovo qui, insieme a qualche alleato strisciante.

— Setau guardia del corpo — ironizzò Asha. — Chi l'avrebbe mai detto?

— Io non sono uno che fa dei bei discorsi; io agisco.

— Stai forse criticando la diplomazia?

— Rende tutto più complicato, mentre la vita è così semplice: da un lato il bene e dall'altro il male. E tra loro non vi è alcuna intesa possibile.

— È una visione un po' semplicistica — ribatté Asha.

— La condivido — intervenne Ameni. — Da un lato gli alleati di Ramses, dall'altro i suoi avversari.

— E se questi ultimi diventassero sempre più numerosi? — chiese Mosè.

— Il mio punto di vista non cambierebbe.

— Presto Ramses non sarà più un nostro amico, ma il Faraone d'Egitto. Non ci guarderà più con gli stessi occhi.

Le parole di Mosè crearono non poco turbamento; tutti aspettavano una risposta di Ramses.

— Mosè ha ragione. Dato che il destino mi ha scelto, non fuggirò; e dato che siete amici miei, mi appellerò a voi.

— Quale futuro hai in serbo per noi? — chiese l'ebreo.

— Avete già tracciato un vostro cammino; spero che le nostre strade si incroceranno e che viaggeremo insieme con sommo piacere dell'Egitto.

— Conosci la mia posizione — dichiarò Setau. — Appena sarai salito sul trono, tornerò a occuparmi dei miei rettili.

— Tenterò comunque di convincerti a starmi più vicino.

— Tempo perso: porto a termine la mia missione di guardia del corpo e lì mi fermo. Mosè sarà responsabile dei lavori, Ameni diventerà ministro e Asha capo della diplomazia, meglio per loro!

— Stai forse formando il governo? — si stupì Ramses.

Setau si strinse nelle spalle.

— E se assaggiassimo il pregiatissimo vino che ci è stato offerto dal reggente? — propose Asha.

— Che gli dei proteggano Ramses e gli concedano vita, pienezza e salute — dichiarò Ameni.

Shenar non si trovava sulla nave del reggente, ma disponeva comunque di una splendida imbarcazione con quaranta marinai. In qualità di responsabile del protocollo, aveva invitato a bordo vari notabili, la maggior parte dei quali erano tutt'altro che favorevoli a Ramses. Il primogenito di Sethi non si azzardava a unirsi alle loro critiche e si accontentava di identificare i futuri alleati; la giovane età e l'inesperienza di Ramses costituivano a loro avviso degli ostacoli insormontabili.

Shenar constatò con grande soddisfazione che la sua ottima reputazione rimaneva intatta e che suo fratello avrebbe sofferto a lungo del paragone con Sethi. La falla era già aperta, bisognava ampliarla e sfruttare ogni occasione per indebolire il giovane Faraone.

Shenar offrì ai suoi ospiti frutti di giuggiolo e birra fresca; la sua cortesia e i suoi discorsi moderati piacquero a molti cortigiani, felici di scambiare convenevoli con un grande personaggio a cui il fratello sarebbe stato costretto ad affidare un ruolo preponderante.

Da più di un'ora, un uomo di media statura, col mento ornato da un pizzetto a punta e vestito con una tunica a strisce colorate, attendeva di essere ricevuto. Di apparenza umile, quasi sottomessa, egli non dava alcun segno di nervosismo.

Quando ebbe un attimo di tregua, Shenar gli fece segno di avvicinarsi.

L'uomo si inchinò con deferenza.

— Chi sei?

— Mi chiamo Raia; sono di origine siriana, ma svolgo da diversi anni in Egitto la mia attività di mercante indipendente.

— Cosa vendi?

— Conserve di carne di grandissima qualità e splendidi vasi importati dall'Asia.

Shenar aggrottò le sopracciglia.

— Vasi?

— Sì, principe; pezzi bellissimi di cui possiedo l'esclusiva.

— Lo sai che sono un collezionista di vasi preziosi?

— Lo sono venuto a sapere di recente; è per questo che ci tenevo a mostrarteli, con la speranza che potessero essere di tuo gradimento.

— Sei caro?

— Dipende.

Shenar si mostrò incuriosito.

— Quali sono le tue condizioni?

Da un sacco di tela spessa, Raia estrasse un vasetto con un finissimo collo in argento massiccio ornato da palmette.

— Che ne dici di questo, principe?

Shenar era ammaliato; delle gocce di sudore gli imperlarono le tempie e le mani gli diventarono umidicce.

— Un capolavoro... Un capolavoro incredibile... Quanto costa?

— Non si usa forse fare un regalo al futuro re d'Egitto?

Il figlio di Sethi pensò di aver sentito male.

— Non sono io, il futuro Faraone, ma mio fratello, Ramses... Ti sei sbagliato, mercante. Allora, il tuo prezzo?

— Io non mi sbaglio mai, principe; nel mio lavoro un errore sarebbe imperdonabile.

Shenar staccò gli occhi dallo splendido vaso.

— Cosa cerchi di dirmi?

— Che molte persone non vogliono vedere regnare Ramses.

— Tra qualche giorno sarà incoronato.

— Forse, ma non per questo le difficoltà svaniranno.

— Chi sei realmente, Raia?

— Un uomo che crede nel tuo futuro e che spera di vederti salire sul trono d'Egitto.

— Cosa sai delle mie intenzioni?

— Non hai forse manifestato il desiderio di ampliare il commercio con l'estero, di ridurre l'arroganza dell'Egitto e di allacciare delle migliori relazioni economiche con il popolo più potente dell'Asia?

— Vuoi parlare... degli ittiti?

— Ci siamo capiti.

— E così tu sei una loro spia... Gli ittiti starebbero quindi dalla mia parte?

Raia annuì.

— Cosa mi proponi? — chiese Shenar, emozionato come di fronte a un vaso di inestimabile valore.

— Ramses è un uomo impetuoso e battagliero; come suo padre, vuole affermare la grandezza e la superiorità dell'Egitto. Tu sei un uomo più ponderato, con cui è possibile concludere degli accordi.

— Se tradissi l'Egitto, metterei a repentaglio la mia vita, Raia.

Shenar non aveva dimenticato la famosa condanna a morte della sposa di Tutankhamon, accusata di complicità con il nemico benché avesse risvegliato la coscienza del paese.*

— Quando si desidera accedere all'incarico supremo, non è forse inevitabile correre dei rischi?

Shenar chiuse gli occhi.

Gli ittiti... Sì, aveva spesso pensato di usarli contro Ramses, ma era solo un'idea, una congettura priva di concretezza. Ed ecco che d'improvviso si materializzava, nelle sembianze di quel mercante insignificante, dall'aria innocua.

— Amo il mio paese...

— Chi lo mette in dubbio, principe? Ma ami ancora di più il potere. Solo un'alleanza con gli ittiti te lo garantirà.

— Devo riflettere.

— È un lusso che non ti posso concedere.

— Vuoi una risposta immediata?

— È in gioco la mia sicurezza; svelandomi a te, ti ho dato la mia fiducia.

— E se rifiutassi?

Raia non rispose, ma il suo sguardo si fece fisso e indecifrabile.

Il conflitto interiore di Shenar non durò a lungo; il destino non gli offriva forse un alleato determinante? Spettava a lui mantenere il controllo della situazione, saper valutare il pericolo e trarre profitto da questa strategia senza mettere a repentaglio la sicurezza del suo paese. Ovviamente, avrebbe continuato a manipolare Asha senza informarlo dei suoi contatti con il peggior nemico delle Due Terre.

— Accetto, Raia.

Il mercante accennò un lieve sorriso.

— La tua reputazione è meritata, principe. Ci rivedremo tra un po'; dato che sono diventato un tuo fornitore di vasi

* Vedi Christian Jacq, *La Reine Soleil*, Julliard, Paris 1988.

preziosi, le mie visite non sorprenderanno nessuno. Tienilo, ti prego: come pegno della nostra alleanza.

Shenar accarezzò quel magnifico oggetto. Il futuro si faceva più roseo.

12

Ramses ricordava ogni particella di roccia della Valle dei Re, di quella "grande prateria" totalmente arida che suo padre gli aveva fatto scoprire, portandolo all'interno della tomba del primo dei Ramses, fondatore della dinastia, un vecchio visir chiamato da un consiglio di saggi a dare l'impulso a una nuova stirpe di sovrani. Aveva regnato soltanto due anni, affidando a Sethi il compito di far risplendere quella potenza di cui oggi era detentore Ramses II.

Col cuore stretto, indifferente all'insopportabile calura estiva che provocava lo svenimento di alcuni portatori del mobilio funebre, il figlio cadetto di Sethi camminava davanti al corteo e accompagnava la mummia del re defunto nella sua ultima dimora.

Per un attimo, Ramses sentì di odiare quella valle maledetta che gli rubava il padre e lo condannava alla solitudine; ma la magia del luogo conquistò ancora una volta la sua anima, una magia che trasmetteva la vita e non la morte.

In quel silenzio di pietra, era la voce degli antenati a parlare; parlava di luce, di trasfigurazione e di resurrezione, imponeva la venerazione e il rispetto del mondo celeste dove nasceva ogni forma di vita.

Ramses entrò per primo nell'immensa tomba di Sethi, la più lunga e la più profonda della Valle; per decreto, il futuro Faraone avrebbe ordinato che nessun'altra potesse mai superarla in dimensioni. Agli occhi dei posteri, Sethi doveva rimanere impareggiabile.

Dodici sacerdoti sorreggevano la mummia; Ramses, in qualità di ritualista e successore incaricato di pronunciare le formule di passaggio nell'aldilà e di rinascita nel mondo degli dei, indossava una pelle di pantera. Sulle pareti della dimora di eternità, i testi rituali, che vivevano di vita propria, avrebbero mantenuto la loro efficacia oltre il tempo.

I mummificatori avevano fatto un lavoro perfetto. Il volto di Sethi era quello di un essere realizzato, perfettamente sereno. Si sarebbe giurato che gli occhi fossero sul punto di aprirsi, la bocca sul punto di parlare... I sacerdoti misero il coperchio sul sarcofago, sistemato nel centro della "casa d'oro", nel punto in cui Iside avrebbe compiuto la sua opera di alchimista per trasformare il mortale in immortale.

— Sethi fu un re giusto — mormorò Ramses. — Ha compiuto la Regola, fu amato dalla luce, ed entra vivo nell'Occidente.

Poiché il lutto era terminato, in tutto l'Egitto i barbieri lavorarono senza tregua per radere gli uomini e far sparire le barbe. Le donne si legarono nuovamente i capelli e le più eleganti affidarono le loro acconciature alle parrucchiere autorizzate a svolgere un simile compito.

Alla vigilia dell'incoronazione, Ramses e Nefertari si raccolsero nel tempio di Gurnah, dove ogni giorno sarebbe stato celebrato un culto al *ka* di Sethi, per mantenere la presenza del Faraone trasfigurato tra i vivi. Poi la coppia si recò al tempio di Karnak, dove fu accolta in modo molto formale e senza entusiasmo alcuno dal sommo sacerdote.

Dopo una cena frugale, il reggente e sua moglie si ritirarono nel palazzo appositamente adibito nella residenza terrestre del dio Amon. Una volta separati, ognuno di loro meditò davanti alla predella di un trono, simbolo della collina primordiale emersa dall'oceano del cosmo nella notte dei tempi e geroglifico usato per indicare il nome della dea Maat, la Regola senza tempo, "colei che è dritta e che dà la direzione giusta", quella Regola di cui la coppia reale si sarebbe nutrita e avrebbe nutrito a sua volta la comunità egiziana.

Ramses ebbe la sensazione che lo spirito di suo padre gli fosse vicino e che lo avrebbe aiutato, in quelle ore angoscianti che precedevano il momento in cui la sua esistenza sarebbe stata definitivamente stravolta. Il nuovo re non avrebbe più disposto di sé e il benessere del suo popolo e la prosperità del suo paese sarebbero diventati la sua unica preoccupazione.

Quel compito lo terrorizzò ancora una volta.

Ebbe voglia di uscire dal palazzo e di correre verso la gioventù andata, verso la bella Iset, verso il piacere e la spensieratezza; ma era il successore designato da Sethi, e lo sposo di Nefertari. Doveva vincere la paura di regnare e attraversare quell'ultima notte prima della sua incoronazione.

Le tenebre furono squarciate dall'alba nascente, che annunciava la resurrezione del sole, vincitore del mostro degli abissi. Due sacerdoti, uno con la maschera di un falco e l'altro con la maschera di un ibis, si misero ai lati di Ramses; simboleggiavano il dio Horus, protettore del principio della sovranità, e Thot, signore dei geroglifici e della scienza sacra. Versarono sul corpo nudo del reggente il contenuto di due vasi allungati, per purificarlo dalla sua condizione umana. Poi lo modellarono a immagine degli dei, spalmandolo dalla testa ai piedi di quei nove unguenti che gli avrebbero aperto i centri di energia e conferito una percezione della realtà diversa da quella degli altri uomini.

Anche la vestizione corrispondeva alla costruzione di un essere senza eguali. I due sacerdoti cinsero i fianchi di Ramses con un drappo color bianco e oro, la cui forma era rimasta da sempre invariata, e attaccarono alla cintura la coda di un toro, simbolo della potenza reale. Il giovane ricordò l'incontro terrificante con il toro selvaggio, impostogli dal padre per mettere alla prova il suo coraggio; oggi era lui a incarnare quella forza che era destinato a esercitare con consapevolezza.

Poi i ritualisti ornarono il collo di Ramses con una larga collana composta da sette fili di perle colorate, i bicipiti e i polsi con braccialetti di rame, e ai piedi misero dei sandali bianchi. Infine, gli offrirono il bastone bianco con cui avrebbe abbattuto i nemici e illuminato le tenebre, e gli cinsero la fronte con una benda dorata il cui nome, *sia*, significava "visione intuitiva".

— Accetti la prova del potere? — chiese Horus.

— L'accetto.

Horus e Thot presero Ramses per mano e lo guidarono verso un'altra stanza. Sul trono, le due corone, protette da un sacerdote con la maschera di Seth.

Thot si fece da parte, Horus e Seth si abbracciarono fraternamente. Malgrado la loro eterna inimicizia, avevano il compito di unirsi in uno stesso essere, il Faraone.

Horus sollevò la corona rossa del Basso Egitto, una specie di mortaio sormontato da una spirale, e la posò sulla testa di Ramses; poi Seth vi sovrappose la corona bianca dall'Alto Egitto, la cui forma ovale era dominata da un bulbo.

— "Le due potenze" sono legate per te — dichiarò Thot. — Tu governi e unisci la terra nera e la terra rossa, sei l'uomo del giunco del Sud e dell'ape del Nord, sei colui che rende verdi le due terre.

— Tu solo potrai avvicinare le due corone — rivelò Seth. — Il fulmine che esse contengono annienterà l'usurpatore.

Horus consegnò al Faraone due scettri; il primo portava il nome di "governo della potenza" e serviva a consacrare le offerte, e il secondo, "magia", era un bastone da pastore che avrebbe mantenuto unito il suo popolo.

— È giunta l'ora di apparire in tutta la tua gloria — decretò Thot.

Preceduto dalle tre divinità, il Faraone uscì dalle sale segrete e si diresse verso il grande cortile all'aperto dove si erano riuniti i notabili ammessi all'interno del recinto di Karnak.

Sulla predella, sotto un baldacchino, un trono in legno dorato, piuttosto modesto ed essenziale.

Il trono di Sethi nelle cerimonie ufficiali.

Tuya percepì l'esitazione del figlio, fece tre passi verso di lui e si inchinò.

— Che Tua Maestà si levi come un nuovo sole e che si sieda sul trono dei vivi.

Ramses fu sconvolto da un simile omaggio da parte della vedova del defunto Faraone, quella madre che avrebbe venerato sino all'ultimo respiro.

— Ecco il testamento degli dei che ti trasmette Sethi — proclamò Tuya. — Un testamento che legittima il tuo regno come ha legittimato il suo, e come legittimerà quello del tuo successore.

Tuya consegnò a Ramses un astuccio di cuoio che racchiudeva un papiro scritto da Thot agli albori della civiltà, e che faceva del Faraone l'erede dell'Egitto.

— Ecco i tuoi cinque nomi — dichiarò la regina madre con voce chiara e posata. — Toro possente amato dalla Regola; Protettore dell'Egitto che piega i paesi stranieri; Ricco di eserciti dalle grandiose vittorie; Colui che fu scelto dalla Luce poiché potente è la sua Regola; Figlio della Luce, Ramses.

Un silenzio assoluto aveva accolto queste parole. Persino Shenar, dimentico della sua ambizione e del suo rancore, aveva ceduto alla magia di quei momenti.

— È una coppia reale che governa le Due Terre — proseguì Tuya. — Vieni avanti Nefertari, vieni vicino al tuo re, tu che diventi la sua grande sposa e la regina d'Egitto.

Malgrado la solennità del rito, Ramses fu così colpito dalla bellezza della giovane donna che ebbe voglia di stringerla tra le sue braccia. Vestita con un lungo abito di lino, ornata da una collana d'oro, orecchini di ametista e braccialetti di diaspro, Nefertari contemplò il re e pronunciò la formula ancestrale:

— Riconosco Horus e Seth uniti nello stesso essere. Canto il tuo nome, Faraone, tu sei ieri, oggi e domani. La tua parola mi fa vivere, allontanerò da te il male e il pericolo.

— Io riconosco in te la sovrana del Duplice Paese e di tutte le terre, tu, la cui dolcezza è infinita, tu che soddisfi gli dei, tu che sei la madre e la sposa del dio, tu che io amo.

Ramses posò sulla testa di Nefertari la corona ornata da due alte piume, attributo della grande sposa reale, associata al potere del Faraone.

Come scaturito dal sole, un falco dalle ali immense roteò sopra la coppia reale come se fosse alla ricerca di una preda; improvvisamente scese in picchiata verso il Faraone a una velocità tale che nessun arciere ebbe il tempo di reagire.

Gli astanti lanciarono un urlo di sorpresa e di paura quando il rapace si posò sulla nuca di Ramses, piantando gli artigli sulle spalle del re.

Il figlio di Sethi non si era mosso; Nefertari continuava a contemplarlo.

Per alcuni lunghissimi secondi, i cortigiani, esterrefatti, assistettero al miracolo, la comunione del falco Horus, protettore della monarchia, con l'uomo da lui scelto per governare l'Egitto.

Poi l'uccello ripartì verso il sole, con un volo potente e sereno.

Dai petti sgorgò allora l'acclamazione che salutava, il ventisettesimo giorno del terzo mese dell'estate, l'ascesa al trono di Ramses.*

---

* Ai primi di giugno del 1279 a.C., secondo le ipotesi più accreditate.

13

Non appena furono finite le festività, Ramses venne preso in un turbine.

Il grande intendente della casa del Faraone gli fece visitare il palazzo di Tebe, composto da una parte pubblica e da appartamenti privati. Ramses scoprì, nella sua nuova veste di capo dello Stato, la sala ipostila di ricevimento, con il pavimento e le pareti ornati da disegni che raffiguravano piante di loto, canneti, papiri, pesci e uccelli, gli uffici dove lavoravano gli scribi, le salette riservate alle udienze private, il balcone dove compariva il Faraone, la cui finestra era sormontata da un disco solare alato, la sala da pranzo con al centro un tavolo sempre adorno di cesti di frutta e mazzi di fiori, la sua camera con il letto coperto di cuscini variopinti, il bagno lastricato.

Non appena il giovane Faraone sedette sul trono delle Due Terre, il grande intendente gli presentò i membri della sua casa, il capo dei rituali segreti, gli scribi della Casa della Vita, i medici, il ciambellano responsabile degli appartamenti privati, il capo dell'ufficio dei messaggi, responsabile della corrispondenza reale, il capo del Tesoro, quello del granaio, quello del bestiame, e molti altri, ansiosi di salutare il nuovo

Faraone e dargli assicurazione della loro indefettibile devozione.

— E adesso, ecco...

Ramses si alzò.

— Interrompo la processione.

L'intendente si ribellò.

— Maestà, è impossibile! Tutta questa gente importante...

— Più importante di me?

— Perdonami, non volevo...

— Accompagnami nelle cucine.

— Non è un posto adatto alla tua persona!

— Sai forse meglio di me dove mi devo recare?

— Perdonami, io...

— Vuoi passare il tuo tempo a scusarti? Dimmi piuttosto perché il visir e il sommo sacerdote di Amon non sono venuti a rendermi omaggio.

— Lo ignoro, Maestà; come potrebbero essere di mia competenza queste cose?

— Andiamo nelle cucine.

Macellai, fabbricanti di conserve, mondatori di verdure, fornai, pasticceri, birrai... Romè regnava su una schiera di specialisti gelosi delle proprie prerogative ed estremamente pignoli sia in materia di orari di lavoro che di giorni festivi. Panciuto, gioviale, dalle guance paffute, Romè si muoveva lentamente e non si curava né del suo triplo mento né del suo peso alquanto eccessivo che avrebbe tentato di combattere quando si sarebbe ritirato dal lavoro. Per il momento, era indispensabile dirigere quell'esercito con pugno di ferro, preparare pietanze squisite e ineccepibili, e mettere a tacere gli inevitabili conflitti tra addetti ai lavori. Ossessionato dall'igiene dei locali e dalla freschezza dei prodotti, Romè assaggiava lui stesso i piatti. Che il Faraone e i membri della corte fossero presenti o meno a Tebe, il capocuoco esigeva la perfezione.

Quando apparve l'intendente di palazzo, accompagnato da un giovane uomo dalla possente muscolatura, i cui fianchi erano cinti da un semplice tessuto di un bianco splendente, Romè si preparò a dover subire una montagna di guai. Quel maledetto funzionario, così orgoglioso dei suoi privilegi, avrebbe ancora tentato di imporgli un assistente incapace in cambio di una mazzetta che gli sarebbe stata versata dalla famiglia del ragazzo.

— Salute a te, Romè! Ti porto...

— So bene chi mi porti.

— In tal caso, inchinati com'è tuo dovere.

Con le mani sui fianchi, il capocuoco scoppiò a ridere.

— Io inchinarmi davanti a questo tipo? Prima vediamo se sa lavare i piatti!

Confuso, l'intendente arrossì e si voltò verso il re.

— Perdonami, è...

— Sì, lo so fare — dichiarò Ramses. — E tu, sai cucinare?

— Chi sei per dubitare delle mie capacità?

— Ramses, Faraone d'Egitto.

Pietrificato, Romè capì che la sua carriera era finita.

Con un rapido gesto, si tolse il grembiule di cuoio, lo piegò e lo ripose su un tavolino basso. Un'offesa al re, riconosciuta come tale dal tribunale del visir, avrebbe portato a una condanna pesante.

— Cos'hai preparato per pranzo? — chiese Ramses.

— Quaglie... quaglie arrosto, un pesce persico del Nilo alle erbette, un passato di fichi e una torta al miele.

— Molto allettante, ma la realtà sarà all'altezza della promessa?

Romè si adirò.

— Ne dubiti, Maestà? La mia reputazione...

— Non mi curo delle reputazioni. Servimi le tue pietanze.

— Faccio preparare la sala da pranzo del palazzo — annunciò l'intendente con tono mellifluo.

— Non è necessario, pranzerò qui.

Il re mangiò di gusto, sotto lo sguardo allarmato dell'intendente.

— Ottimo — concluse. — Come ti chiami, cuoco?

— Romè, Maestà.

— Romè, "l'uomo"... Lo porti bene. Ti nomino intendente di palazzo, coppiere e capo di tutte le cucine del reame. Seguimi, ho alcune domande da farti.

L'ex intendente balbettò.

— E... e io, Maestà?

— Non perdono l'inefficienza e la tirchieria; siamo sempre a corto di sguatteri, potrai andar bene.

Il re e Romè si misero a passeggiare lentamente sotto il portico.

— Sarai agli ordini del mio segretario particolare, Ameni; è un uomo gracile, che non apprezza la buona tavola, ma è un lavoratore instancabile. E soprattutto mi onora della sua amicizia.

— Quante responsabilità per un semplice cuoco — si stupì Romè.

— Mio padre mi ha insegnato a giudicare gli uomini seguendo l'instinto; se sbaglio, peggio per me. Per governare, ho bisogno di alcuni servitori fedeli. Ne conosci molti a corte?

— A dir la verità...

— Di' la verità, Romè, non tergiversare.

— La corte del Faraone è la più bella accozzaglia di ipocriti e di ambiziosi del reame; sembra quasi che si siano dati appuntamento come se fossero a casa loro. Quando tuo padre, di cui temevano la collera, era in vita, rimanevano rintanati. Dopo la sua morte, sono usciti dalle tane come i fiori del deserto dopo un temporale.

— Mi odiano, vero?

— È dir poco.

— Cosa sperano?

— Che tu dia al più presto prova della tua incapacità.

— Se stai dalla mia parte, esigo una sincerità assoluta.

— Me ne ritieni capace?

— Un buon cuoco non è magro; quando ha talento, ognuno cerca di rubargli le ricette, nella sua cucina corrono tantissime voci che deve saper selezionare con la stessa cura con cui sceglie i suoi prodotti. Quali sono i principali gruppi a me contrari?

— Quasi tutta la corte ti è ostile, Maestà; ritiene infatti che succedere a un Faraone della levatura di Sethi sia una scommessa impossibile. Perciò il tuo regno sarà solo una transizione, in attesa che si faccia avanti un pretendente serio.

— Correrai comunque il rischio di lasciare la tua cucina per occuparti di tutto il palazzo?

Il viso di Romè fu illuminato da un bel sorriso.

— La sicurezza ha i suoi lati positivi e i suoi lati negativi... Se posso continuare a preparare qualche buon piatto, non mi dispiacerebbe tentare. Con una riserva però...

— Parla.

— Con rispetto parlando, Maestà, non hai nessuna possibilità di farcela.

— Come mai tanto pessimismo?

— Perché sei giovane, inesperto, e non hai intenzione di essere una comparsa controllata dal sommo sacerdote di Amon e da una decina di ministri avvezzi alle sottigliezze del potere. Il rapporto di forza è troppo squilibrato.

— Non credi di avere una pessima opinione dei poteri del Faraone?

— Al contrario; è proprio per questo che lo scontro sarà inevitabile. E quali sono le possibilità di un uomo solo contro un esercito?

— Il Faraone non ha forse in sé la potenza del toro?

— Nemmeno il toro selvaggio riesce a spostare le montagne.

— Se capisco bene, mi consigli di rinunciare al regno nel momento stesso in cui sono asceso al trono?

— Se abbandoni il potere a coloro che sono già in carica, chi se ne accorgerà e chi te lo rimprovererà?

— Forse tu?

— Sono solo il miglior cuoco del reame, e il mio parere non conta niente.

— Ma ora non sei diventato l'intendente di palazzo?

— Se ti do un consiglio, Maestà, lo ascolterai?

— Dipende dal consiglio.

— Non accettare mai una birra di qualità scadente o una carne mediocre; sarebbe l'inizio della decadenza. E adesso, posso sbrigare le mie faccende e cominciare a riformare l'amministrazione del palazzo che lascia molto a desiderare?

Ramses non si era sbagliato. Romè era proprio l'uomo giusto.

Rassicurato, si diresse verso il giardino del palazzo.

14

Nefertari trattenne le lacrime con gran difficoltà.

Ciò che aveva temuto si era avverato. Lei che sognava la meditazione e il raccoglimento, si trovava ormai trascinata da un'onda mostruosa. Subito dopo l'incoronazione, si era dovuta separare da Ramses per far fronte alle sue responsabilità di grande sposa reale e visitare i templi, le scuole e le tessitorie alle sue dipendenze.

Tuya presentò Nefertari ai fattori delle terre della regina, ai superiori degli harem responsabili dell'educazione delle ragazze, agli scribi addetti all'amministrazione dei suoi beni, ai collettori delle imposte, ai sacerdoti e alle sacerdotesse che avrebbero compiuto a nome suo i riti della "sposa del dio", destinati a preservare l'energia creatrice della terra.

Per svariati giorni, Nefertari fu accompagnata da un luogo all'altro, senza avere la possibilità di riprendere fiato; dovette incontrare centinaia di persone, trovare una parola giusta per ciascuno, non abbandonare mai il suo sorriso e non manifestare il minimo cenno di stanchezza.

Ogni mattina, parrucchiera, truccatrice, manicure e pedicure sequestravano la regina per renderla ancor più bella del giorno innanzi. La felicità dell'Egitto dipendeva altrettanto dal suo fascino che dalla potenza di Ramses. Nel suo elegante abito di lino, stretto ai fianchi da una cintola rossa, non era forse Nefertari la più affascinante di tutte le regine?

Spossata, la giovane donna si sdraiò su un lettino basso. Non aveva il coraggio di recarsi all'ennesima cena di gala durante la quale avrebbe ricevuto in dono vasi d'unguento profumato.

La fragile figura di Tuya si fece avanti nella penombra che aveva invaso la stanza.

— Ti senti male, Nefertari?

— Sono priva di forze.

La vedova di Sethi si sedette sull'orlo del letto e strinse la mano destra della donna tra le sue.

— Ho superato anch'io questa prova; ci sono due rimedi per guarirti: una pozione che ti farà rinvigorire, e il magnetismo che Ramses ha ereditato dal padre.

— Non sono fatta per essere regina.

— Tu ami Ramses?

— Più di me stessa.

— In tal caso, non lo tradirai. Ha sposato una regina, e dev'essere una regina a lottare al suo fianco.

— E se si fosse sbagliato?

— Non si è sbagliato. Credi forse che non abbia attraversato anch'io gli stessi momenti di stanchezza e di scoramento? Ciò che viene richiesto alla grande sposa reale è ben al di sopra delle forze di una donna. È sempre stato così dalla creazione dell'Egitto; e non deve essere altrimenti.

— Non hai mai avuto voglia di rinunciare?

— Dieci, cento volte al giorno, all'inizio; ho supplicato il Faraone di scegliere un'altra moglie e di tenermi con sé come seconda consorte. La sua risposta è stata sempre la stessa: Sethi mi ha stretto tra le braccia e confortata, senza mai alleviare in alcun modo la mole di lavoro che mi spettava.

— Ma sarò degna della fiducia di Ramses?

— È giusto che tu te lo chieda, ma spetta a me rispondere.
Un'inquietudine improvvisa attraversò lo sguardo di Nefertari. Quello di Tuya non vacillò.

— Sei condannata a regnare, Nefertari; non lottare contro
il tuo destino, lasciati portare via da lui come una nuotatrice
dalle acque del fiume.

In meno di tre giorni, Ameni e Romè avevano avviato
una profonda riforma dell'amministrazione tebana, seguendo le indicazioni di Ramses che aveva avuto colloqui con
tutti i funzionari, grandi o piccoli che fossero, dal sindaco
di Tebe al traghettatore. Per via della lontananza di Menfi e
della presenza quasi permanente di Sethi nel Nord, la grande città del Sud viveva un'esistenza sempre più autonoma, e
il sommo sacerdote di Amon, forte delle immense ricchezze
del suo tempio, cominciava a considerarsi come una specie
di monarca i cui decreti erano più importanti di quelli del
re. Ascoltando gli uni e gli altri, Ramses si era reso conto
del pericolo di una simile situazione; se non reagiva, l'Alto
e il Basso Egitto sarebbero diventati due paesi diversi, magari anche contrapposti, e la divisione avrebbe condotto al
disastro.

Ameni il magro e Romè il panciuto non ebbero la minima
difficoltà a collaborare; diversi e complementari, sordi alle
sollecitazioni dei cortigiani, soggiogati dalla personalità di
Ramses e convinti che stesse seguendo la direzione giusta,
sconvolsero una gerarchia sonnolenta e procedettero a numerose nomine sorprendenti, approvate dal re.

Quindici giorni dopo l'incoronazione, Tebe era in ebollizione. Gli uni avevano annunciato l'arrivo al potere di un
incapace, gli altri di un adolescente appassionato di caccia e
di prodezze fisiche; invece Ramses non era uscito dal palaz-

zo, moltiplicando colloqui e decisioni, e manifestando la sua autorità con un vigore degno di Sethi.

Ramses attese le reazioni.

E le reazioni non ci furono. Tebe rimase immobile, come inebetita. Convocato dal re, il visir si atteggiò a primo ministro docile e si accontentò di prendere nota degli ordini di Sua Maestà per metterli al più presto in opera.

Ramses non condivideva l'esaltazione giovanile di Ameni né la soddisfazione divertita di Romè. Sorpresi dalla rapidità delle sue azioni, i suoi nemici non erano né sterminati né vinti, bensì in attesa di riprendere le loro energie, e l'avversità li avrebbe senz'altro aiutati a ritrovarle. Il re avrebbe preferito una vera battaglia a quelle sorde alleanze che si tramavano nell'ombra, ma era un auspicio puerile.

Tutte le sere, poco prima del tramonto, percorreva i viali del giardino del palazzo dove lavoravano una ventina di giardinieri che annaffiavano le aiuole e portavano l'acqua agli alberi una volta calata la notte. Alla sua sinistra, Guardiano, il cane giallo, con un collare di fiordalisi; alla sua destra, Massacratore, il gigantesco leone, che si muoveva con agilità. E all'ingresso del giardino, il sardo Serramanna, capo della guardia del corpo di Sua Maestà, seduto sotto un traliccio, pronto a intervenire al minimo segno di pericolo.

Ramses provava un amore infinito per i sicomori, i melograni, i fichi, le persee e gli altri alberi che trasformavano il giardino del palazzo in un paradiso in cui l'anima trovava riposo; l'Egitto non avrebbe dovuto assomigliare a quell'oasi di pace dove essenze diverse vivevano in armonia?

Quel giorno, Ramses piantò un minuscolo sicomoro, circondò la giovane piantina con un cumuletto di terra e l'annaffiò con cautela.

— Maestà, devi attendere un quarto d'ora e rovesciare il contenuto di un'altra brocca, quasi goccia a goccia.

L'uomo che aveva appena parlato era un giardiniere

dall'età indefinibile; sulla sua nuca vi era il segno di un enorme ascesso dovuto al peso dei bilancieri alle cui estremità venivano fissati pesantissimi recipienti in terracotta.

— Ottimo consiglio — riconobbe Ramses. — Come ti chiami?

— Nedjem.

— "Il dolce"... Sei sposato?

— Mi sono unito a questo giardino, a questi alberi, a queste piante e questi fiori; essi sono la mia famiglia, i miei antenati e la mia discendenza. Il sicomoro che hai piantato ti sopravviverà, anche se dovessi vivere centodieci anni su questa terra, come i saggi.

— Ne dubiti? — interrogò Ramses con un sorriso.

— Non dev'essere facile essere re e rimanere saggio; gli uomini sono perversi e astuti.

— Appartieni anche tu a questa razza che ami così poco; sei forse privo di difetti?

— Non oso affermarlo, Maestà.

— Hai formato apprendisti?

— Questo compito non spetta a me, ma al capo dei giardinieri.

— È più competente di te?

— Come faccio a saperlo? Non viene mai.

— Ritieni che il popolo degli alberi sia abbastanza numeroso in Egitto?

— È l'unico popolo che non lo sarà mai abbastanza.

— Sono d'accordo.

— L'albero è un dono assoluto — affermò il giardiniere. — Vivo, offre l'ombra, i fiori e i frutti; morto, la legna. Grazie a lui, mangiamo, costruiamo e assaporiamo momenti di felicità quando il dolce vento del nord ci accarezza, seduti al riparo di una chioma. Sogno un paese di alberi i cui unici abitanti sarebbero gli uccelli e i morti resuscitati.

— Ho intenzione di far piantare molti alberi in tutte le

province — svelò Ramses. — Nessuna piazza di villaggio dev'essere priva di ombra. I vecchi e i giovani vi si incontreranno, i secondi ascolteranno le parole dei primi.

— Che gli dei siano con te, Maestà; non esiste miglior programma di governo.

— Mi aiuterai a realizzarlo?

— Io, ma...

— Gli uffici del ministero dell'Agricoltura sono pieni di scribi zelanti e competenti, ma mi occorre un uomo che ami la natura e ne percepisca i segreti per dare loro le indicazioni giuste.

— Sono solo un giardiniere, Maestà, un...

— Hai la stoffa per essere un ottimo ministro dell'Agricoltura. Presentati domani mattina a palazzo e chiedi di essere ricevuto da Ameni; egli sarà avvertito e ti aiuterà a esordire in questa nuova veste.

Ramses si allontanò, lasciando un Nedjem esterrefatto e incapace di reagire. In fondo all'ampio giardino, tra due fichi, al re era sembrato di scorgere un'esile figura bianca. Una dea era forse apparsa in quel luogo magico?

Si avvicinò a passi veloci.

La figura non si era mossa.

I capelli neri e la lunga veste bianca luccicavano nella dolce luce del tramonto. Come poteva una donna essere così bella, al tempo stesso inaccessibile e attraente?

— Nefertari...

Con slancio, la donna si rifugiò tra le sue braccia.

— Sono riuscita a scappare — confessò. — Durante il concerto di liuto di questa sera, tua madre ha accettato di rappresentarmi. Mi avevi dimenticata?

— La tua bocca è un bocciolo di loto e le tue labbra pronunciano incantesimi, ma ho una voglia pazza di baciarti.

Il loro bacio fu come una fontana di eterna giovinezza; abbracciati sino a formare un unico essere, si rigenerarono offrendosi l'uno all'altra.

— Sono un uccello selvatico intrappolato tra i tuoi capelli — disse Ramses. — Mi fai scoprire un giardino dai mille fiori e dal profumo inebriante.

Nefertari si sciolse i capelli, Ramses fece scivolare l'abito di lino dalle spalle di Nefertari. Nel tepore di una sera d'estate, profumata e tranquilla, i due corpi si unirono.

15

Ramses fu risvegliato dal primo raggio di sole; accarezzò la bellissima schiena di Nefertari, ancora addormentata, e la baciò sul collo. Senza aprire gli occhi, la donna lo strinse a sé, sposando le forme del suo corpo possente.

— Sono felice.

— Sei la felicità, Nefertari.

— Non dobbiamo mai più lasciarci così a lungo.

— Né io né te abbiamo scelta.

— Le esigenze del potere stabiliranno quindi la nostra vita? Ramses la strinse forte a sé.

— Non rispondi...

— Perché conosci la risposta, Nefertari. Sei la grande sposa reale, io sono il Faraone: non sfuggiremo a questa realtà, nemmeno nei nostri sogni più segreti.

Ramses si alzò e si diresse verso la finestra da dove contemplò la verdeggiante campagna tebana illuminata dal sole estivo.

— Ti amo, Nefertari, ma sono anche lo sposo dell'Egitto. Questa terra, la devo fecondare e rendere florida; quando la sua voce mi chiama, non ho il diritto di rimanere indifferente.

— C'è ancora molto da fare?

— Pensavo che avrei regnato su un paese tranquillo, ma dimenticavo che era abitato dagli esseri umani. Bastano loro poche settimane per tradire la legge di Maat e distruggere l'opera di mio padre e dei suoi predecessori; l'armonia è il più fragile dei tesori. Se la mia attenzione si dovesse allentare, il male e le tenebre si impossesseranno del paese.

Nefertari si alzò a sua volta; nuda, si rannicchiò contro suo marito. Al semplice contatto del suo corpo profumato, Ramses seppe che la loro comunione era totale.

Si sentirono dei colpi nervosi alla porta della stanza da letto che fu spalancata bruscamente per lasciare il passaggio a un Ameni scapigliato. Questi voltò lo sguardo non appena scorse la regina.

— È grave, Ramses, molto grave!

— Al punto di importunarmi così di buon'ora?

— Vieni, non perdiamo un minuto.

— Non mi lasci il tempo di lavarmi e di fare colazione?

— Non questa mattina.

Ramses ascoltava i consigli di Ameni, soprattutto quando il giovane scriba, solitamente padrone di sé, perdeva il suo sangue freddo.

Il re guidò lui stesso il carro trainato da due cavalli, seguito da un altro carro con a bordo Serramanna e un arciere. Benché si sentisse a disagio per via della velocità, Ameni si compiacque della solerzia di Ramses. Si fermarono davanti alle porte del recinto di Karnak, scesero a terra e lessero la stele coperta di geroglifici che tutti i passanti in grado di leggere potevano decifrare.

— Guarda — disse Ameni. — Guarda la terza riga!

Il segno formato da tre pelli di animale, che serviva a descrivere il concetto di "nascita" e a indicare Ramses come "Figlio" della luce, era stato scolpito male. Quel difetto gli faceva perdere la sua magia protettiva e danneggiava l'essere segreto del Faraone.

— Ho controllato — dichiarò Ameni annichilito. — Lo stesso errore è stato ripetuto sugli zoccoli delle statue e delle stele che sono sotto gli occhi di tutti. È un atto di malevolenza, Ramses!

— Chi ne sarebbe l'autore?

— Il sommo sacerdote di Amon e i suoi scultori; sono loro che erano incaricati di questi messaggi che proclamavano la tua incoronazione! Se non lo avessi visto con i tuoi occhi, non lo avresti creduto.

Benché il significato generale della proclamazione non fosse stato alterato, si trattava di una cosa seria.

— Convoca gli scultori — ordinò Ramses — e fai rettificare la scritta.

— Non vuoi mandare i colpevoli davanti a un tribunale?

— Hanno solo obbedito agli ordini.

— Il sommo sacerdote di Amon sta poco bene; è per questo che non è venuto a renderti omaggio.

— Hai qualche prova contro questo potente personaggio?

— La sua colpevolezza è evidente!

— Non ti fidare delle evidenze, Ameni.

— Rimarrà quindi impunito? Per ricco che sia, è pur sempre tuo servitore.

— Fammi un rapporto completo sui suoi beni.

Romè non poteva lamentarsi delle sue nuove funzioni. Dopo aver nominato persone coscienziose ed esigenti in quanto a igiene, con il compito di mantenere pulito il palazzo, si era occupato del serraglio reale dove convivevano tre gatti, due gazzelle, una iena e due gru cenerine.

Un solo animale sfuggiva al suo controllo: Guardiano, il cane giallo oro del Faraone, che aveva preso la pessima abitudine di catturare ogni giorno un pesce nello stagno reale. Dal momento che la scena si svolgeva sotto lo sguardo protettore del leone di Ramses, non era possibile intervenire.

La mattina presto, Romè aveva aiutato Ameni a portare una pesante cassa piena di papiri. Dove trovava tutta quell'energia quello scriba mingherlino che mangiava poco e dormiva solo tre o quattro ore per notte? Infaticabile, egli passava la maggior parte del tempo in uno studio colmo di documenti senza dare mai il minimo segno di stanchezza.

Ameni si rinchiuse con Ramses, mentre Romè faceva l'ispezione quotidiana delle cucine; la salute del Faraone, e quindi del paese intero, non dipendeva forse dalla qualità dei suoi pasti?

Ameni srotolò vari papiri su dei tavolini bassi.

— Ecco il risultato delle mie indagini — dichiarò con un certo orgoglio.

— Hai avuto difficoltà?

— Sì e no. Gli amministratori del tempio di Karnak non hanno apprezzato la mia visita e le mie domande, ma non hanno avuto il coraggio di impedirmi di controllare le loro affermazioni.

— Karnak è molto ricca?

— Sì, lo è: ottantamila impiegati, quarantasei cantieri in corso nelle province che dipendono dal tempio, quattrocentocinquanta giardini, frutteti e vigneti, quattrocentoventimila capi di bestiame, novanta navi e sessantacinque centri abitati di varie dimensioni che lavorano direttamente per il più grande santuario d'Egitto. Il sommo sacerdote regna su un vero e proprio esercito di scribi e di contadini. A questo dato di fatto, occorre aggiungerne un secondo; se facciamo il censimento di tutti i beni appartenenti al dio Amon, e quindi ai suoi sacerdoti, otteniamo sei milioni di bovini, sei milioni di capre, dodici milioni di asini, otto milioni di muli e svariati milioni di polli e galline.

— Amon è il dio delle vittorie e il protettore dell'impero.

— Nessuno lo mette in dubbio, ma i suoi sacerdoti sono solo uomini; quando si è chiamati a gestire un simile patrimonio, non ci si espone forse a tentazioni inconfessabili? Non ho avuto il tempo di spingere oltre la mia inchiesta, ma sono preoccupato.

— C'è una ragione precisa?

— A Tebe, i dignitari aspettano con impazienza la partenza del Faraone e della sua sposa verso il nord: in altre parole, stai turbando la loro quiete e i loro soliti giochetti. Ti si chiede di arricchire Karnak e di lasciarla prosperare come uno Stato nello Stato, sino al giorno in cui il sommo sacerdote di Amon si proclamerà re del Sud e sarà la secessione.

— Sarebbe la morte dell'Egitto, Ameni.

— E la disgrazia del suo popolo.

— Mi occorrono prove concrete, la traccia di una malversazione. Se intervengo contro il sommo sacerdote di Amon, non posso permettermi di sbagliare.

— Sarà compito mio.

Serramanna era inquieto. Dopo il fallito attentato dei greci di Menelao, a Menfi, sapeva che la vita di Ramses era minacciata. Certo, quei barbari avevano lasciato il paese, ma non per questo il pericolo era svanito.

Perciò ispezionava continuamente quelli che considerava i punti deboli del palazzo tebano, il quartiere generale dell'esercito, quello della polizia e la caserma delle truppe scelte. Se ci fosse stata una rivolta, sarebbe nata là. Il sardo, che era stato pirata, si fidava solo del suo istinto; non si fidava né di un ufficiale superiore né di un semplice soldato. In molti casi, era sopravvissuto solo perché aveva colpito per primo un avversario che si presentava sotto le spoglie di un amico.

Malgrado la complessione da colosso, Serramanna si muoveva con l'agilità di un gatto; amava osservare senza essere visto e sorprendere le conversazioni. Incurante del caldo, indossava sempre una corazza metallica e, alla cintura, un pugnale e una spada corta dalla punta affilata. Le basette e i baffi arricciati conferivano al suo viso massiccio un'aria alquanto terrificante che sapeva sfruttare.

I militari di carriera dell'esercito, per la maggior parte nati da famiglie facoltose, lo odiavano e si chiedevano come mai Ramses avesse affidato il comando della sua guardia personale a un uomo così rozzo. Serramanna non se ne curava; essere amato non serviva a nulla e non contribuiva a formare un buon guerriero, capace di servire un buon capo.

E Ramses era un buon capo, capitano di un'immensa nave la cui traversata rischiava di essere pericolosa e animata.

Insomma, proprio quanto poteva desiderare un pirata sardo, promosso a una carica inaspettata e determinato a conservarla. La villa sontuosa, le deliziose egiziane dai seni rotondi come melograni e la buona tavola non gli bastavano. Nulla poteva sostituire una sanguinosa battaglia durante la quale un uomo poteva dare prova del proprio valore.

La guardia del palazzo veniva cambiata tre volte al mese, il primo, l'undici e il ventuno. I soldati ricevevano vino, carne, dolci e uno stipendio in cereali. A ogni cambio della guardia, Serramanna osservava i suoi uomini, guardandoli negli occhi, e attribuiva loro un posto preciso. Qualsiasi inadempienza alle regole disciplinari, qualunque forma di lassismo si traducevano in bastonatura e licenziamento immediato.

Il sardo sfilò lentamente davanti ai soldati, disposti su un'unica fila. Si fermò di fronte a un giovane biondino dall'aria nervosa.

— Da dove vieni?

— Da un villaggio del Delta, comandante.

— La tua arma preferita?

— La spada.

— Assaggia questo, hai bisogno di dissetarti.

Serramanna presentò al biondino una fiala con del vino all'anice. Il ragazzo ne bevve due sorsi.

— Sorveglierai l'ingresso del corridoio che porta allo studio reale e ne proibirai l'accesso durante le ultime tre ore della notte.

— Ai tuoi ordini, comandante.

Serramanna controllò le lame delle armi bianche, rettificò le posizioni, sistemò alcune uniformi e scambiò qualche parola con altri soldati.

Poi ognuno si recò al proprio posto.

L'architetto di palazzo aveva disposto le finestre in alto affinché si creasse una corrente che rinfrescava i corridoi durante le calde notti estive.

Il silenzio regnava.

Fuori, si sentiva il richiamo dei rospi.

Serramanna avanzava sul pavimento lastricato senza far rumore, in direzione del corridoio che portava allo studio di Ramses. Come sospettava, il biondino non era al suo posto di guardia.

Invece di sorvegliare, stava tentando di forzare la serratura dello studio. Il sardo lo afferrò per il collo con la sua mano possente e lo sollevò.

— Un greco, eh? Solo i greci possono bere il vino all'anice senza fare una piega. A quale fazione appartieni, bello mio? Sei un residuo di Menelao o fai parte di qualche nuovo complotto? Rispondi!

Il biondino si agitò per alcuni istanti, ma non emise alcun suono.

Sentendolo perdere le forze, Serramanna lo posò per terra dove cadde lungo disteso, come una bambola di stoffa. Il sardo gli aveva inavvertitamente spezzato le vertebre cervicali.

16

Serramanna non era bravo a scrivere rapporti; si accontentò di narrare i fatti ad Ameni che li trascrisse su papiro e allertò immediatamente Ramses. Nessuno conosceva il greco, reclutato per la sua prestanza. La sua morte brutale privava il re di informazioni precise, ma egli non fece alcun rimprovero al sardo, la cui vigilanza si rivelava quanto mai indispensabile.

Questa volta, il bersaglio non era il Faraone, ma il suo studio, e quindi gli affari di Stato. Cosa si poteva cercare, se non documenti confidenziali e informazioni sul modo in cui il re intendeva governare il paese?

Il tentato omicidio ordito da Menelao era solo il frutto della vendetta; questo furto fallito era invece molto più oscuro. Chi aveva mandato quel greco, chi aveva tramato nell'ombra, con la volontà di ostacolare l'azione del sovrano? Ovviamente, c'era Shenar, il fratello decaduto, che dopo l'incoronazione era rimasto inattivo e silenzioso. Quella maschera non celava forse un dispiegamento di attività sotterranee, condotte con molta più abilità rispetto al passato?

Romè si inchinò davanti al re.

— Maestà, il tuo ospite è arrivato.

— Accompagnalo in giardino, sotto il gazebo.

I fianchi di Ramses erano cinti da un semplice telo bianco. Portava un unico gioiello, un braccialetto d'oro al polso destro. Il re si concentrò qualche istante, conscio dell'importanza di questo colloquio da cui dipendevano in larga misura le sorti dell'Egitto.

In giardino, il re aveva fatto sistemare un elegante gazebo, all'ombra di un salice. Su un tavolino basso, uva dai chicchi vermigli e fichi freschi; i calici contenevano una birra leggera e digestiva, ideale quando faceva molto caldo.

Il sommo sacerdote di Amon di Karnak era seduto su una confortevole poltrona dai morbidi cuscini; davanti a lui, uno sgabello per appoggiare i piedi. La parrucca, l'abito di lino, la grande collana di perle e lapislazzuli che gli ricopriva il petto e i braccialetti d'argento gli davano un'aria altezzosa.

Appena vide il sovrano, il sommo sacerdote si alzò e si inchinò.

— Questo posto è di tuo gradimento?

— Ti ringrazio, Maestà, per la scelta; il tepore di questo luogo è propizio alla mia salute.

— Come ti senti?

— Non sono più un ragazzo: questa è la cosa più difficile da accettare.

— Disperavo di riuscire a incontrarti.

— Non dovevi, Maestà. Innanzitutto, sono stato costretto in casa per un po'; e poi speravo di venire in compagnia dei visir del Sud e del Nord e del viceré di Nubia.

— Che delegazione! Hanno respinto la tua proposta?

— All'inizio, no; ma poi sì.

— E perché si sono ricreduti?

— Sono alti funzionari... Non ti vogliono scontentare, Maestà. Comunque deploro la loro assenza che rischia di togliere peso alle mie parole.

— Se sono giuste, non hai nulla da temere.

— Ma le riterrai tali?

— Quale servitore di Maat, sarò io a decidere.

— Sono preoccupato, Maestà.

— Posso aiutarti a dissipare le nubi?

— Hai chiesto un resoconto delle ricchezze di Karnak.

— E lo ho ottenuto.

— Cosa ne hai concluso?

— Che sei un amministratore notevole.

— È forse un rimprovero?

— Certamente no. I nostri antenati non ci hanno forse insegnato che la spiritualità felice è accompagnata dal benessere di tutto un popolo? Il Faraone arricchisce Karnak e tu fai prosperare quelle ricchezze.

— Vi è un tono di rimprovero in quello che dici.

— Solo perplessità; e se parlassimo della tua preoccupazione?

— Si mormora che la gloria e la fortuna di Karnak diano ombra a te, Maestà, e che desideri concedere favori ad altri templi.

— Chi lo dice?

— Voci che corrono...

— E dai loro importanza?

— Quando si fanno insistenti, si possono forse ignorare?

— Ma tu, cosa ne pensi?

— Chè sarebbe nel tuo interesse, Maestà, non cambiare la situazione attuale; conformarti alla politica di tuo padre non sarebbe forse assai più saggio?

— Sfortunatamente, il suo regno fu troppo breve per permettergli di intraprendere le riforme necessarie.

— Karnak non ha bisogno di nessuna riforma.

— Non condivido quest'opinione.

— La mia preoccupazione era dunque fondata.

— Anche la mia allora?

— Io... non capisco bene.

— Il sommo sacerdote di Amon è ancora un servo fedele del Faraone?

Il sacerdote distolse lo sguardo e tentò di darsi un contegno mangiando un fico e bevendo un po' di birra. La semplicità dell'abbigliamento del re constrastava incredibilmente con l'eleganza raffinata del suo interlocutore, poco abituato a subire attacchi così diretti. Il re evitò di incalzarlo e lo lasciò riprendere fiato e riacquistare la calma.

— Come puoi dubitarne, Maestà?

— È per via dell'inchiesta di Ameni.

Il sommo sacerdote arrossì.

— Quella nullità di uno scriba, quel ficcanaso, quel ratto, quel...

— Ameni è mio amico e la sua unica ambizione è di servire l'Egitto. Non tollero alcun insulto alla sua reputazione, da parte di nessuno.

Il sacerdote balbettò.

— Perdonami, Maestà, ma i suoi metodi...

— È forse stato violento?

— No, ma mostra più accanimento di uno sciacallo intento a divorare la sua preda!

— Fa il suo lavoro con coscienza e non tralascia nessun particolare.

— Cosa mi rimproveri?

Ramses fissò il sacerdote.

— Lo ignori?

Ancora una volta, il sacerdote distolse lo sguardo.

— La terra d'Egitto non appartiene forse interamente al Faraone? — lo interrogò Ramses.

— Questo vuole il testamento degli dei.

— Ma il re è autorizzato a offrire degli appezzamenti agli uomini giusti, saggi e coraggiosi che hanno meritato di averli.

— È l'usanza.

— Il sommo sacerdote di Amon è forse autorizzato ad agire come il Faraone?

— È il suo delegato e suo rappresentante a Karnak.

— Non pensi di aver abusato di questo ruolo?

— Non vedo cosa...

— Hai ceduto terre a privati, che così sono diventati tuoi debitori, in particolare a militari la cui lealtà nei miei confronti potrebbe un domani essere messa in discussione. Hai forse bisogno di un esercito per difendere i tuoi possedimenti personali?

— Si tratta di un semplice concorso di circostanze, Maestà! Che cosa ti sei immaginato?

— Vi sono tre città che ospitano i tre templi principali del paese: Heliopolis è la città santa di Ra, la luce creatrice; Menfi, quella di Ptah, che crea il Verbo e ispira il gesto degli artigiani; Tebe, quella di Amon, il principe nascosto, di cui nessuno conosce la vera forma. Mio padre voleva mantenere un equilibrio tra queste tre potenze, espressioni complementari del divino. Con la tua politica, hai infranto quest'armonia; Tebe è tronfia e vanitosa.

— Maestà! Non stai forse insultando Amon?

— Sto parlando con il suo sommo sacerdote e gli ordino di cessare tutte le attività profane per dedicarsi alla meditazione e alla celebrazione dei riti.

Il sacerdote si alzò con difficoltà.

— Sai benissimo che è impossibile.

— Per quale motivo?

— Il mio è un incarico al contempo spirituale e amministrativo, come il tuo!

— Karnak appartiene al Faraone.

— Nessuno lo nega, ma chi ne amministrerà le terre?

— Uno specialista che nominerò io stesso.

— Sarebbe uno smantellamento della nostra gerarchia! Non commettere questo errore, Maestà; se ti metti contro i sacerdoti di Amon subirai dei danni irrimediabili.

— È una minaccia?

— Il consiglio di un uomo d'esperienza a un giovane monarca.

— Pensi che lo seguirò?

— Regnare è un'arte difficile che esige un certo numero di alleanze, fra cui quella dei sacerdoti di Amon. Ovviamente, obbedirò ai tuoi ordini, qualsiasi essi siano, poiché rimango tuo servo fedele.

Malgrado una stanchezza visibile, il sacerdote aveva ritrovato una certa sicurezza.

— Non provocare una guerra inutile, Maestà; avresti molto da perdere. Una volta passata l'esaltazione del potere, torna in senno e non sconvolgere nulla. Gli dei detestano gli eccessi; ricordi il terribile comportamento di Akhenaton nei confronti di Tebe.

— Le maglie della tua rete sono tessute abilmente, ma il becco del falco potrebbe squarciarle.

— Quanta energia sprecata! Il tuo posto è a Menfi, non qui; l'Egitto ha bisogno della tua forza per proteggerci contro i barbari che pensano solo a invaderci. Lasciami governare questa regione, e io sosterrò i tuoi sforzi.

— Ci penserò.

Il sommo sacerdote sorrise.

— All'impeto unisci anche l'intelligenza: sarai un grande Faraone, Ramses.

17

I notabili di Tebe sognavano tutti una cosa sola: incontrare il re e perorare la loro causa per conservare i propri privilegi. Di fronte a un monarca imprevedibile, che non sottostava a nessun clan, persino i cortigiani più influenti si potevano aspettare cattive sorprese. Ma bisognava superare l'ostacolo costituito da Ameni, il segretario particolare del re, che centellinava gli appuntamenti e si sbarazzava delle persone importune senza mezzi termini. Per non parlare delle perquisizioni imposte dal gigante sardo Serramanna, che non permetteva a nessuno di avvicinare il Faraone senza essersi prima assicurato personalmente che il visitatore non possedesse armi o oggetti sospetti.

Quella mattina, Ramses aveva congedato tutti coloro che aspettavano, compreso il responsabile delle dighe raccomandatogli da Ameni e di cui quest'ultimo poteva benissimo occuparsi da solo. Il re aveva bisogno dei consigli della grande sposa reale.

Seduta sul bordo della vasca in cui aveva appena fatto il bagno, la coppia offriva i corpi nudi ai raggi del sole che filtravano attraverso le foglie dei sicomori, assaporando la bellezza dei giardini del palazzo. Nedjem, promosso ministro dell'Agricoltura, continuava a occuparsene con cura meticolosa.

— Ho appena avuto un colloquio con il sommo sacerdote di Amon — confessò Ramses.

— La sua ostilità è irrimediabile?

— Indubbiamente. O adotto il suo punto di vista, o gli impongo il mio.

— Cosa propone?

— Che Karnak mantenga la sua supremazia sugli altri templi d'Egitto, che lui regni sul Sud e io sul Nord.

— Inaccettabile.

Ramses guardò Nefertari con stupore.

— Pensavo che mi avresti indotto alla moderazione!

— Se la moderazione porta alla rovina del paese, diventa un difetto. Quel sacerdote tenta di imporre la sua legge al Faraone, di privilegiare i suoi interessi personali a scapito del benessere generale. Se cedi, il trono vacillerà, e ciò che Sethi ha costruito verrà distrutto.

Nefertari si era espressa con dolcezza, con voce calma e tranquilla, ma le sue affermazioni erano di una fermezza sorprendente.

— Hai pensato alle conseguenze di una guerra aperta tra il re e il sommo sacerdote di Amon?

— Se ti dimostri debole sin dall'inizio del regno, gli ambiziosi e gli incapaci si scateneranno. Per quanto riguarda il sommo sacerdote di Amon, egli si metterà alla testa dei dissidenti e affermerà la sua autorità a scapito di quella del Faraone.

— Una simile lotta non mi spaventa, ma...

— Hai paura di agire solo per interesse personale?

Ramses contemplò il riflesso della sua immagine nell'acqua azzurra della vasca.

— Mi leggi nel pensiero.

— Non sono forse tua moglie?

— Quale risposta dai alla tua domanda, Nefertari?

— Nessun involucro umano è abbastanza vasto per contenere l'essere del Faraone. Tu sei la generosità, l'entusiasmo e la potenza, e userai queste armi per innalzarti all'altezza del compito che determina la tua esistenza.

— Sto forse sbagliando strada?

— Ciò che divide è malvagio, e quel sacerdote ha scelto la divisione perché ne trae dei vantaggi. In qualità di Faraone, non devi fargli nessuna concessione.

Ramses posò la testa sul seno di Nefertari, che gli accarezzò i capelli. Le rondini volavano sopra alla coppia reale con un fruscio di seta.

La loro quiete venne spezzata dai clamori di una lite all'ingresso del giardino. Una donna litigava con le guardie, i toni si facevano sempre più duri.

Ramses si legò un telo intorno alle reni e si diresse verso il gruppetto.

— Cosa sta succedendo qui?

Le guardie si scansarono e il re scoprì la bella Iset, splendida e graziosa.

— Maestà — esclamò — lasciami parlare, ti supplico!

— Chi te lo proibisce?

— La tua polizia, il tuo segretario, il tuo...

— Vieni con me.

Nascosto dietro alla madre, un bimbo fece un passo di lato.

— Ecco tuo figlio, Ramses.

— Kha!

Ramses prese in braccio il bambino e lo sollevò sopra alla sua testa; in preda al panico, il bimbo scoppiò a piangere.

— È molto timido — disse Iset.

Il re mise il bambino sulle sue spalle; la paura di Kha cedette rapidamente il posto al riso.

— Quattro anni... Mio figlio ha quattro anni! Il suo precettore è soddisfatto di lui?

— Lo trova troppo serio. Kha gioca assai poco e pensa solo a decifrare geroglifici. Conosce già molte parole e riesce persino a scriverne qualcuna.

— Diventerà scriba prima di me! Vieni a rinfrescarti; gli voglio insegnare a nuotare.

— Lei... Nefertari è qui?

— Certo.

— Perché mai ho dovuto assediare dieci volte il palazzo, perché mi tieni in disparte come fossi un'estranea? Senza di me, saresti morto!

— Che vuoi dire?

— Non è forse la mia lettera che ti ha avvertito del complotto che si stava tramando contro di te?

— Di cosa stai parlando?

La bella Iset chinò la testa.

— Durante alcune notti troppo dolorose, è vero, ho sofferto della mia solitudine e del tuo abbandono. Ma non ho mai cessato di amarti e ho rifiutato di allearmi con i membri della tua stessa famiglia che avevano deciso di farti del male.

— La tua lettera non mi è stata recapitata.

Iset impallidì.

— Allora hai creduto che facessi parte anch'io della schiera dei tuoi nemici?

— Avevo forse torto?

— Sì, avevi torto! Sul nome del Faraone giuro che non ti ho tradito!

— Perché dovrei crederti?

Iset afferrò il braccio di Ramses.

— Come potrei mentirti?

Iset vide Nefertari.

La sua bellezza la lasciò senza fiato. Non solo le sue forme erano di una perfezione assoluta, ma la luce che emanava dalla sua persona era così incantevole da rendere impossibile qualsiasi critica. Nefertari era indubbiamente la grande sposa reale con cui nessuna donna poteva competere.

Nel cuore di Iset non vi era la minima ombra di gelosia. Nefertari era raggiante come un cielo estivo, la sua nobiltà imponeva il rispetto.

— Iset! Sono così felice di vederti.

La seconda consorte si inchinò.

— No, ti prego... Vieni a fare il bagno, fa talmente caldo!

Iset non si aspettava a una simile accoglienza. Interdetta, non oppose resistenza, si spogliò e, nuda come Nefertari, si tuffò nell'acqua azzurra della vasca.

Ramses guardava nuotare le due donne che amava. Com'era possibile provare sentimenti così diversi, ma così intensi e sinceri? Nefertari era il grande amore della sua vita, un essere eccezionale, una regina. Né le difficoltà né gli oltraggi del tempo avrebbero attenuato la luminosa passione che vivevano. La bella Iset era il desiderio, la spensieratezza, la grazia, il piacere intenso. Eppure, gli aveva mentito e aveva complottato contro di lui; la doveva punire, non aveva scelta.

— È vero che sono tuo figlio? — chiese la vocina di Kha.

— È vero.

— Il geroglifico per "figlio" è simile a un'anatra.

— Lo sapresti disegnare?

Con la punta dell'indice e con aria estremamente seria, il bambino tracciò un'anatra assai ben riuscita sulla sabbia del viale.

— Sai come si scrive Faraone?

Kha tracciò la pianta di una casa e una colonna.

— La casa serve a esprimere l'idea di protezione, la colonna è simbolo di grandezza: "dimora grande", "grande dimora", è appunto il significato della parola Faraone.* Lo sai perché mi chiamano così?

---

* Ovvero il geroglifico PER, "dimora, casa, tempio", più AA, "grande", fanno PER AA, da cui deriva, per evoluzione fonetica, la parola Faraone.

118

— Perché sei il più grande di tutti e vivi in una casa grandissima.

— Hai ragione figlio mio, ma questa casa è l'Egitto tutto intero, e ognuno dei suoi abitanti deve trovarvi la propria dimora.

— Mi insegni altri geroglifici?

— Non c'è un altro gioco che ti piaccia?

Il bambino si imbronciò.

— E va bene.

Kha sorrise.

Con l'indice, il re tracciò un cerchio con un punto al centro.

— Il sole — spiegò. — Viene chiamato Ra; il suo nome è composto da una bocca e un braccio, poiché è il verbo e l'azione. Disegnalo tu.

Il bambino si divertì a tracciare una serie di soli. I cerchi si facevano man mano sempre più perfetti. Iset e Nefertari, che erano uscite dall'acqua, furono meravigliate da quel risultato.

— Ha dei doni straordinari! — constatò la regina.

— Mi fanno quasi paura — confessò Iset. — Il precettore ne è terrorizzato.

— Ha torto — giudicò Ramses. — Mio figlio deve seguire la sua strada a prescindere dalla sua età. Forse il destino lo sta già preparando alla mia successione. Questa precocità è un dono degli dei, rispettiamola e non tentiamo di frenarla. Aspettatemi qui.

Il re lasciò il giardino ed entrò nel palazzo.

Kha, che aveva la punta del dito irritata, si mise a piangere.

— Posso prenderlo in braccio? — chiese Nefertari a Iset.

— Sì... sì, certo.

Il bambino si placò quasi subito; nello sguardo di Nefertari vi era una tenerezza infinita. Iset ebbe il coraggio di farle la domanda che la tormentava da tempo.

— Malgrado la disgrazia che ti ha colpita, pensi di avere un altro figlio?

— Credo di essere incinta.

— Ah... Possano questa volta le divinità della nascita esserti favorevoli!

— Ti ringrazio per queste parole; mi aiuteranno a partorire.

Iset nascose il suo smarrimento. Che Nefertari fosse la regina, non lo contestava, e tanto meno invidiava la grande sposa reale, afflitta da responsabilità e preoccupazioni; ma la bella Iset avrebbe voluto essere la madre di innumerevoli figli di Ramses, la genitrice che il re avrebbe venerato tutta la vita. Per il momento, era ancora la donna che aveva dato la luce al primo figlio; ma se Nefertari avesse partorito un maschio, Kha sarebbe probabilmente passato in secondo piano.

Ramses tornò con una tavoletta da scriba dotata di due minuscole mattonelle d'inchiostro, una rossa e l'altra nera, e di tre pennellini in miniatura. Quando li consegnò a suo figlio, il volto di Kha si illuminò, e il bambino si strinse i preziosi oggetti al petto.

— Ti voglio bene, papà!

Dopo la partenza di Iset e Kha, Ramses non nascose i suoi pensieri a Nefertari.

— Sono convinto che Iset abbia complottato contro di me.

— L'hai interrogata?

— Ha ammesso di aver nutrito pensieri negativi nei miei confronti, ma sostiene di aver tentato di avvertirmi di un'aggressione che si stava tramando. La sua lettera non mi è mai arrivata.

— Perché non le credi?

— Ho l'impressione che menta e che non mi perdoni l'averti scelta come grande sposa.

— Ti sbagli.

— La sua colpa merita una punizione.

— Quale colpa? La giustizia di un Faraone non può essere fondata su un'impressione fugace. Iset ti ha dato un figlio, non vuole farti alcun male. Dimentica la colpa, ammesso che ci sia stata, e ancor più la punizione.

18

L'abbigliamento di Setau era in contrasto con quello dei cortigiani e degli scribi ammessi a palazzo; il suo spesso abito di pelle d'antilope, che assomigliava a una tunica invernale, era impregnato di soluzioni medicinali capaci di inibire l'azione del veleno. Qualora fosse stato morso, Setau avrebbe immerso l'abito nell'acqua per estrarne il rimedio.

— Non siamo nel deserto — constatò Ramses. — Qui non hai bisogno di questa farmacia ambulante.

— Questo posto è più pericoloso del deserto della Nubia; i serpenti e gli scorpioni hanno un aspetto diverso, ma pullulano ovunque. Sei pronto?

— Sono a digiuno, come hai chiesto tu.

— Grazie al mio trattamento, sei quasi immunizzato, persino contro alcuni cobra. Desideri veramente questa protezione supplementare?

— Ho dato il mio consenso.

— Esiste un rischio.

— Non perdiamo altro tempo.

— Hai chiesto il parere di Nefertari?

— E tu, quello di Loto?

— Mi trova un po' pazzo, ma andiamo meravigliosamente d'accordo.

Mal rasato, contrario all'uso delle parrucche, la testa quadrata, Setau avrebbe terrorizzato la maggior parte dei pazienti.

— Se avessi dosato male questa pozione — ammise — potresti diventare idiota.

— Non cederò alle tue minacce.

— Allora, bevi.

Ramses obbedì.

— Allora?

— Ottimo.

— È per via del succo di carruba. Il resto è meno piacevole: decotto di varie piante orticarie e di sangue di cobra diluito. Adesso sei immunizzato contro qualsiasi tipo di morso. Ti basterà bere di nuovo l'intruglio ogni sei mesi per mantenere questa proprietà.

— Quando accetterai di far parte del mio governo?

— Mai. E tu, quando smetterai di essere ingenuo? Avrei potuto avvelenarti!

— Non hai la mentalità di un assassino.

— Come se la conoscessi!

— Menelao mi ha insegnato molte cose. E non tieni conto dell'istinto di Serramanna, del mio leone e del mio cane.

— Che bel trio! Dimentichi forse che Tebe sogna di vederti andare via e che la maggior parte dei notabili auspicano il tuo fallimento?

— La natura mi ha dotato di un'ottima memoria.

— Gli umani sono più temibili dei rettili, Ramses.

— Senz'altro, ma sono anche la materia con cui il Faraone tenta di costruire un mondo giusto e armonioso.

— Bah! Un altro sogno che con gli anni finirà nel regno delle chimere. Stai attento, amico mio: sei circondato da esseri tenebrosi e malvagi. Ma hai dalla tua la fortuna, quella forza misteriosa che abita anche me quando affronto i cobra.

123

E che ti ha permesso di avere un alleato impareggiabile, Nefertari, un sogno fatto realtà. C'è quasi da credere che potresti riuscire nel tuo intento.

— Senza di te, sarà difficile.

— Un tempo la lusinga non era uno dei tuoi difetti. Torno a Menfi con un bel raccolto di veleni; mi raccomando, Ramses.

Malgrado le dimostrazioni di potere di Ramses, Shenar non disperava. L'esito della prova di forza che opponeva il giovane re al sommo sacerdote di Amon rimaneva incerto. I due uomini sarebbero senz'altro rimasti sulle rispettive posizioni, e ciò avrebbe indebolito l'autorità di Ramses la cui parola non aveva certo il peso di quella di Sethi.

A poco a poco, Shenar scopriva il fratello.

Attaccarlo frontalmente? Era un'impresa destinata a fallire, perché Ramses si sarebbe difeso con un'energia tale da ribaltare la situazione a suo favore. Conveniva piuttosto tendere una serie di trappole, usare l'astuzia, la menzogna e il tradimento. Se Ramses non fosse riuscito a identificare i suoi nemici, i suoi colpi sarebbero andati a vuoto e si sarebbe stancato. A quel punto, sarebbe stato facile abbatterlo.

Mentre il re procedeva a numerose nomine e sottoponeva Tebe alla sua volontà, Shenar era rimasto silenziosamente in disparte, come se gli avvenimenti non lo riguardassero. Adesso, doveva uscire dal suo mutismo se non voleva essere sospettato di ordire un complotto.

Dopo aver riflettuto a lungo, Shenar aveva deciso di tendergli una trappola in apparenza grossolana, talmente grossolana da trarre in inganno Ramses, che avrebbe reagito con la solita foga, ignaro di fare così il gioco di Shenar. Questo tentativo sarebbe stato un banco di prova; se Shenar vinceva, all'insaputa del fratello, significava che sapeva manipolarlo.

In quel caso, l'avvenire prometteva di essere roseo.

Per la decima volta, Ramses tentò di spiegare a Guardiano che era indecoroso pescare i pesci nel vivaio del palazzo e dividere il bottino con il leone. I loro pasti non erano forse sufficienti? Gli occhi vivaci del cane giallo oro indicavano chiaramente al re che l'animale aveva capito il motivo del rimprovero ma non ne avrebbe minimamente tenuto conto. Forte del sostegno del leone, Guardiano si sentiva praticamente invulnerabile.

L'imponente figura di Serramanna apparve sulla soglia dello studio di Ramses.

— Tuo fratello desidera vederti, ma rifiuta la perquisizione.

— Lascialo entrare.

Il sardo si ritirò. Passandogli davanti, Shenar gli lanciò un'occhiata glaciale.

— Posso parlare da uomo a uomo con te, Maestà?

Il cane giallo seguì Serramanna che non mancava mai di dargli una fetta di torta al miele.

— È da tanto che non scambiamo i nostri punti di vista, Shenar.

— Sei molto occupato, non volevo disturbarti.

Ramses girò intorno al fratello.

— Perché mi osservi così? — chiese stupito quest'ultimo.

— Sei dimagrito, mio caro fratello...

— Queste ultime settimane, mi sono imposto una dieta.

Malgrado i suoi sforzi, Shenar era ancora paffuto; i suoi occhietti marroni animavano un viso smorto dalle guance rotonde, e le labbra spesse tradivano la ghiottoneria.

— Perché hai tenuto quella mezza barba?

— Porterò sempre il lutto di Sethi — affermò Shenar. — Com'è possibile dimenticare nostro padre?

— Sono sensibile al tuo dolore, e lo condivido.

— Ne sono certo, ma le tue funzioni ti proibiscono di manifestarlo; per me è diverso.

— Qual è il motivo della tua visita?

— L'aspettavi, vero?

Il re non rispose.

— Sono il tuo fratello maggiore e godo di un'ottima reputazione; la delusione di non essere stato incoronato al posto tuo è passata ormai, ma non mi rassegno al mio statuto di nobile ozioso e ricco, senza alcuna utilità per il mio paese.

— Ti capisco.

— La funzione di capo del protocollo che mi avevi affidato è troppo limitata, soprattutto ora che Romè, il nuovo intendente di palazzo, se ne fa volentieri carico.

— Cosa desideri, Shenar?

— Ho riflettuto molto prima di compiere questo passo che ha un suo lato umiliante per me.

— Tra fratelli, una simile parola non ha ragione d'essere.

— Contesti forse le mie esigenze?

— No, Shenar, perché non le conosco ancora.

— Accetti di ascoltarmi?

— Parla, ti prego.

Agitato, Shenar si mise a camminare su e giù.

— Diventare visir? Impossibile. Saresti accusato di concedermi un privilegio esorbitante. Dirigere la polizia? Ci ho pensato, ma è un compito troppo complesso. Capo degli scribi? Troppo pesante, non lascia spazio sufficiente al riposo e al tempo libero. I grandi cantieri? Non ho la competenza necessaria. Ministro dell'Agricoltura? Il posto è già stato assegnato. Ministro del Tesoro? Ti sei tenuto la persona che serviva Sethi. E non ho nessuna inclinazione per la vita dei templi e le occupazioni dei sommi sacerdoti.

— Quale ambizione rimane?

— Quella che corrisponde ai miei gusti e alle mie capacità: ministro degli Affari esteri. Conosci il mio interesse per il commercio con i nostri vassalli e i nostri vicini; invece di limitarmi a trattative volte ad aumentare il mio patrimonio personale, vorrei lavorare per la pace attraverso un miglioramento della nostra diplomazia.

Shenar smise di camminare.

— La mia proposta ti urta?

126

— È una grossa responsabilità.

— Mi autorizzerai a fare il possibile per evitare una guerra con gli ittiti? Nessuno vuole uno scontro sanguinoso. Nominando il suo fratello maggiore ministro degli Affari esteri, il Faraone darà una prova dell'importanza che riveste la pace ai suoi occhi.

Ramses rifletté a lungo.

— Ti concedo quello che desideri, Shenar. Ma avrai bisogno d'aiuto.

— Certamente... A chi stai pensando?

— Al mio amico Asha. La diplomazia è il suo lavoro.

— Insomma, una specie di libertà vigilata.

— Spero piuttosto una collaborazione efficace.

— Se questa è la tua volontà...

— Incontratevi al più presto e presentatemi i vostri progetti nei minimi dettagli.

Uscendo dal palazzo, Shenar riuscì a malapena a contenere la sua gioia.

Ramses aveva reagito come sperava.

19

Dolente, la sorella di Ramses, si prosternò davanti al re e gli baciò i piedi.

— Perdonami, ti supplico, e perdona mio marito!

— Alzati, sei grottesca.

Dolente accettò la mano del fratello, ma non ebbe il coraggio di guardarlo. Alta, fiacca, sembrava smarrita.

— Perdonami Ramses, abbiamo agito come dei pazzi!

— Volevate la mia morte. Tuo marito ha già complottato due volte contro di me, lui che fu il mio tutore!

— La sua colpa è grande, e anche la mia, ma siamo stati manipolati.

— E da chi, beneamata sorella?

— Dal sommo sacerdote di Karnak. È riuscito a convincerci che saresti stato un pessimo re e che avresti portato il paese alla guerra civile.

— Dunque non avevate alcuna fiducia in me.

— Il mio sposo, Sary, ti considerava un uomo impetuoso, incapace di frenare i tuoi istinti guerrieri. Si pente dei suoi errori... Oh, come si pente!

— E mio fratello Shenar non ha tentato a sua volta di convincervi?

— No — mentì Dolente. — È lui che avremmo dovuto ascoltare. Da quando ha accettato la decisione di nostro padre, si considera come uno dei tuoi sudditi e pensa solo a servire l'Egitto assumendo di nuovo una funzione degna delle sue capacità.

— Perché tuo marito non è venuto con te?

Dolente chinò la testa.

— Ha troppa paura della collera del Faraone.

— Sei molto fortunata, sorella cara; nostra madre e Nefertari sono intervenute con vigore per risparmiarti una punizione severa. Desiderano entrambe preservare l'unità della nostra famiglia, in omaggio a Sethi.

— Mi... mi perdoni?

— Ti nomino superiora onoraria dell'harem di Tebe. È un bel titolo e non richiederà nessuno sforzo da parte tua. Ti conviene diventare molto discreta, sorellina.

— E... mio marito?

— Lo nomino capo dei mattonai del cantiere di Karnak. Così si renderà utile e imparerà a costruire invece di distruggere.

— Ma Sary è un professore, uno scriba, non sa fare niente con le mani!

— Ciò è contrario all'insegnamento dei nostri padri: se la mano e lo spirito non lavorano insieme, l'uomo diventa malvagio. Sbrigatevi entrambi ad assumere i vostri nuovi incarichi; il lavoro non manca.

Ritirandosi, Dolente sospirò. Conformemente a quanto aveva predetto Shenar, lei e Sary avevano evitato il peggio. All'inizio del regno, e sotto l'influenza di sua madre e di sua moglie, Ramses preferiva la clemenza all'intransigenza.

Essere costretta a lavorare era una vera punizione, ma più dolce della colonia penale delle oasi o dell'esilio in qualche regione sperduta della Nubia. Per quanto riguardava Sary, che aveva rischiato una condanna a morte, poteva ritenersi soddisfatto, anche se il suo lavoro non era certo glorioso.

Queste umiliazioni sarebbero state di breve durata. Dolente, grazie alle sue bugie, aveva riabilitato il buon nome di Shenar che si stava creando un'immagine credibile di fratello obbediente e rispettoso. In preda a mille preoccupazioni, Ramses avrebbe finito per credere che i suoi nemici di ieri, fra cui il fratello e la sorella, si fossero rimessi in riga e pensassero solo a condurre un'esistenza tranquilla.

Mosè ritrovò con gioia il cantiere della sala ipostila di Karnak che Ramses, una volta finito il periodo di lutto, aveva deciso di riaprire per completare la gigantesca opera avviata dal padre. Con i suoi folti capelli, la barba, le spalle larghe, il possente torace, il viso segnato, il giovane ebreo godeva della stima e dell'affetto della sua squadra di tagliapietre e di sculturi di geroglifici.

Mosè aveva rifiutato il posto di capomastro offertogli da Ramses perché non si sentiva all'altezza di una simile responsabilità. Finché si trattava di coordinare gli sforzi degli specialisti e di esaltare il loro perfezionismo, non c'erano problemi; ma disegnare la pianta di un edificio alla stregua di un architetto della confraternita di Deir el-Medineh, questo no. Imparando il mestiere sul campo, ascoltando coloro che ne sapevano più di lui, familiarizzandosi con le particolarità dei materiali, l'ebreo avrebbe maturato l'esperienza per costruire.

La vita rude dei cantieri gli permetteva di dare sfogo alla sua forza fisica e di dimenticare quel fuoco che gli ardeva l'anima. Ogni sera, sdraiato sul suo letto, mentre cercava invano di prendere sonno, Mosè tentava di capire perché la semplice gioia di vivere rifuggiva da lui. Era nato in un paese ricco, aveva una posizione importante, godeva dell'amicizia del Faraone, attirava gli sguardi delle belle donne, conduceva un'esistenza agiata e tranquilla... Ma nessuno di questi argomenti riusciva a placarlo. Perché quell'insoddisfazione continua, perché quella tortura interiore che nulla poteva giustificare?

Riprendere un'attività intensa, sentire nuovamente l'allegro canto di mazzuoli e scalpelli, vedere scivolare sul limo bagnato le slitte di legno cariche di enormi blocchi di pietra, occuparsi della sicurezza di ogni singolo operaio, assistere all'elevarsi di una colonna, quest'avventura esaltante avrebbe cancellato i suoi tormenti.

L'estate era solitamente un periodo di riposo, ma la morte di Sethi e l'incoronazione di Ramses sconvolsero le abitudini. Con il consenso dei capi della corporazione di Deir el-Medineh e del capomastro di Karnak, che gli aveva spiegato il suo progetto punto per punto, Mosè aveva organizzato due turni quotidiani di lavoro, il primo dall'alba fino a metà mattinata, il secondo dalla fine del pomeriggio al crepuscolo. Ognuno poteva disporre così di un tempo di recupero sufficiente, senza contare il fatto che per mantenere il cantiere all'ombra erano state stese larghe strisce di stoffa attaccate a dei pali.

Non appena Mosè varcò il posto di guardia che dava accesso alla sala ipostila in costruzione, il capo dei tagliapietre si diresse verso di lui.

— Non lavoreremo in queste condizioni, è escluso.

— Il caldo non è ancora insopportabile.

— Non è quello che ci spaventa... Voglio parlare del comportamento del nuovo caposquadra dei mattonai che costruiscono le impalcature.

— Lo conosco?

— Si chiama Sary; è il marito di Dolente, la sorella del Faraone. Ecco perché si permette di comportarsi così!

— Che cosa gli rimproveri?

— Col pretesto che il lavoro è troppo pesante per lui, ha deciso di convocare la sua squadra solo un giorno su due, privandola però della siesta e razionando l'acqua. Intende forse trattare i nostri colleghi come schiavi? Siamo in Egitto, non in Grecia, e tantomeno dagli ittiti! Mi dichiaro solidale con i mattonai.

— Hai ragione. Dov'è Sary?

— Al fresco, sotto la tenda dei capisquadra.

Sary era molto cambiato. Il gioviale precettore di Ramses si era trasformato in un uomo quasi magro, dal viso spigoloso e dai gesti nervosi. Faceva continuamente girare intorno al polso sinistro un braccialetto di rame troppo largo e massaggiava spesso con un unguento il suo piede destro dolorante per via dell'artrite che gli deformava l'alluce. Della sua professione di un tempo, Sary aveva conservato soltanto un elegante abito di lino bianco, simbolo della sua appartenenza alla casta degli scribi facoltosi.

Sary beveva una birra fresca, sdraiato sui cuscini. Quando Mosè entrò nella tenda, gli lanciò un'occhiata distratta.

— Salve a te, Sary; mi riconosci?

— Come si potrebbe dimenticare Mosè, il brillante condiscepolo di Ramses! Anche tu sei condannato a sudare in questo cantiere... Il re non è molto generoso con i suoi vecchi amici.

— Sono soddisfatto della mia condizione.

— Meriti di meglio!

— Partecipare alla costruzione di un monumento come questo... Esiste forse un sogno più bello?

— Un sogno questo caldo, questa polvere, il sudore degli uomini, queste pietre enormi, questa smisurata fatica, il fracasso degli attrezzi, il contatto con manovali e mestieranti analfabeti? Un incubo, vorrai dire! Stai perdendo il tuo tempo, povero Mosè.

— Mi è stata affidata una missione e la assolvo.

— Un atteggiamento nobile e bello! Quando sopraggiungerà la noia, vedrai che cambierà.

— Non hai anche tu un compito da svolgere?

Un ghigno deformò il viso dell'ex precettore di Ramses.

— Comandare un gruppo di fabbricanti di mattoni... Esiste forse qualcosa di più esaltante?

— Sono uomini forti e rispettabili, almeno quanto gli scribi oziosi e paffuti.

— Che strane parole, Mosè; ti stai forse ribellando contro l'ordine sociale?

— Contro il tuo disprezzo per gli esseri umani.

— Stai cercando di farmi la predica?

— Ho stabilito degli orari di lavoro che valgono per i mattonai come per gli altri; è tuo dovere rispettarli.

— Anch'io ho fatto la mia scelta.

— Non corrisponde alla mia; sei tu quello che si deve adeguare, Sary.

— Mi rifiuto!

— Come vuoi. Notificherò questo rifiuto al capomastro, che allerterà il visir, che consulterà Ramses.

— Mi stai minacciando...

— È la prassi in caso di insubordinazione in un cantiere reale.

— Ti diverti a umiliarmi!

— Il mio unico obiettivo è quello di partecipare alla costruzione di questo tempio, che nessuno deve ostacolare.

— Mi stai prendendo in giro.

— Oggi, siamo colleghi, Sary; coordinare i nostri sforzi mi sembra la soluzione migliore.

— Ramses ti abbandonerà, come ha allontanato me!

— Chiedi ai tuoi mattonai di innalzare l'impalcatura, concedi loro la siesta regolamentare e non dimenticare di fargli avere tutta l'acqua che desiderano.

20

Il vino era eccezionale, la costata di manzo gustosa, il passato di fave speziato. "Si può pensare ciò che si vuole di Shenar" rifletté Meba "ma indubbiamente sa ricevere."

— Il pasto è di tuo gradimento? — chiese il fratello maggiore di Ramses.

— Una meraviglia, caro amico! I tuoi cuochi sono i migliori d'Egitto.

L'elegante sessantenne, avvezzo ai trucchi della diplomazia dopo aver diretto per molti anni il ministero degli Affari esteri, era abbastanza sincero. Shenar non lesinava sulla qualità dei prodotti che offriva agli ospiti.

— La politica del re non vi sembra incoerente? — chiese Meba.

— Non è un uomo facile da capire.

Quella critica velata fu gradita dal diplomatico, il cui viso largo e rassicurante presentava insoliti segni di nervosismo. Abitualmente molto riservato, Meba si chiedeva se Shenar, per vivere in pace e non perdere i suoi privilegi, non si fosse schierato tra i sostenitori di Ramses. Le parole che aveva appena pronunciato tendevano a dimostrare il contrario.

— Non approvo affatto le varie nomine intempestive che costringono degli eccelsi servitori dello Stato ad abbandonare le loro funzioni per essere relegati a ruoli subalterni.

— Sono d'accordo con te, Meba.

— Nominare un giardiniere ministro dell'Agricoltura è ridicolo! C'è da chiedersi quando Ramses deciderà di prendersela con il mio ministero.

— È precisamente l'argomento che vorrei affrontare con te.

Meba si irrigidì e riassestò la costosa parrucca che indossava tutto l'anno, anche nei periodi più caldi.

— Sei forse in possesso di informazioni confidenziali che mi riguardino?

— Ti racconterò la scena nei minimi dettagli, per permetterti di valutare la situazione con lucidità. Ieri, Ramses mi ha convocato. Un ordine brutale, senza appello. Abbandonando tutti i miei affari, mi sono recato immediatamente al palazzo dove mi ha fatto aspettare per più di un'ora.

— Non eri... preoccupato?

— Sì, lo confesso. Il suo sardo, Serramanna, mi ha perquisito senza alcun riguardo, malgrado le mie proteste.

— Tu, il fratello del re! Siamo quindi caduti così in basso?

— Temo di sì, Meba.

— Hai protestato davanti al re?

— Non mi ha lasciato parlare. La sua sicurezza non viene forse prima del rispetto dovuto ai suoi cari?

— Sethi avrebbe condannato un simile atteggiamento.

— Ahimè, mio padre non è più fra noi, e Ramses gli è succeduto.

— Gli uomini passano, le istituzioni restano. Un dignitario del tuo valore accederà un giorno alla funzione suprema.

— Saranno gli dei a decidere, Meba.

— Non desideravi forse evocare... il mio caso personale?

— Ci sto arrivando. Mentre fremevo di vergogna e indignazione per via di quell'ignobile perquisizione, Ramses mi ha annunciato che mi nominava ministro degli Affari esteri.

Meba impallidì.

— Tu, al mio posto? È incomprensibile!

— Capirai meglio quando saprai che io rappresento ai suoi occhi soltanto un uomo di paglia, controllato dai suoi tirapiedi che non mi lasceranno la benché minima iniziativa. Tu non saresti stato abbastanza malleabile, caro Meba; quanto a me, non sono che un prestanome. I governi stranieri saranno onorati di vedere che Ramses è interessato a questo ministero a tal punto da nominarvi suo fratello, senza sapere che in realtà io sono totalmente impotente.

Meba era abbattuto.

— Non sono quindi più niente...

— Proprio come me, malgrado le apparenze.

— Questo re è un mostro.

— Molti uomini di qualità lo scopriranno a poco a poco. Ed è per questo che non dobbiamo cedere allo sconforto.

— Che cosa proponi?

— Preferisci abbandonare o lottare al mio fianco?

— Posso nuocere a Ramses.

— Fai finta di ritirarti e aspetta le mie istruzioni.

Meba sorrise.

— Forse Ramses sbaglia a sottovalutarti. A capo di quel ministero, per quanto ti possano controllare, ti si presenteranno delle opportunità.

— Sei molto perspicace, mio caro. E se mi parlassi un po' del funzionamento di quel grande corpo dello Stato che hai diretto con tanto talento?

Meba non si fece pregare. Shenar omise di confidargli che godeva di un alleato prezioso, grazie al quale avrebbe avuto il controllo della situazione. Il tradimento di Asha doveva rimanere il suo segreto meglio custodito.

Il mago Ofir procedeva lentamente, tenendo Lita per mano, nella via principale della città del sole, capitale abbandonata di Akhenaton, il Faraone eretico, e di sua moglie Nefertiti. Nessun edificio era stato distrutto, ma la sabbia si infilava da porte e finestre quando soffiava il vento del deserto.

La città, che si trovava a più di quattrocento chilometri a nord di Tebe, era deserta da una cinquantina d'anni. Dopo la morte di Akhenaton, la corte aveva lasciato quel sito grandioso del Medio Egitto per tornare nella città di Amon. I culti tradizionali erano stati ripristinati, gli dei antichi erano stati nuovamente imposti, a scapito di Aton, il disco solare, incarnazione del Dio unico.

Akhenaton non si era spinto abbastanza lontano; quel disco stesso tradiva la verità. Dio si trovava al di sopra di qualsiasi rappresentazione e di qualsiasi simbolo; Egli risiedeva in cielo, e la specie umana sulla terra. Facendovi vivere gli dei, l'Egitto rifiutava l'adozione universale del Dio unico. L'Egitto doveva quindi essere distrutto.

Ofir era il discendente di un consigliere libico di Akhenaton che aveva passato lunghissime ore in compagnia del monarca. Akhenaton gli aveva dettato vari poemi mistici, lo straniero si era impegnato a diffonderli in tutto il Vicino Oriente, persino presso le tribù del Sinai, e in particolare tra gli ebrei.

Era stato il generale Horemheb, vero fondatore della dinastia di Sethi e Ramses, a far sopprimere l'antenato di Ofir, considerato come un pericoloso agitatore e un adepto della magia nera, colpevole di aver influenzato Akhenaton facendogli dimenticare i doveri della sua carica.

E in effetti, erano state proprio quelle le intenzioni del libico: cancellare le umiliazioni subite dal suo popolo, indebolire l'Egitto, approfittare della salute cagionevole di Akhenaton per convincerlo ad abbandonare qualsiasi politica di difesa.

La manovra era quasi riuscita.

Oggi, la fiaccola era passata a Ofir. Non aveva forse ereditato la scienza del suo predecessore e i suoi talenti di stregone? Detestava l'Egitto quanto lui e sarebbe stato quell'odio a dargli la capacità di distruggerlo. Sconfiggere l'Egitto significava abbattere il Faraone. Abbattere Ramses.

Lo sguardo di Lita rimaneva perso nel vuoto. Eppure, Ofir le descriveva ogni palazzo ufficiale, ogni villa di nobili, le faceva scoprire i quartieri degli artigiani e dei commercianti, il parco zoologico dove Akhenaton aveva radunato le specie più rare. Per molte ore, Ofir e Lita vagarono nel palazzo vuoto dove il re e Nefertiti giocavano un tempo con le figlie; una di queste era la nonna della giovane donna.

Durante questa nuova visita alla città del sole, che si degradava anno dopo anno, Ofir trovò che Lita si era fatta più attenta, come se il suo interesse per il mondo esterno si stesse finalmente risvegliando. La ragazza si trattenne nella stanza da letto di Akhenaton e Nefertiti, si chinò su una culla semidistrutta e scoppiò a piangere.

Quando le lacrime cessarono, Ofir la prese per mano e la condusse sino alla bottega di uno scultore. Dentro a delle casse, vi erano varie teste femminili in gesso che sarebbero dovute servire alla realizzazione dei busti in pietra nobile.

Il mago le tirò fuori una a una.

Improvvisamente, Lita accarezzò una testa di gesso, un viso di straordinaria bellezza.

— Nefertiti — mormorò.

Poi la mano si spostò verso un'altra testa, più piccola, dai tratti di una finezza eccezionale.

— Merit-Aton, la beneamata da Aton, mia nonna. E qui, sua sorella, e l'altra sua sorella... La mia famiglia, la mia famiglia dimentïcata! È nuovamente vicino a me, così vicino!

Lita strinse contro il suo petto le teste di gesso, ma ne fece cadere una che si infranse al suolo.

Ofir temette una crisi di nervi, ma la giovane donna non lanciò nemmeno un urlo di sorpresa e rimase immobile per alcuni lunghi minuti. Poi scagliò le altre teste contro un muro e ne calpestò i frammenti.

— Il passato è morto, e io finisco di ucciderlo — dichiarò con lo sguardo fisso.

— No — obiettò il mago. — Il passato non muore mai. Tua nonna e tua madre sono state perseguitate perché credevano in Aton. Sono stato io a raccoglierti, Lita, sono stato io a strapparti all'esilio e a una morte certa.

— È vero, lo ricordo... Mia nonna e mia madre sono seppellite laggiù, nelle colline, e avrei dovuto raggiungerle tanto tempo fa. Ma ti sei comportato come un padre con me.

— È giunta l'ora della vendetta, Lita. Se hai conosciuto solo disperazione e sofferenza invece di vivere un'infanzia felice, la colpa è di Sethi e di Ramses. Il primo è morto, il secondo opprime un popolo intero. Dobbiamo punirlo, devi farti giustizia.

— Voglio passeggiare nella mia città.

Lita toccò le pietre dei templi e i muri delle case, come se si volesse impossessare della città defunta. Al tramonto, salì sulla terrazza del palazzo di Nefertiti e contemplò il suo fantomatico regno.

— La mia anima è vuota, Ofir, e il tuo pensiero la riempie.

— Voglio vederti regnare, Lita, affinché tu possa imporre il culto nel Dio unico.

— No, Ofir, questi sono solo discorsi. Tu sei guidato da un'unica forza: l'odio, perché in te c'è il male.

— Rifiuti di aiutarmi?

— La mia anima è vuota, e tu l'hai riempita con il tuo desiderio di nuocere. Mi hai plasmata pazientemente, facendo di me lo strumento della tua e della mia vendetta: oggi, sono pronta a combattere, come una spada affilata.

Ofir si inginocchiò per ringraziare Dio. Le sue preghiere erano state esaudite.

21

La taverna era animata dalla danza sensuale di un gruppo di ballerine professioniste, che comprendeva egiziane del Delta e nubiane dalla pelle color ebano. La loro flessuosità affascinava Mosè, seduto a un tavolo in fondo al locale, davanti a un calice di vino di palma. Dopo una giornata difficile, durante la quale era riuscito a evitare per miracolo due incidenti, l'ebreo sentiva il bisogno di trovarsi da solo in mezzo al rumore, di guardare vivere gli altri senza sentirsi coinvolto in quella commedia.

Poco lontano da lui, sedeva una coppia curiosa.

La donna era giovane, bionda, formosa, attraente. L'uomo, molto più anziano di lei, aveva un volto inquietante: magro, con gli zigomi sporgenti, il naso prominente, le labbra finissime, il mento pronunciato, assomigliava a un rapace. Il rumore impediva a Mosè di sentire la loro conversazione, ma ogni tanto gli giungevano i brandelli incoerenti di un lento discorso pronunciato dall'uomo con voce monocorde.

Le nubiane invitarono i clienti a ballare; uno di loro, un cinquantenne avvinazzato, posò la mano sulla spalla destra della giovane bionda e l'invitò. Sorpresa, quest'ultima lo respinse. Irritato, l'ubriaco insistette. L'amico della donna tese la mano destra verso quell'importuno che indietreggiò di più di un metro, come colpito da un pugno violento. Terrorizzato, questi balbettò qualche parola di scusa e smise di infastidirla.

Il gesto dell'uomo dal volto inquietante era stato rapido e discreto, ma Mosè non si era sbagliato. Apparentemente quello strano personaggio era dotato di poteri straordinari.

Quando l'uomo e la donna uscirono dalla taverna, Mosè li seguì. I due si diressero verso la parte meridionale di Tebe, prima di scomparire in un quartiere popolare, composto di case a un piano separate da strette viuzze. Per qualche istante, l'ebreo pensò di averli persi, ma poi udì il passo deciso dell'uomo.

Era notte fonda, e il posto era completamente deserto; un cane abbaiò, alcuni pipistrelli lo sfiorarono. Più Mosè andava avanti, più si accendeva la sua curiosità. Intravide di nuovo la coppia che sgattaiolava fra delle catapecchie in procinto di essere demolite per lasciare il posto a nuovi alloggi. Nessuno abitava più lì.

La donna spinse una porta il cui scricchiolio turbò il silenzio della notte. L'uomo era sparito.

Mosè esitò.

Doveva forse entrare e interrogarlo, chiedere loro chi erano, perché si comportavano in quel modo? Percepì l'aspetto grottesco di una simile iniziativa. Non solo non apparteneva alla polizia, ma per di più non aveva alcun diritto di immischiarsi nella vita privata di quella gente. Quale spirito maligno lo aveva spinto a compiere quello stupido pedinamento? Arrabbiato con se stesso, decise di tornare sui propri passi.

L'uomo dal profilo aquilino si erse di fronte a lui.

— Ci seguivi, Mosè?

— Come fai a conoscere il mio nome?

— Mi è bastato chiederlo alla taverna; l'amico di Ramses è una persona famosa.

— E tu, chi sei?

— Perché ci seguivi?

— Un impulso inconsulto...

— Magra spiegazione.

— Eppure è la verità.

— Non ti credo.

— Lasciami passare.

L'uomo tese la mano.

Davanti a Mosè, la sabbia si mosse. Apparve allora una vipera cornuta, che dardeggiava una lingua minacciosa.

— È solo magia!

— Non ti avvicinare, è verissima. Mi sono accontentato di svegliarla.

L'ebreo si voltò.

Un altro rettile lo minacciava.

— Se vuoi sopravvivere, entra in casa.

La porta si aprì scricchiolando.

In quelle viuzze anguste, Mosè non aveva nessuna possibilità di sfuggire ai rettili. E Setau era lontano. Penetrò in una stanza dal soffitto basso, con il pavimento ricoperto di terra battuta. L'uomo lo seguì e chiuse la porta.

— Non tentare di fuggire, le vipere ti morderebbero. Quando lo deciderò io, le addormenterò.

— Che cosa vuoi?

— Parlare.

— Potrei stordirti con un solo pugno.

L'uomo sorrise.

— Pensa alla scena nella taverna e non ti azzardare.

La giovane donna bionda era rannicchiata, in un angolo della stanza; un pezzo di stoffa le nascondeva il viso.

— È malata?

— Non sopporta l'oscurità; appena si alza il sole, si sente meglio.

— Mi dici finalmente che cosa vuoi da me?

— Mi chiamo Ofir, sono nato in Libia e pratico la magia.

— In quale tempio eserciti le tue funzioni?

— Nessuno.

— È contrario alla legge.

— Questa giovane donna e io ci nascondiamo e ci muoviamo in continuazione.

— Quale altro delitto avete commesso?

— Quello di non condividere la fede di Sethi e di Ramses.

Mosè era sbalordito.

— Non capisco...

— Questa donna fragile e sofferente si chiama Lita. È la nipote di Merit-Aton, una delle sei figlie del grande Akhenaton, morto cinquantacinque anni fa nella sua città del sole ed eliminato dagli annali reali per aver tentato di imporre all'Egitto il concetto del Dio unico, Aton.

— Nessuno dei suoi seguaci è stato perseguitato!

— L'oblio non è forse la punizione peggiore? La regina Akhesa, sposa di Tutankhamon ed erede al trono d'Egitto, fu ingiustamente condannata a morte,* e l'empia dinastia fondata da Horemheb si è impossessata delle Due Terre. Se ci fosse una giustizia, Lita dovrebbe salire al trono.

— Stai forse complottando contro Ramses?

Ofir sorrise nuovamente.

— Sono solo un vecchio mago, Lita è debole e disperata; il potente Faraone d'Egitto non ha nulla da temere da noi. Sarà una vera potenza a distruggerlo e a imporre la sua legge.

— E chi?

— Il vero Dio, Mosè, il Dio unico la cui collera si abbatterà presto su tutti i popoli che non si prosterneranno davanti a lui!

Il tono grave della voce di Ofir aveva fatto tremare le mura della catapecchia. Mosè provò una paura strana, al contempo terrificante e affascinante.

— Tu sei ebreo, Mosè.

— Sono nato in Egitto.

---

* Il suo destino è evocato nel mio romanzo *La Reine Soleil*, Julliard, Paris 1988.

— Come me, sei solo un esiliato. Siamo alla ricerca di una terra pura, che non sia stata insudiciata da decine di divinità! Tu sei ebreo, Mosè, il tuo popolo soffre, vuole resuscitare la religione dei suoi padri, riallacciarsi al grande disegno di Akhenaton.

— Gli ebrei sono felici in Egitto; sono pagati bene e ben nutriti.

— La realtà materiale non è tutto per loro.

— Poiché ne sei convinto, diventa il loro profeta!

— Sono solo un libico e non possiedo né la tua autorità né la tua influenza.

— Sei solo un demente, Ofir! Trasformare gli ebrei in una fazione ostile a Ramses sarebbe condurli alla rovina. Nessuno di loro vuole ribellarsi e lasciare il paese, e io sono l'amico di un Faraone destinato ad avere un grandissimo regno.

— In te arde un fuoco, Mosè, lo stesso che ardeva nel cuore di Akhenaton. Coloro che condividevano il suo ideale non sono spariti e cominciano a unirsi.

— Quindi tu e Lita non siete isolati.

— Dobbiamo comportarci con estrema prudenza, ma conquistiamo ogni giorno preziose amicizie. La religione di Akhenaton è la religione del futuro.

— Non credo che Ramses condivida quest'opinione.

— Dato che sei un suo amico, Mosè, spetta a te convincerlo.

— Prima dovrei forse convincere me stesso.

— Gli ebrei imporranno la supremazia del Dio unico al mondo intero, e tu sarai il loro capo.

— La tua profezia è ridicola.

— Si avvererà.

— Non ho intenzione di oppormi al re.

— Se non ci sbarrerà più la strada, verrà risparmiato.

— Smetti di divagare, Ofir, e torna al tuo paese.

— La nuova terra non esiste ancora; sarai tu a crearla.

— Ho altri progetti.

— Credi in un solo Dio, vero?

Mosè era turbato.

— Non ti devo nessuna risposta.

— Non sfuggire al tuo destino.

— Sparisci, Ofir.

Mosè si diresse verso la porta; il mago non intervenne.

— I serpenti sono tornati nelle tane — dichiarò. — Puoi uscire tranquillo.

— Addio, Ofir.

— A presto, Mosè.

22

Poco prima dell'alba, il sacerdote Bakhen uscì dalla sua casa di rappresentanza, si lavò il corpo depilato, si cinse la vita con un telo bianco e si diresse con un vaso verso il lago sacro sopra al quale volavano decine di rondini che annunciavano i primi raggi di sole. Il grande specchio d'acqua, a cui si accedeva da scalini di pietra disposti ai quattro angoli, conteneva l'acqua del *Nun*, inestinguibile oceano di energia dal quale scaturivano tutte le forme di vita. Bakhen vi avrebbe attinto un po' del prezioso liquido, che sarebbe servito ai vari riti di purificazione celebrati nel tempio coperto.

— Ti ricordi di me, Bakhen?

Il sacerdote voltò la testa in direzione dell'uomo che gli aveva appena rivolto la parola. Questi indossava il semplice abito del "sacerdote puro".

— Ramses...

— Quando eri mio istruttore nell'esercito, ci siamo affrontati e abbiamo vinto una volta per uno.

Bakhen si inchinò.

— Il mio passato è svanito, Maestà; oggi appartengo a Karnak.

Quell'uomo dallo sgradevole viso quadrato, dalla voce roca e dall'aria arcigna era stato in passato il controllore delle scuderie, nonché emerito cavaliere. Oggi, sembrava compenetrato della sua nuova funzione.

— Karnak non appartiene forse al re?

— Chi ha mai preteso il contrario?

— Sono spiacente di turbare la tua quiete, Bakhen, ma devo sapere se mi sei amico o nemico.

— E perché dovrei essere un avversario del Faraone?

— Il sommo sacerdote di Amon è contro di me, lo ignori?

— Le liti della gerarchia...

— Non cercare di nasconderti dietro a parole vuote, Bakhen. Non c'è posto per due padroni in questo paese.

L'ex istruttore sembrava disorientato.

— Ho appena superato i primi gradi della gerarchia e...

— Se sei mio amico, Bakhen, devi anche essere mio alleato nella lotta che sto conducendo.

— In che modo?

— Questo tempio dev'essere un luogo di rettitudine, come tutti gli altri santuari d'Egitto. Se non dovesse essere così, quale sarebbe la tua reazione?

— Com'è vero che ho domato i cavalli, concerei per le feste i colpevoli!

— È questo l'aiuto che ti chiedo, Bakhen. Dammi la certezza che nessuno, qui, tradisce la legge di Maat.

Ramses si allontanò, costeggiando il lago sacro con il passo regolare degli altri sacerdoti puri che venivano a riempire gli otri di acqua purificatrice.

Bakhen fu incapace di prendere una decisione immediata. Karnak era la sua nuova dimora, il mondo dove amava vivere. Ma la volontà del Faraone non era forse il valore sacro per eccellenza?

A Tebe, il mercante siriano Raia aveva acquistato tre belle botteghe nel centro della città. I cuochi delle famiglie nobili venivano a comprarvi conserve di carne di qualità superiore, mentre le loro padrone mettevano gli occhi sui vasi asiatici, eleganti e di bella fattura.

Da quando era finito il periodo di lutto, gli affari erano in ripresa. Cortese, Raia godeva di ottima fama e poteva contare su una clientela fedele, sempre più numerosa. Egli aumentava il numero dei suoi impiegati e non dimenticava mai di congratularsi con loro; questi ultimi, a loro volta, non smettevano di tessere le lodi del siriano.

Dopo la partenza del barbiere che aveva spuntato il suo pizzo, Raia si era chinato sulla contabilità e aveva dato ordine di non essere disturbato.

Il mercante si asciugava la fronte. Sopportava male il caldo estivo, ma soprattutto non tollerava l'insuccesso di quel biondino greco da lui pagato per penetrare nello studio di Ramses col compito di inventariare le questioni a cui il giovane monarca intendeva dare la precedenza. Un fallimento prevedibile a dire la verità; Raia voleva soprattutto mettere alla prova il sistema di sicurezza escogitato da Ramses e Serramanna. Purtroppo, sembrava assai efficace. Sarebbe stato difficile ottenere informazioni affidabili, benché la corruzione fosse ancora un'arma determinante.

Il siriano incollò l'orecchio contro la porta del suo studio. Non si sentiva alcun rumore nell'anticamera, non lo stava spiando nessuno. Per precauzione, salì su uno sgabello e appiccicò l'occhio destro al minuscolo buco praticato nella parete.

Tranquillizzato, si recò dove accumulava i vasetti di alabastro provenienti dalla Siria del Sud, paese alleato dell'Egitto. Le belle dame li amavano molto e Raia li metteva in vendita soltanto uno alla volta.

Cercò quello contrassegnato sotto il collo da un puntino rosso quasi invisibile. All'interno, una tavoletta di legno oblunga riportava le caratteristiche dell'oggetto: altezza, larghezza del collo, della pancia, della base, dimensioni, valore.

Tutte cifre in codice che Raia traduceva nella sua lingua.

Il messaggio dei suoi capi ittiti era chiaro: lottare contro Ramses, sostenere Shenar.

— Un pezzo magnifico — disse Shenar accarezzando con amore la pancia del vaso che gli veniva proposto da Raia sotto gli occhi di una ricca clientela che non avrebbe osato rincarare la somma offerta dal fratello maggiore di Ramses.

— È il capolavoro di un vecchio artigiano, geloso dei propri segreti.

— Ti offro cinque mucche da latte della razza migliore, un letto in ebano, otto sedie, venti paia di sandali e uno specchio di bronzo.

Raia fece un inchino.

— Sei generoso, signore. Mi farai l'onore di apporre il tuo sigillo sul registro?

Il mercante invitò Shenar a entrare nel retrobottega. Lì, avrebbero potuto parlare a bassa voce senza essere sentiti.

— Ho un'ottima notizia: i nostri amici stranieri apprezzano molto il tuo progetto e sono determinati a incoraggiarti.

— Le loro condizioni?

— Né condizioni né restrizioni.

— Mi stai descrivendo un sogno?

— Tratteremo dopo. Per il momento, si tratta di un accordo di principio; consideralo come una grande vittoria. Congratulazioni: ho la sensazione di parlare con il futuro signore del paese, anche se la strada da percorrere è ancora lunga.

Shenar era inebriato. Quest'alleanza segreta con gli ittiti era efficace e pericolosa quanto un veleno mortale; spettava a lui sfruttarla per distruggere Ramses senza nuocere a se stesso e senza indebolire troppo l'Egitto. Un'impresa degna di un funambolo sopra a un precipizio, di cui si sentiva capace.

— Qual è il tuo nuovo messaggio? — chiese Raia.

— Trasmetti la mia gratitudine e segnala inoltre che sto lavorando con impegno in qualità di... ministro degli Affari esteri.

Lo stupore si dipinse sul volto del siriano.

— Hai ottenuto quell'incarico!

— Sotto stretta sorveglianza.

— I miei amici e io contiamo su di te per farne buon uso.

— Di' ai tuoi amici di non esitare a compiere incursioni nei protettorati egiziani più deboli, di corrompere i principi e le tribù che l'Egitto crede di avere dalla sua parte e di spargere voci fasulle.

— Di che tipo?

— Imminenti conquiste territoriali, annessione della totalità della Siria, invasione dei porti libanesi, demoralizzazione dei soldati egiziani che risiedono all'estero... Dobbiamo gettare Ramses nel panico e fargli perdere il suo sangue freddo.

— Permettimi umilmente di approvare la tua strategia.

— Ho molte altre idee, Raia; i tuoi amici non si sono sbagliati facendo cadere la loro scelta su di me.

— Ho la debolezza di supporre che le mie modeste raccomandazioni non siano state inutili in questo senso.

— Aggiungerò al prezzo stabilito una borsa piena d'oro nubiano.

Shenar uscì dal retrobottega; la sua posizione non gli consentiva di discutere più a lungo con un commerciante, anche se la sua passione per i vasi esotici era nota a tutti.

Era meglio informare il diplomatico Asha di quest'alleanza con gli ittiti? No, sarebbe stato un errore. Shenar ritenne più opportuno non stabilire contatti tra i suoi alleati, così sarebbe stato in grado di manovrarli con più efficacia e di colmare le loro eventuali carenze.

All'ombra gradevole di un sicomoro, la regina Tuya scriveva la cronaca del regno di Sethi. Ricordava tutti i grandi avvenimenti di un'epoca benedetta durante la quale l'Egitto aveva conosciuto la pace e la felicità. Ogni pensiero di suo marito, ognuno dei suoi gesti era inciso nella sua mente; Tuya aveva seguito con attenzione le sue speranze e le sue angosce e aveva conservato il ricordo dei momenti di intimità durante i quali le loro anime si erano riunite.

Sethi sopravviveva attraverso la sua esile figura.

Quando vide Ramses avvicinarsi a lei, Tuya percepì l'intatta potenza del defunto re. Nella persona del giovane Faraone non vi era traccia delle incrinature presenti nella maggior parte degli uomini; egli era scolpito in un unico blocco, come un obelisco, e sembrava in grado di resistere a qualsiasi tempesta. La forza della giovinezza accresceva quest'impressione d'invulnerabilità.

Ramses baciò le mani di sua madre e si sedette alla sua destra.

— Hai scritto tutto il giorno.

— Anche la notte; potresti mai perdonarmi se dimenticassi anche un solo particolare? Hai l'aria preoccupata.

Tuya era sempre molto rapida a decifrare i suoi stati d'animo.

— Il sommo sacerdote di Amon sfida l'autorità del re.

— Sethi ti aveva avvertito. Prima o poi questo conflitto sarebbe stato inevitabile.

— Come avrebbe agito?

— Non lo sai? C'è un unico atteggiamento possibile.

— Nefertari non si esprime diversamente.

— È la regina d'Egitto, Ramses, e, come ogni regina, guardiana della Regola.

— Non predichi la moderazione?

— Quando si tratta di preservare l'unità del paese, la moderazione non ha più ragione d'essere.

— La destituzione di un sommo sacerdote di Amon creerà dei tumulti terribili.

— Chi regna, figlio mio: tu o lui?

23

La processione di asini varcò il recinto di Karnak. Era guidata da un vecchio somaro che conosceva ogni granello di polvere del sentiero che dalla fabbrica di tessuto portava al tempio e aveva insegnato ai suoi compagni a camminare con passo regolare e dignitoso.

Trattandosi di un'ingente quantità di merce, Bakhen e un altro sacerdote erano stati incaricati di controllarne la consegna nei depositi. Ogni rotolo di stoffa di lino, destinata alla fabbricazione degli abiti rituali, riceveva un numero che veniva annotato su un registro con l'indicazione della provenienza e della qualità.

— È della bella merce — apprezzò il collega di Bakhen, un ometto dall'aria sorniona. — Sei nuovo qui?

— Ci sono da qualche mese.

— Ti piace la vita a Karnak?

— È come immaginavo.

— Qual è la tua professione, al di fuori del servizio al tempio?

— Il mio passato non esiste più, e ho chiesto di servire in modo permanente.

— Io faccio dei periodi di due mesi nei depositi e poi torno in città, in qualità di addetto al controllo dei traghetti. Non è faticoso... Qui, invece, non si smette mai un attimo!

— Perché ti imponi un simile incarico?

— Sono fatti miei. Io mi occupo dei tessuti di prima scelta e tu degli altri.

Appena un asino veniva liberato dal suo carico, i magazzinieri appoggiavano con cura i rotoli di lino su una slitta coperta di stoffa. Bakhen li esaminava e li registrava su una tavoletta di legno, senza omettere la data di consegna. Ebbe l'impressione che il collega lavorasse poco e passasse quasi tutto il tempo a guardarsi intorno, come se temesse di essere spiato.

— Ho sete — disse. — Vuoi bere?

— Volentieri.

Il sacerdote dall'aria sorniona si assentò. Siccome aveva appoggiato la sua tavoletta sulla groppa del vecchio somaro, Bakhen le diede un'occhiata.

Non vi erano che pochi geroglifici del tutto fantasiosi, che nulla avevano a che vedere con la consegna dei rotoli di lino di prima scelta.

Quando il sacerdote tornò, con una brocca d'acqua fresca, Bakhen si era rimesso al lavoro.

— Prendi, è buona... Farci lavorare con un caldo del genere è disumano.

— Gli asini non si lamentano.

— Sei spiritoso, tu!

— Hai quasi finito, no?

— Cosa credi? Dopo bisogna controllare che la stoffa venga sistemata nei depositi giusti.

— Cosa facciamo con le tavolette?

— Mi affidi la tua e io la consegno assieme alla mia all'ufficio registrazione.

— È lontano dal deposito?

— Non tanto, ma bisogna camminare un po'.

— Dividiamoci i compiti; porterò io le tavolette.

— No, no! Non ti conoscono all'ufficio registrazione.

— Sarà una buona occasione per presentarmi.

— Hanno le loro abitudini e non amano cambiarle.

— Non è dannoso essere così abitudinari?

— Ti ringrazio per l'offerta, ma me la sbrigherò da solo.

Il collega di Bakhen apparve assai turbato e si mise un po'
in disparte per impedire a quest'ultimo di vedere quello che
stava scrivendo.

— Hai un crampo, amico mio?

— No, sto bene.

— Toglimi un dubbio: ma sai scrivere?

Punto sul vivo, il sacerdote si voltò verso Bakhen.

— Perché mi fai questa domanda?

— Ho visto la tua tavoletta, sull'asino.

— Sei curioso...

— Lo sarebbe chiunque. Se vuoi, incido io le iscrizioni
giuste; altrimenti, la tua tavoletta verrà rifiutata e avrai dei
problemi.

— Non far finta di non capire.

— Che cosa dovrei capire?

— Oh, basta! Vuoi anche tu la tua parte... È naturale, ma
certo non perdi tempo.

— Spiegati.

Il sacerdote dall'aria sorniona si avvicinò a Bakhen e parlò
a bassa voce.

— Questo tempio è ricco, ricchissimo; noi ci arrangiamo.
Qualche bella stoffa di lino in meno non rovinerà Karnak e
noi, rivendendola ai nostri buoni clienti, concludiamo un ottimo affare. Capito?

— L'ufficio registrazione è al corrente?

— Solo uno scriba e due magazzinieri. Dal momento che le
stoffe di lino non vengono registrate, è come se non esistesse-
ro, e noi possiamo rivenderle come vogliamo.

— Non hai paura che ti scoprano?

— Stai tranquillo.

— La gerarchia...

— La gerarchia ha altre preoccupazioni. E chi ti dice che non chiuda un occhio? Allora, quale percentuale vuoi?

— Be'... La più alta possibile.

— Sei un osso duro tu! Formeremo una bella squadra. Fra qualche anno, avremo messo da parte un bel patrimonio e non dovremo più venire a lavorare qui. Finiamo questa consegna?

Bakhen annuì.

Nefertari appoggiò la testa sulla spalla di Ramses. Il sole si alzava, e la loro stanza era inondata dal forte chiarore del mattino. Entrambi veneravano quel miracolo quotidiano, quella vittoria sempre rinnovata della luce sulle tenebre. La coppia reale si associava, attraverso la celebrazione dei riti, al viaggio della barca solare negli spazi sotterranei e alla lotta dell'equipaggio divino contro il gigantesco drago che tentava di distruggere la creazione.

— Ho bisogno della tua magia, Nefertari. Questa giornata si annuncia difficile.

— Tua madre condivide il mio punto di vista?

— Ho la sensazione che siate complici.

— Abbiamo lo stesso modo di vedere — confessò la donna con un sorriso.

— I vostri argomenti mi hanno convinto; oggi dimetterò il sommo sacerdote dalla sua funzione.

— Perché hai aspettato?

— Mi occorreva una prova del cattivo funzionamento della sua amministrazione.

— E l'hai ottenuta?

— Bakhen, il mio istruttore militare che è diventato sacerdote, ha scoperto un traffico di stoffe di lino nel quale sono coinvolti diversi impiegati di Karnak. O il sommo sacerdote è lui stesso un corrotto, oppure non è in grado di controllare il personale. In entrambi i casi, non merita più di rimanere a capo della gerarchia.

— Questo Bakhen è una persona seria?

— È giovane, ma Karnak è diventata tutta la sua vita. La scoperta di questo furto l'ha fatto sprofondare nella disperazione più cupa. Ha ritenuto impossibile tacere, ma ho dovuto strappargli le parole una per una prima di sapere la verità. Bakhen non è né un delatore né un ambizioso.

— Quando incontrerai il sommo sacerdote?

— Questa mattina. Lo scontro sarà duro, negherà ogni responsabilità e griderà all'ingiustizia.

— Qual è il tuo timore?

— Che paralizzi l'attività economica del tempio e che disorganizzi, almeno per un po', i circuiti alimentari. È il prezzo da pagare se vogliamo bloccare il suo tentativo di dividere il paese.

La gravità di Ramses impressionò Nefertari. Egli non era un tiranno che desiderava sbarazzarsi di un rivale ingombrante, ma un Faraone consapevole dell'importanza dell'unità delle Due Terre e determinato a mantenerla, a qualsiasi costo.

— Devo confessarti una cosa — disse Nefertari pensierosa.

— Hai fatto condurre un'inchiesta su Karnak per conto tuo?

— Nulla del genere.

— Allora è stata mia madre, parli a nome suo!

— Nemmeno.

— Questa confessione riguarda il mio colloquio con il sommo sacerdote?

— No, ma forse non è del tutto estranea alla conduzione del paese.

— Vuoi farmi stare con il fiato sospeso?

— Ancora qualche mese... Sono incinta.

Ramses strinse dolcemente a sé Nefertari, la sua forza si fece protettrice.

— Esigo che i migliori medici del regno si occupino di te in ogni istante.

— Non ti preoccupare.

— È impossibile. Spero che nostro figlio sia bello e vigoroso, ma non c'è nulla di più importante per me della tua vita e della tua salute.

— Avrò tutte le cure di cui ho bisogno.

— Posso ordinarti di ridurre sin d'ora il tuo ritmo di lavoro?

— Potresti sopportare una regina pigra?

Ramses si spazientiva. Il ritardo del sommo sacerdote di Amon stava diventando insultante. Quale scusa avrebbe inventato per giustificare la sua assenza? Se fosse venuto a sapere delle rivelazioni di Bakhen, avrebbe senz'altro cercato di soffocare l'inchiesta distruggendo le prove e allontanando i colpevoli e i testimoni dell'accusa. E così quelle manovre dilatorie si sarebbero rivoltate contro di lui.

Allorché il sole aveva ormai quasi raggiunto lo zenit, il quarto profeta di Amon chiese udienza. Il re lo ricevette immediatamente.

— Dov'è il primo profeta e sommo sacerdote di Amon?

— È appena morto, Maestà.

24

Un conclave fu riunito su ordine del Faraone. Comprendeva i secondi, terzi e quarti profeti di Amon di Karnak e i sommi sacerdoti e le somme sacerdotesse dei principali santuari d'Egitto. All'appello mancavano quelli di Dendera e Athribis: il primo era troppo anziano per viaggiare e il secondo era costretto a casa dalla malattia. Al loro posto c'erano due rappresentanti muniti di delega.

Quegli uomini e quelle donne di età matura, incaricati di compiere i riti in nome del re nei rispettivi santuari, erano stati riuniti in una delle sale del tempio di Thutmosis III, che portava il nome di "Colui il cui monumento irradia come la luce". Lì avveniva l'iniziazione dei sommi sacerdoti di Amon, lì venivano svelati i doveri del loro incarico.

— Vi devo consultare — dichiarò Ramses — per scegliere il nuovo capo della gerarchia religiosa di Karnak.

Molti approvarono con un cenno del capo; il nuovo Faraone, forse, non era così impulsivo come si voléva far credere.

— Questa funzione non spetta di diritto al secondo profeta? — chiese il sommo sacerdote di Menfi.

— Non ritengo che l'anzianità costituisca un criterio sufficiente.

— Posso metterti in guardia, Maestà, contro l'incompetenza? — intervenne il terzo profeta di Amon. — Nelle attività profane è senz'altro possibile affidare responsabilità a uomini nuovi, ma sarebbe un errore nell'ambito della gestione di Karnak. Devono primeggiare esperienza e onorabilità.

— Parliamone di questa onorabilità! Sapevate che esiste un redditizio traffico di stoffe di lino di prima scelta all'interno stesso di Karnak?

Le parole del re crearono un profondo turbamento.

— I responsabili sono stati arrestati e condannati a lavorare in laboratori di tessitura. Non saranno mai più ammessi nel tempio, nemmeno a titolo temporaneo.

— È forse in gioco la responsabilità del defunto?

— Sembra di no, ma voi capirete perché preferisco non scegliere il suo successore nell'ambito dell'attuale gerarchia del tempio.

Le sorprendenti dichiarazioni di Ramses furono seguite da un lungo silenzio.

— Maestà, hai già in mente un nome? — interrogò il sommo sacerdote di Heliopolis.

— Attendo dal conclave una proposta seria.

— Quanto tempo ci concedi?

— Conformemente all'usanza, dovrò recarmi in un certo numero di città e di templi, in compagnia della regina e di diversi membri della corte. Al mio ritorno, mi darete il risultato delle vostre delibere.

Prima della partenza per il tradizionale giro dell'Egitto da effettuarsi durante il primo anno del regno, Ramses si recò al tempio di Gurnah, sulla riva occidentale di Tebe, dove veniva venerato il *ka* di Sethi, la sua potenza immortale. Ogni giorno, sacerdoti specializzati ricoprivano gli altari di carne, pane, vino, verdura e frutta e recitavano litanie per mantenere presente in terra l'anima del defunto.

Il re contemplò uno dei bassorilievi che rappresentava suo padre, eternamente giovane, davanti alle divinità. Lo implorò di uscire dalla pietra, di ergersi da quel muro e di abbracciarlo per conferirgli la forza di un monarca ormai diventato stella.

Più passava il tempo, più Ramses viveva intensamente l'assenza di Sethi come una prova e un richiamo. Una prova, poiché non poteva più chiedere consigli a una guida sicura e generosa; un richiamo, poiché la voce del defunto Faraone nutriva tutti i suoi pensieri, imponendogli di compiere un ulteriore passo, quali che fossero le conseguenze.

La stessa domanda ricorreva continuamente nelle conversazioni degli abitanti di Tebe, nobili facoltosi, artigiani o madri di famiglia che chiacchieravano sull'uscio di casa: quali membri della corte Ramses e Nefertari avrebbero portato con sé per compiere il viaggio nelle Due Terre e sigillare l'alleanza del Faraone con tutte le divinità?

Ognuno era in possesso di un'informazione confidenziale ottenuta da un addetto ai lavori o da un impiegato del palazzo. Secondo fonti attendibili sembrava che la flottiglia reale si sarebbe diretta prima verso sud, sino ad Assuan, poi verso nord, per scendere lungo il Nilo sino al Delta. Gli equipaggi erano stati avvisati: occorreva fare presto, gli sforzi sarebbero stati intensi e gli scali di breve durata. Ma tutti si rallegravano per questo viaggio rituale durante il quale la coppia reale si sarebbe impossessata della terra d'Egitto per mantenerla in armonia con Maat, la Regola eterna.

Subito dopo la partenza, Ameni consegnò a Ramses un'ingente quantità di fascicoli che il re avrebbe dovuto conoscere nei minimi dettagli prima di incontrare i capi delle province, i superiori dei templi e i sindaci dei principali centri abitati. Il segretario particolare del re gli consegnò una biografia di ogni personaggio importante, in cui si precisavano le tappe della sua carriera, la sua situazione familiare, le ambizioni riconosciute, le amicizie con altri notabili. Quando le informazioni erano poco affidabili o nascevano da voci che non trovavano riscontro, Ameni lo precisava.

— Quanti giorni e quante notti ci sono voluti per raccogliere questo tesoro? — chiese Ramses.

— Non sono stato a contare. La mia unica preoccupazione è la precisione delle informazioni; come sarebbe possibile governare altrimenti?

— Una rapida lettura mi ha fatto capire che i sostenitori di Shenar sono numerosi, ricchi e influenti.

— È forse una sorpresa?

— Fino a questo punto, sì.

— Tutti spiriti da conquistare.

— Sei molto ottimista.

— Tu sei il re, e devi regnare. Il resto sono solo chiacchiere.

— Non riposi mai?

— Dormiremo abbastanza da morti; finché sarò il tuo portasandali, ti faciliterò il lavoro. Sei contento della tua seggiolina pieghevole?

Lo sgabello pieghevole di legno del Faraone era composto da un sedile in cuoio di solida struttura e da piedi robusti le cui estremità erano ornate da teste d'anatra con incrostazioni d'avorio. Durante le cerimonie ufficiali e le udienze, il re avrebbe potuto usufruire di quella comodità.

— Ho tempestato di raccomandazioni i membri dell'harem di scorta — affermò Ameni. — Durante il viaggio, non ti mancherà nulla. La qualità dei pasti sarà identica a quella del palazzo.

— Sei sempre così sobrio?

— Mangiare bene garantisce la longevità; ma bere poco mantiene l'energia e la concentrazione. Ho fatto consegnare d'urgenza ai sindaci e ai sommi sacerdoti delle città dove ci fermeremo l'ordine di far preparare delle sistemazioni per i membri della nostra spedizione. Tu e la regina disporrete ovviamente di un palazzo.

— Ti sei occupato di Nefertari?

— Domanda inutile; la gravidanza di tua moglie è un affare di Stato. Ha una cabina ventilata e si potrà rilassare in tutta tranquillità. Cinque medici si daranno il cambio e avrai un rapporto quotidiano sulle sue condizioni di salute. Ah! Rimane un problema.

— Che la riguarda?

— No, che riguarda i pontili. Mi sono stati consegnati rapporti allarmanti secondo cui alcuni di questi sarebbero in pessimo stato, ma sono scettico; secondo me, qualche capo di provincia tenta di ottenere ulteriori sussidi per la manutenzione dei suoi equipaggiamenti. È normale, data la tua visita, ma non dovrai lasciarti influenzare. Ogni notabile tenterà di ottenere il massimo, e tu dovrai essere equo, privilegiando sempre l'interesse nazionale.

— Come sono i tuoi rapporti con i visir del Nord e del Sud?

— Dal loro punto di vista, pessimi; dal mio, ottimi. Sono dei bravi funzionari, ma troppo timorati, e vivono con l'ansia di essere silurati. Tienili, non ti tradiranno mai.

— Pensavo...

— Di nominarmi visir? Per carità! La mia attuale posizione è più vantaggiosa per te. Posso agire nell'ombra, senza venire soffocato dal peso di un enorme servizio amministrativo.

— Come reagiscono i miei ospiti?

— Sono felici del viaggio, un po' meno di essere sospettati e perquisiti da Serramanna che li considera tutti come potenziali criminali. Ascolto le lamentele e le dimentico immediatamente; quel sardo adempie alle sue funzioni con vigilanza.

— Dimentichi il mio leone e il mio cane.

— Non ti preoccupare, sono ben nutriti e rappresentano gli elementi migliori della tua guardia personale.

— Come si comporta Romè?

— Fa di tutto, come se fosse sempre stato un intendente! Grazie a lui, la gestione della tua casa è perfettamente assicurata. Il tuo istinto non ti ha ingannato.

— Lo stesso vale per Nedjem?

— Il tuo nuovo ministro dell'Agricoltura prende il suo compito molto sul serio. Mi tempesta di domande amministrative almeno due ore al giorno, poi si rinchiude con i consulenti tecnici dell'ex ministro che gli insegnano il mestiere... Durante questo viaggio non vedrà molti paesaggi!

— E il mio caro fratello?

— La nave di Shenar è un palazzo galleggiante. Il nuovo ministro degli Affari esteri ha la tavola sempre imbandita e prevede un brillante avvenire all'Egitto di Ramses.

— Mi prende veramente per un incorreggibile ingenuo?

— La realtà è più complessa — affermò Ameni. — Sembra veramente soddisfatto dell'incarico ottenuto.

— Non penserai che Shenar stia diventando un alleato?

— In cuor suo, certamente no; ma è un uomo astuto e conscio dei propri limiti. Hai avuto l'intelligenza di placare la sua sete di potere e di permettergli di continuare a essere un personaggio di primo piano. Forse finirà con l'addormentarsi sulla poltrona del notabile ricco e adulato!

— Che gli dei ti ascoltino!

— Dovresti dormire; domani sarà una giornata dura: almeno dieci colloqui e tre ricevimenti. Sei soddisfatto del tuo letto?

"E chi non lo sarebbe" pensò il re: un capezzale per la testa, una rete fatta di canapa intrecciata e fissata a un telaio tenuto assieme da tenoni e mortase, quattro piedi a forma di zampa di leone, un poggiapiedi ornato di fiordalisi, fiori di loto e mandragole per rendere fiorito il suo sonno.

— Manca solo qualche soffice cuscino — valutò il segretario particolare del re.

— Me ne basta uno.

165

— Certo che no! Guarda com'è misero...

Ameni afferrò il cuscino appoggiato alla testata del letto. Pietrificato, indietreggiò.

Improvvisamente disturbato, uno scorpione nero si era messo in posizione d'attacco.

25

Ramses dovette confortare lui stesso Serramanna. Il capo della guardia personale non riusciva a capire come quello scorpione fosse stato introdotto nella stanza del sovrano. Un interrogatorio serrato dei domestici non diede alcun risultato.

— Non sono colpevoli — constatò il sardo. — Bisogna interrogare il tuo intendente.

Ramses non si oppose.

Romè non apprezzava Serramanna, ma non protestò quando il monarca gli chiese di rispondere senza indugio alle domande del sardo.

— Quante persone sono autorizzate a entrare in questa stanza?

— Cinque. Cioè... Cinque fisse.

— Cosa significa?

— Durante alcuni scali, assumo in via temporanea una o due persone.

— E all'ultimo scalo?

— Ne ho assunta una, effettivamente, per trasportare le lenzuola e portarle dal lavandaio.

— Il suo nome?

— È scritto sul registro degli stipendi.

— È inutile — osservò il re. — Quell'uomo avrà dato un nome falso e non abbiamo la possibilità di tornare indietro per tentare di scovarlo.

— Ignoravo questa procedura! — tuonò Serramanna. — Rende totalmente vane le mie misure di sicurezza!

— Che cosa è successo? — chiese stupito Romè.

— Non ti riguarda! D'ora in avanti, voglio perquisire ogni persona che salirà a bordo di questa nave, che si tratti di un generale, di un sacerdote o di uno spazzino!

Romè si voltò verso Ramses, che annuì.

— E... per i pasti?

— Uno dei tuoi cuochi assaggerà le pietanze in mia presenza.

— Ai tuoi ordini.

Romè uscì dalla cabina del re. Fuori di sé, Serramanna colpì con un pugno una trave di legno che scricchiolò con un lungo lamento.

— Quello scorpione non ti avrebbe ucciso, Maestà — dichiarò Serramanna — ma saresti stato in preda a una forte febbre.

— E non avrei potuto proseguire questo viaggio... Un insuccesso dovuto allo sfavore degli dei, era questo l'obiettivo.

— Un simile incidente non si ripeterà — promise il sardo.

— Temo di sì, finché non avremo individuato il vero colpevole.

Serramanna fece una smorfia.

— Hai qualche sospetto? — chiese il re.

— A volte gli uomini sono ingrati.

— Parla chiaramente.

— Quel Romè... Se avesse mentito e agito lui stesso?

— Il tuo lavoro non consiste forse nel cercare di stabilirlo?

— Puoi contare su di me.

Tappa dopo tappa, il viaggio rituale della coppia reale si trasformò in un trionfo. L'autorità di Ramses e il fascino di Nefertari conquistarono i capi delle province, i sommi sacerdoti, i sindaci e altri notabili, sorpresi dalla prestanza dei nuovi signori dell'Egitto. Ramses non mancò di mettere avanti il fratello maggiore, già conosciuto da molti dignitari e la cui nomina a capo del ministero degli Affari esteri placava molte angosce. Da un lato, la famiglia reale rimaneva unita e i due fratelli camminavano mano nella mano; dall'altro, il patriottismo di Shenar e la sua volontà di grandezza avrebbero garantito il perdurare di quella politica di difesa indispensabile per proteggere la civiltà dagli assalti della barbarie.

A ogni scalo, la coppia reale rendeva omaggio alla regina madre Tuya, la cui semplice presenza ispirava emozione e rispetto. Esile, silenziosa, in disparte, Tuya incarnava la tradizione e la continuità senza le quali il regno del figlio sarebbe apparso illegittimo.

Nei pressi di Abido, il prestigioso santuario di Osiride, Ramses convocò il suo amico Asha sulla prua della nave. A qualsiasi ora e in qualsiasi circostanza, il giovane diplomatico era sempre altrettanto elegante e aristocratico.

— Sei soddisfatto del viaggio, Asha?

— Maestà, ti stai impossessando dei cuori, ed è giusto così.

— Non trovi che ci sia molta ipocrisia negli atteggiamenti degli uni e degli altri?

— Indubbiamente, ma l'importante non è forse che riconoscano la tua autorità?

— Cosa pensi della nomina di Shenar?

— Mi sembra sorprendente.

— In altre parole, ti ha contrariato?

— Nulla mi autorizza a criticare le decisioni del Faraone.

— Ritieni che mio fratello sia un incompetente?

— Nelle circostanze attuali, la diplomazia è un'arte difficile.

— Chi oserebbe sfidare la potenza egiziana?

— Il tuo trionfo personale, all'interno del paese, non deve nascondere la realtà esterna. Il nemico ittita non è rimasto inattivo; poiché sa che non sei un sovrano da quattro soldi, tenterà di rafforzare le proprie posizioni prima di pensare a un'eventuale azione più prettamente bellica.

— Ti riferisci a fatti precisi?

— Sono solo supposizioni.

— Vedi, Asha, Shenar è il mio fratello maggiore ed è un personaggio rappresentativo, molto a suo agio nei ricevimenti e nei banchetti. Ammalierà gli ambasciatori stranieri con discorsi vuoti e si calerà nella parte. Ma potrebbe essere tentato da altre distrazioni, come l'animosità e il complotto. Il modo in cui ostenta la sua volontà di cooperare con me e di servire lo Stato mi sembra sospetto. Perciò il tuo ruolo sarà essenziale.

— Cosa ti aspetti da me?

— Ti nomino capo dei servizi segreti dell'Alto e del Basso Egitto. Come per i tuoi predecessori, la tua funzione sarà in apparenza quella di dirigere il servizio dei corrieri diplomatici, e quindi di esaminare i documenti redatti da Shenar.

— Mi ordini dunque di spiarlo?

— È infatti una delle tue mansioni.

— Ma Shenar non sospetterà di me?

— Gli ho fatto capire che non avrebbe avuto nessuna libertà di azione. Sapendosi costantemente sorvegliato, sarà meno tentato di commettere spiacevoli errori.

— E se sfuggisse alla mia vigilanza?

— Hai troppo talento, amico mio.

Quando Ramses vide la sacra terra di Abido, il suo cuore si strinse. Lì, tutto ricordava la presenza di Sethi. Lui, l'uomo del dio Seth, incarnazione della potenza del cosmo e assassino di suo fratello Osiride, aveva fatto costruire un prodigioso santuario per celebrare i misteri del dio morto e resuscitato. Lì, Ramses e Nefertari erano stati iniziati, e la rivelazione e la certezza della sopravvivenza che avevano il dovere di condividere con il loro popolo si erano impresse nel profondo del loro essere.

Le rive del canale che portava al molo erano deserte. Certo, in quel posto sacro le manifestazioni di esultanza erano concesse soltanto per le feste della resurrezione di Osiride; ma l'indifferenza e l'atmosfera pesante che caratterizzavano l'accoglienza riservata alla flotta reale stupirono i viaggiatori.

Con la spada in pugno, Serramanna fu il primo a sbarcare, ben presto circondato dalla guardia personale del Faraone.

— Tutto questo non mi piace — borbottò il sardo.

Ramses scese a terra; in lontananza, dietro una cortina di acacie, il tempio di Osiride.

— Non correre rischi — si raccomandò Serramanna. — Lasciami esplorare i dintorni.

Dei ribelli ad Abido! Il re non poteva pensare a un simile sacrilegio.

— I carri — ordinò. — Voglio andare avanti io.

— Maestà...

Il sardo capì che era inutile insistere. Com'era possibile garantire la sicurezza di un monarca così irragionevole?

Il carro reale percorse velocemente la distanza che separava il molo dal recinto del tempio. Con sua grande sorpresa, il primo portone di accesso era aperto. Ramses scese dal carro e penetrò nel cortile all'aperto.

La facciata del tempio era coperta di impalcature; per terra, una statua rovesciata di Sethi con le sembianze di Osiride. Ovunque, strumenti abbandonati. Non vi era un solo artigiano al lavoro.

Esterrefatto, il Faraone entrò nel santuario. Gli altari erano privi di offerte, nessun sacerdote recitava le liturgie.

Evidentemente, il tempio era stato abbandonato.

Ramses uscì e interpellò Serramanna, fermo sulla soglia.

— Porta qui immediatamente i responsabili del cantiere.

Tranquillizzato, il sardo scattò.

La collera di Ramses salì sino al cielo limpido di Abido.

Nel grande cortile del tempio erano stati riuniti i sacerdoti, i funzionari, gli artigiani e i ritualisti incaricati della manutenzione e del funzionamento del santuario. Insieme, si inchinarono e toccarono il suolo con il naso, terrorizzati dalla potente voce del monarca che li rimproverava per la loro pigrizia e la loro incuria.

Ramses non ammise nessuna scusa. Come poteva il personale di Abido comportarsi in modo così scandaloso, con il pretesto che la morte di Sethi impediva di prendere una qualsiasi iniziativa? Ciò significava che il disordine e l'inerzia si impossessavano degli spiriti alla prima occasione, e che nessuno pensava più al proprio dovere.

Si temevano sanzioni severe, ma il giovane Faraone si accontentò di esigere che venissero raddoppiate le offerte al *ka* di Sethi. Diede ordine di creare un frutteto, di piantare alberi, di indorare le porte, di continuare la costruzione del tempio, di completare le statue e di celebrare i riti ogni giorno, poi annunciò che sarebbe stata costruita una barca per celebrare i misteri di Osiride. I contadini che lavoravano la terra del santuario sarebbero stati esentati dalle imposte, e il tempio stesso avrebbe ricevuto grandi ricchezze, a condizione che non venisse mai più trascurato in quel modo.

Il grande cortile si svuotò in silenzio. Ognuno si rallegrò per la mansuetudine del re e giurò di non provocare mai più la sua collera.

Rasserenato, Ramses entrò nella cappella centrale, il "cielo" di Abido dove la luce segreta brillava nelle tenebre, e si mise in comunione con l'anima del padre, unita alle stelle, mentre la barca del sole avrebbe proseguito il suo eterno viaggio.

26

Shenar esultava.

Certo, lo scorpione introdotto nella stanza di Ramses aveva fallito; e il fratello maggiore del re non credeva al piano proposto da Sary, l'ex precettore del sovrano accecato dall'odio. Indebolire Ramses e privarlo della sua forza fisica non sarebbe stata un'impresa facile. Eppure, l'esperienza aveva dimostrato che esisteva sempre un punto debole anche nelle misure di sicurezza più drastiche.

Shenar esultava perché Asha, alla fine di una cena molto riuscita, gli aveva annunciato la favolosa notizia. Sulla poppa della nave che scivolava sulle acque del Nilo, i due uomini non potevano essere sentiti dagli ultimi ospiti in preda all'ebrezza. Il medico di bordo stava curando un alto funzionario in preda a conati di vomito, attirando così su di sé l'attenzione degli altri festaioli.

— Capo dei servizi segreti... Sto sognando?

— La mia nomina è effettiva.

— Hai anche l'incarico di spiarmi, immagino?

— Esattamente.

— Quindi, in apparenza, non avrò libertà di azione e mi accontenterò di essere un personaggio mondano, inconsistente.

— È quello che auspica il sovrano.

— Accontentiamolo, caro Asha! Io reciterò la mia parte alla perfezione. Se ho capito bene, tu diventerai la principale fonte di informazione del re riguardo alla politica degli ittiti.

— È probabile.

— Sei soddisfatto della nostra alleanza?

— Più che mai. Ramses è un tiranno, ne sono convinto; disprezza gli altri e crede solo in se stesso. La sua vanità porterà il paese alla rovina.

— Le nostre analisi continuano a convergere, ma sei determinato a correre tutti i rischi?

— La mia posizione non è cambiata.

— Perché detesti tanto Ramses?

— Perché è Ramses.

Nel cuore della campagna verdeggiante, Dendera, il tempio della bella e sorridente dea Hathor, era un inno all'armonia tra il cielo e la terra. I grandi sicomori che fiancheggiavano i muri di cinta ombreggiavano l'edificio e le costruzioni annesse che comprendevano, fra l'altro, una scuola di musica. Nella sua qualità di sovrana delle sacerdotesse di Hathor, iniziate ai misteri della danza delle stelle, Nefertari attendeva con gioia questa tappa durante la quale sperava di poter meditare alcune ore nel santuario. La flottiglia reale, dopo l'episodio di Abido, era stata costretta a ripartire verso sud, ma la regina teneva molto a questo scalo.

Ramses le parve preoccupato.

— A che cosa pensi? — gli chiese.

— Alla nomina del sommo sacerdote di Amon. Ameni mi ha sottoposto i fascicoli dei candidati principali, ma nessuno di loro mi soddisfa.

— Ne hai parlato con Tuya?

— È d'accordo con me. Sono uomini che erano stati scartati da Sethi e che tentano di approfittare della situazione.

Nefertari ammirò i volti di Hathor disegnati sulla pietra con una grazia sorprendente. Improvvisamente, il suo sguardo fu attraversato da una strana luce.

— Nefertari...

Non rispose, assorta nella sua visione. Ramses le prese la mano, temendo che fuggisse per sempre, rapita in cielo dalla dea dal dolce volto. Ma la regina, come placata, si rannicchiò contro il Faraone.

— Me n'ero andata lontano, così lontano... Un oceano di luce e una voce che cantava un messaggio.

— Cosa diceva?

— Non scegliere nessuno degli uomini che ti sono stati proposti. Spetta a noi andare alla ricerca del sommo sacerdote di Amon.

— Non ne ho il tempo.

— Ascolta l'aldilà; non è forse lui a guidare l'azione del Faraone sin dalla nascita dell'Egitto?

La coppia reale venne accolta dalla superiora delle musiciste e delle cantanti che offrì loro un concerto nel giardino del tempio. Nefertari assaporò quegli attimi deliziosi, mentre Ramses fremeva d'impazienza; bisognava forse aspettare un'altra rivelazione per scoprire un sommo sacerdote di Amon privo di ambizione personale?

Ramses sarebbe volentieri tornato a bordo per parlarne con Ameni, ma non poté sottrarsi alla visita del tempio, delle botteghe e dei magazzini. Ordine e bellezza regnavano ovunque.

Sulla riva del lago sacro, Ramses dimenticò le sue preoccupazioni; la serenità del luogo, la tenerezza delle aiuole di iris e fiordalisi, la lenta processione delle sacerdotesse che venivano ad attingere un po' d'acqua per il rito della sera avrebbero calmato lo spirito più tormentato.

Un uomo anziano strappava delle erbacce che metteva in un sacco. I suoi gesti erano lenti ma precisi; con un ginocchio per terra, voltava la schiena alla coppia reale. Quest'atteggiamento irriverente avrebbe meritato un rimprovero, ma il vecchio sembrava talmente assorto nel suo compito che il re non lo volle disturbare.

— I tuoi fiori sono stupendi — disse Nefertari.

— Parlo loro con amore — rispose l'uomo con voce burbera. — Altrimenti crescerebbero storti.

— È una cosa che ho notato anch'io.

— Eh? Una donna bella e giovane come te si occupa di giardinaggio?

— Ogni tanto, quando le mie occupazioni me lo consentono.

— Sei dunque così occupata?

— La mia carica mi consente pochi svaghi.

— Sei una somma sacerdotessa?

— Ciò fa parte delle mie attribuzioni.

— Ne hai quindi delle altre? Oh, scusa... Non ho alcun motivo di importunarti così. Comunicare attraverso l'amore per i fiori è uno splendido modo di incontrarsi senza che sia necessario saperne di più.

Il vecchio fece una smorfia di dolore.

— Maledetto ginocchio sinistro... A volte mi tormenta e mi è molto difficile alzarmi.

Ramses offrì il braccio al giardiniere.

— Grazie, principe... Perché immagino che tu sia almeno un principe, vero?

— È il sommo sacerdote di Dendera che ti impone di curare così il giardino?

— In effetti, è lui.

— Si dice che sia severo, malato e incapace di viaggiare.

— Esatto. Ami anche tu i fiori, come questa giovane donna?

— Piantare alberi è il mio passatempo preferito. Vorrei intrattenermi con il sommo sacerdote.

— Per quale motivo?

— Perché non si è presentato al conclave, al termine del quale i suoi colleghi dovranno proporre a Ramses il nome del futuro sommo sacerdote di Amon.

— Perché non lasciate che quel vecchio servo degli dei si occupi dei suoi fiori?

Ramses non aveva più dubbi: il sommo sacerdote tentava di nascondersi sotto le vesti di un giardiniere.

— Malgrado il ginocchio dolente, non mi sembra incapace di salire su una nave e di recarsi fino a Tebe.

— La spalla destra non sta certo meglio, il peso degli anni è molto gravoso, il...

— Il sommo sacerdote di Dendera non è forse soddisfatto della sua sorte?

— Al contrario, Maestà; vuole che gli si permetta di finire i suoi giorni in pace nel recinto di questo tempio.

— E se il Faraone in persona gli chiedesse di recarsi al conclave per permettere ai suoi colleghi di approfittare della sua esperienza?

— Se il Faraone, malgrado la sua giovane età, ha già un po' di esperienza, risparmierà a un vecchio una simile fatica. Potrebbe Ramses porgermi il bastone che è appoggiato al muretto?

Il re lo accontentò.

— Vedi, Maestà: il vecchio Nebu cammina con difficoltà. Chi oserebbe costringerlo a uscire dal suo giardino?

— In qualità di sommo sacerdote di Dendera, accetti almeno di dare un consiglio al re d'Egitto?

— Alla mia età, è meglio tacere.

— Il saggio Ptahhotep, le cui massime ci nutrono dai tempi delle piramidi, non la pensa così. La tua parola diventa molto preziosa e gradirei sentirla. Chi sarebbe il più qualificato, secondo te, per rivestire la carica di sommo sacerdote di Amon?

— Ho passato tutta la mia esistenza a Dendera e non sono mai andato a Tebe. Queste questioni di gerarchia non sono il mio forte. Perdonami, Maestà, ma ho preso l'abitudine di coricarmi presto.

Nefertari e Ramses passarono una parte della notte sulla terrazza del tempio, in compagnia degli astronomi. Nel cielo notturno si scoprivano migliaia di anime e la corte delle stelle immortali che erano riunite intorno alla stella polare, a sua volta attraversata dall'asse che collegava il visibile all'invisibile.

Poi la coppia reale si ritirò in un palazzo le cui finestre davano sulla campagna; benché si trattasse di una piccola dimora arredata con mobili rustici, lo spazio di quella breve notte, interrotta dal canto degli uccelli, si tramutò in un paradiso. Nefertari si era addormentata tra le braccia di Ramses ed essi avevano condiviso il loro sogno di felicità.

Dopo aver presieduto ai riti dell'alba, assaporato un'abbondante colazione e fatto il bagno nella vasca vicino al palazzo, Ramses e Nefertari si prepararono per la partenza. I membri del clero li salutarono. Improvvisamente, Ramses si allontanò dalla via processionale e si recò nel giardino, vicino al laghetto sacro.

Nebu era in ginocchio e sorvegliava la sua aiuola di calendole e speronelle.

— Apprezzi la regina, Nebu?

— Quale risposta ti aspetti, Maestà? È bellezza e intelligenza.

— Quindi i suoi pensieri non ti sembreranno insignificanti?

— Quali sono?

— Mi dispiace di doverti strappare alla tua quiete, ma devo portarti a Tebe. Questo è il desiderio della regina.

— Con quale intenzione, Maestà?

— Quella di nominarti sommo sacerdote di Karnak.

27

Quando le luci della flottiglia reale illuminarono le acque del Nilo accostando alla banchina del tempio di Karnak, la città di Tebe andò in ebollizione. Che cosa poteva significare quel ritorno anticipato di Ramses? Le voci più contraddittorie si sparsero alla velocità di un cavallo al galoppo. Per gli uni, il re voleva sopprimere il clero di Amon e relegare la città al rango di borgo provinciale; per gli altri, si era ammalato durante il viaggio e tornava a morire nel suo palazzo, di fronte alla montagna del silenzio. L'ascesa del giovane Faraone non era forse stata troppo rapida? Il cielo puniva i suoi eccessi.

Raia, la spia siriana degli ittiti, aspettava con impazienza. Per la prima volta, non disponeva di alcuna informazione seria. Eppure, grazie alla sua rete di mercanti, ambulanti o no, che svolgevano la loro attività nei principali centri abitati che costeggiavano il fiume, egli era in grado di seguire gli spostamenti del re e di conoscere rapidamente le sue decisioni senza muoversi da Tebe.

Il siriano ignorava il motivo del ritorno precipitoso di Ramses verso la capitale del Sud. Come previsto, il re si era fermato ad Abido, ma, invece di proseguire il viaggio verso il

180

nord, aveva fatto marcia indietro ed era rimasto alcune ore a Dendera.

Ramses sembrava imprevedibile. Agiva velocemente, senza confidare niente ai consiglieri, le cui chiacchiere e indiscrezioni sarebbero giunte alle orecchie di Raia. Il siriano era furibondo; quel giovane monarca prometteva di essere un avversario temibile, difficile da controllare. Shenar avrebbe dovuto dar prova di grande talento per sfruttare al meglio le armi di cui disponeva. In caso di conflitto aperto, Ramses rischiava di dimostrarsi molto più pericoloso di quanto non avesse immaginato; era ormai passato il tempo della passività. Raia doveva agire rapidamente e con forza, eliminando dalla sua rete gli incapaci e gli apatici.

Ramses, con la sua corona blu, il lungo abito di lino pieghettato e lo scettro del comando stretto nella mano destra, era maestoso. Quando entrò nella sala del tempio dove si erano riuniti i membri del conclave, le conversazioni cessarono.

— Avete un nome da propormi?

— Maestà — dichiarò il sommo sacerdote di Heliopolis — stiamo ancora deliberando.

— Le vostre delibere sono finite. Ecco il nuovo sommo sacerdote di Amon.

Sostenuto dal suo bastone, Nebu entrò nella sala del conclave.

— Nebu! — esclamò la somma sacerdotessa di Sais. — Ti credevo malato e incapace di muoverti!

— Lo sono, ma Ramses ha compiuto un miracolo.

— Alla tua età — protestò il secondo profeta di Amon — non pensi di ritirarti? La gestione di Karnak e Luxor è un compito molto pesante!

— Hai ragione, ma chi si può opporre alla volontà di un re?

— Il decreto è già scolpito sulla pietra — rivelò Ramses. — Varie stele proclamano la nomina di Nebu. C'è qualcuno tra voi che lo ritiene incapace di assumere questo alto incarico?

Nessuno protestò.

Ramses diede a Nebu un anello d'oro e un bastone di elettro, una lega di oro e argento, simboli del suo potere.

— Ora tu sei il sommo sacerdote di Amon! Il suo tesoro e il suo granaio sono sotto il tuo sigillo. In qualità di superiore del tempio e delle sue proprietà, sii scrupoloso, onesto e vigile. Adoperati non per te stesso, ma per accrescere il *ka* della divinità. Amon sonda gli animi e penetra i cuori, egli conosce ciò che è celato in ogni essere. Se sarà soddisfatto di te, ti manterrà a capo della gerarchia e ti garantirà una lunga vita e una vecchiaia felice. Ti impegni attraverso il giuramento a rispettare la regola di Maat e ad adempiere alle tue mansioni?

— Sulla vita del Faraone, io mi impegno — dichiarò Nebu inchinandosi davanti a Ramses.

Il secondo e il terzo profeta di Amon erano furiosi e abbattuti. Non solo Ramses aveva messo a capo del clero un vecchio che gli avrebbe obbedito in tutto e per tutto, ma aveva anche nominato uno sconosciuto, Bakhen, come quarto profeta! Quell'adepto del re avrebbe sorvegliato il vecchio e sarebbe stato il vero capo di Karnak, la cui indipendenza sembrava perduta per lunghi anni.

I due dignitari non avevano più alcuna speranza di regnare un giorno sul territorio più ricco dell'Egitto. Intrappolati tra Nebu e Bakhen, presto o tardi sarebbero stati costretti a dare le dimissioni e a interrompere la loro carriera. Disorientati, i due cercarono un alleato. Venne loro in mente il nome di Shenar, ma, diventando uno dei suoi ministri, il fratello del re non si era schierato al suo fianco?

Non avendo ormai nulla da perdere, il secondo profeta decise di incontrare Shenar a nome di tutti i sacerdoti di Amon ostili alla decisione di Ramses. Venne ricevuto sulle rive di uno stagno pescoso, all'ombra di un grande telo appeso a due pali. Un servo gli offrì un succo di carruba e si eclissò. Shenar arrotolò il papiro che stava consultando.

— Il tuo viso non mi è nuovo...

— Mi chiamo Ḍoki e sono il secondo profeta di Amon.

Il personaggio non dispiacque a Shenar. Piccolo, con la testa rasata, la fronte stretta, gli occhi nocciola, aveva il naso e il mento allungati e aggressivi, che facevano pensare alla mascella di un coccodrillo.

— In cosa posso esserti utile?

— Immagino che mi giudicherai maldestro, ma sono poco avvezzo al protocollo e alle formule di cortesia.

— Ne faremo a meno.

— Un vecchio, Nebu, è stato appena nominato sommo sacerdote, primo profeta di Amon.

— In qualità di secondo profeta eri la persona più indicata per questo incarico, vero?

— Prima di morire, il sommo sacerdote non me lo nascose, ma il re mi ha ignorato.

— Criticare le sue decisioni è pericoloso.

— Nebu è incapace di gestire Karnak.

— Bakhen, l'amico di mio fratello, ne sarà il capo occulto.

— Perdona questa domanda diretta, ma tu approvi simili disposizioni?

— È la volontà del Faraone che diventa realtà.

Doki era deluso; Shenar si era schierato dalla parte di Ramses. Il sacerdote si alzò.

— Non voglio importunarti più a lungo.

— Un momento... Tu rifiuti di accettare questo dato di fatto.

— Il re vuole indebolire la potenza del clero di Amon.

— Hai i mezzi per opporti a questa volontà?

— Non sono solo.

— Chi rappresenti?

— Buona parte della gerarchia e la maggioranza dei sacerdoti.

— Avete un piano?

— Nobile Shenar! Non intendiamo diventare dei sediziosi!

— Sei un mite, Doki, e non sai nemmeno quello che vuoi.

— Ho bisogno di aiuto.

— Prima devi mostrarmi di cosa sei capace.

— Ma come...

— Spetta a te scoprirlo.

— Sono solo un sacerdote, un...

— O sei un ambizioso, o sei un incapace. Se l'unica cosa che sai fare è rimuginare la tua amarezza, non mi interessi.

— E se riuscissi a screditare gli uomini del Faraone?

— Fallo, e ci rivedremo. Ovviamente, quest'incontro non è mai avvenuto.

Per Doki, la speranza stava rinascendo. Lasciò la villa di Shenar architettando mille progetti irrealizzabili; a forza di cercare, l'ispirazione sarebbe arrivata.

Shenar era scettico. Quell'individuo aveva certo delle qualità ma gli sembrava indeciso e troppo influenzabile. Spaventato dalla sua stessa audacia, avrebbe senz'altro rinunciato a combattere Ramses. Ma non bisognava mai trascurare un eventuale alleato; perciò, aveva adottato la strategia giusta per conoscere la vera natura del secondo profeta di Amon.

Ramses, Mosè e Bakhen percorrevano il cantiere dove lavoravano gli artigiani incaricati della costruzione della gigantesca sala ipostila voluta da Sethi, che sarebbe stato suo figlio a realizzare. La consegna dei blocchi di pietra non subiva alcun ritardo, il coordinamento delle varie squadre di artigiani proseguiva senza intoppi, i fusti di pietra, che simboleggiavano altrettanti papiri emersi dall'oceano primordiale, si ergevano uno dopo l'altro.

— Sei soddisfatto delle tue squadre? — chiese Ramses a Mosè.

— Sary non è facile da gestire, ma credo di averlo domato.

— Quale errore ha compiuto?

— Tratta gli operai con un disprezzo inaccettabile e tenta di lesinare sulle loro razioni per arricchirsi.

— Mandiamolo davanti a un tribunale.

— Non sarà necessario — affermò l'ebreo con aria divertita. — Preferisco averlo sotto mano. Appena supera i limiti,
me ne occupo personalmente.

— Se lo tormenti troppo, sporgerà denuncia.

— Non ti preoccupare, Maestà: Sary è un vigliacco.

— Non era il tuo tutore? — chiese Bakhen.

— Sì — rispose Ramses — e un precettore competente. Ma
una sorta di follia si è impossessata di lui; dati i suoi misfatti,
chiunque, al posto mio, lo avrebbe mandato nella prigione
delle oasi. Spero che il suo lavoro gli consentirà di rientrare
in senno.

— I primi risultati non sono molto incoraggianti — de-
plorò Mosè.

— La tua perseveranza sarà ricompensata... ma non qui.
Tra qualche giorno, partiamo per il nord, e tu sarai dei nostri.

L'ebreo sembrò contrariato.

— Ma la sala ipostila non è ultimata!

— Affido l'incarico a Bakhen, quarto profeta di Amon, a
cui darai i consigli e le istruzioni necessari. Porterà a termine
i lavori e si occuperà anche dell'ampliamento di Luxor. Che
meraviglia quando il cortile dei colossi, il pilone e gli obelischi verranno alla luce! Fai in modo che i lavori procedano
velocemente, Bakhen; forse il destino ha in serbo per me una
vita breve, e desidero inaugurare questi splendori.

— La tua fiducia mi onora, Maestà.

— Io non voglio prestanomi, Bakhen. Il vecchio Nebu
svolgerà il suo compito e tu il tuo; lui gestirà Karnak e tu se-
guirai i grandi lavori. Dovrete avvisarmi entrambi in caso di
difficoltà. Mettiti al lavoro e non pensare ad altro.

Il Faraone e Mosè uscirono dal cantiere e imboccarono un
viale fiancheggiato da tamarindi che portava al santuario
della dea Maat, la Regola, la verità e la giustizia.

— Mi piace raccogliermi in questo posto — confidò il re.
— Qui il mio spirito trova la pace e la mia visione si fa più
chiara. Che fortuna hanno questi sacerdoti, quando dimenti-

cano se stessi! In ogni pietra del tempio si percepisce l'anima degli dei, in ogni cappella si rivela il loro messaggio.

— Perché mi costringi a lasciare Karnak?

— Ci aspetta un'avventura formidabile, Mosè. Ricordi quando parlavamo della vera potenza con Asha, Ameni e Setau? Ero convinto che potesse averla soltanto il Faraone. Mi attirava, come la fiamma attira gli insetti, e mi ci sarei bruciato se mio padre non mi avesse preparato a viverla. Persino quando riposo, una potenza parla dentro di me, ordinandomi di costruire.

— Di che progetto si tratta?

— È talmente gigantesco che non ho ancora il coraggio di parlartene; ci penserò durante il viaggio. Se sarà possibile attuarlo, sarai coinvolto molto da vicino.

— Devo riconoscere che mi sorprendi.

— Perché?

— Ero convinto che il re avrebbe dimenticato i suoi amici per occuparsi soltanto dei cortigiani, della ragione di Stato e dei dettami del potere.

— Mi hai giudicato male, Mosè.

— Ma cambierai, Ramses?

— Un uomo cambia in funzione dell'obiettivo che persegue; il mio è la grandezza del paese, e rimarrà per sempre questo.

28

Sary, l'ex tutore di Ramses, non riusciva a placare la sua rabbia. Essere ridotto a dirigere una miserabile squadra di fabbricanti di mattoni, lui che aveva educato la classe dirigente del regno! E quel Mosè che lo minacciava in continuazione, approfittando della sua forza fisica! Giorno dopo giorno, egli sopportava sempre meno le umiliazioni e gli scherni. Aveva tentato di sollevare gli operai contro l'ebreo, ma la popolarità di quest'ultimo era tale da non lasciare spazio alle critiche.

Mosè era soltanto un esecutore. Occorreva colpire il capo, vendicarsi di colui che lo faceva sprofondare nella disgrazia e nella decadenza.

— Condivido il tuo odio — ammise sua moglie Dolente, la sorella di Ramses, languidamente sdraiata su alcuni cuscini. — Ma la soluzione che proponi mi sembra terrificante, talmente terrificante...

— Che cosa rischiamo?

— Ho paura, caro. Le azioni di questo genere possono ricadere su coloro che le compiono.

— E anche se fosse! Sei messa al bando, disprezzata, e io sono vittima di sevizie abominevoli! Non si può continuare così!

187

— Capisco, Sary, capisco... Ma arrivare a tanto...

— Mi accompagnerai o dovrò farlo da solo?

— Sono tua moglie.

Sary la aiutò ad alzarsi.

— Hai riflettuto bene?

— Ci penso ogni ora da più di un mese.

— E se... venissimo denunciati?

— Non c'è pericolo.

— Come puoi esserne così sicuro?

— Ho preso le dovute precauzioni.

— Saranno sufficienti?

— Hai la mia parola.

— Non è possibile evitare...

— No, Dolente. Deciditi.

— Andiamo.

La coppia, vestita con abiti modesti, si allontanò a piedi e imboccò una stradina che portava verso un quartiere popolare di Tebe dove vivevano molti stranieri. Estremamente a disagio, la sorella di Ramses camminava stringendosi al marito, esitante sulla strada da seguire.

— Ci siamo persi, Sary?

— Certo che no.

— È ancora lontano?

— Ancora due isolati.

La gente li fissava, li scrutava come due intrusi. Ma Sary continuava, ostinato, benché sua moglie tremasse sempre di più.

— Ecco, è qui.

Sary bussò a una porticina bassa dipinta di rosso, sulla quale era stato inchiodato uno scorpione morto. Una vecchia venne ad aprire, la coppia scese lungo una scala di legno che portava a una specie di grotta umida dove bruciavano una decina di lumi a olio.

— Sta arrivando — annunciò la vecchia. — Sedetevi sugli sgabelli.

Dolente era così terrorizzata da quel luogo che preferì rimanere in piedi. La magia nera era proibita in Egitto, ma alcune persone che la praticavano non esitavano a offrire i propri servigi a prezzi esorbitanti.

Il libanese, grasso e ossequioso, si diresse a piccoli passi verso i clienti.

— È tutto pronto — annunciò. — Avete il necessario?

Sary versò nella mano destra del mago il contenuto di un sacchettino di cuoio: una decina di turchesi purissimi.

— L'oggetto che avete acquistato si trova in fondo alla grotta; accanto, troverete una spina di pesce con la quale scriverete il nome della vittima della fattura. Poi romperete l'oggetto, e quella persona si ammalerà.

Durante il discorso del mago, Dolente si era velata il viso con uno scialle. Non appena fu sola con il marito, lo afferrò per i polsi.

— Andiamo via, è troppo orribile!

— Un po' di coraggio, è quasi finito.

— Ramses è mio fratello!

— Ti sbagli, è diventato il nostro peggior nemico. Spetta a noi agire, senza timori e senza rimorsi. Non rischiamo nulla, non saprà nemmeno da che parte viene l'attacco.

— Forse potremmo...

— Non possiamo più fare marcia indietro, Dolente.

In fondo alla grotta, su una specie di altare coperto da strani segni raffiguranti animali mostruosi e geni del male, c'erano una lastra di calcare molto sottile e una spina di pesce, lunga, spessa e aguzza. Sulla lastra, vi erano delle macchie marroni. Il mago l'aveva senz'altro immersa nel sangue di serpente, per aumentarne il potere malefico.

Sary prese la spina e cominciò a incidere i geroglifici del nome di Ramses. Spaventata, sua moglie chiuse gli occhi.

— Tocca a te — ordinò Sary.

— No, non posso!

— Se la fattura non viene fatta da una coppia, è inefficace.

— Non voglio uccidere Ramses!

— Non morirà, il mago me lo ha promesso. La malattia non gli consentirà di regnare, Shenar diventerà reggente, e noi torneremo a Menfi.

— Non posso...

Sary mise la spina nella mano destra della moglie e le strinse le dita.

— Incidi il nome di Ramses.

Siccome le tremava la mano, Sary la aiutò. I geroglifici, tracciati in modo maldestro, formarono il nome del re.

Ora, bisognava solo spezzare la sottile lastra di calcare.

Sary la prese, mentre Dolente si copriva nuovamente il volto. Rifiutava di assistere a quell'orribile momento.

Malgrado tutti i suoi sforzi, Sary non riuscì a spezzarla. La lastra resisteva, sembrava più solida del granito. Irritato, Sary raccattò uno dei sassi sparsi sul pavimento della cantina e tentò di rompere il calcare magico, ma non riuscì nemmeno a scalfirlo.

— Non capisco... Questa lastra è sottile, talmente sottile!

— Ramses è protetto! — urlò Dolente. — Nessuno può colpirlo, nemmeno un mago! Andiamocene, presto!

La coppia vagò nelle viuzze del quartiere popolare; in preda al panico che gli stringeva lo stomaco, Sary non trovava più la strada. Man mano che avanzavano, le porte si chiudevano, gli occhi li spiavano da dietro le persiane socchiuse. Malgrado il caldo, Dolente continuava a coprirsi il viso con lo scialle.

Un uomo magro, dal profilo aquilino, si avvicinò alla coppia. I suoi occhi color verde scuro brillavano di una luce inquietante.

— Vi siete persi?

— No — rispose Sary. — Va' via.

— Non sono un nemico, posso aiutarvi.

— No, ci arrangeremo.

— Si possono fare brutti incontri in questa zona.

— Sapremo difenderci.

— Contro una banda armata, non avrete nessuna possibilità. Da queste parti, un uomo che possiede pietre preziose è una preda molto allettante.

— Non abbiamo nulla di simile.

— Non avete forse pagato il mago libanese con dei turchesi? Dolente si strinse al marito.

— Dicerie, solo dicerie!

— Siete entrambi degli imprudenti; non avete dimenticato... questo?

L'uomo magro mostrò loro la sottile lastra di calcare con inciso il nome di Ramses.

Dolente perse i sensi e crollò tra le braccia del marito.

— Ogni atto di magia nera contro il Faraone è punito con la morte, lo ignoravate? Non è mia intenzione denunciarvi, non temete.

— Che... che cosa vuoi?

— Aiutarvi, ve l'ho detto. Entrate in quella casa, sulla sinistra; tua moglie ha bisogno di bere qualcosa.

La dimora, con il pavimento in terra battuta, era modesta ma pulita. Una giovane donna bionda e formosa aiutò Sary a far sdraiare Dolente su una panca di legno coperta da una stuoia e le offrì un po' d'acqua.

— Mi chiamo Ofir — dichiarò l'uomo magro — e questa è Lita, discendente di Akhenaton e legittima erede del trono d'Egitto.

Sary era esterrefatto. Dolente riprese i sensi.

— Stai... stai scherzando?

— È la verità.

Sary si voltò verso la giovane donna bionda.

— Quest'uomo mente?

Lita scosse la testa in segno di diniego e si allontanò per andare a sedere in un angolo della stanza, come se fosse indifferente a ciò che stava succedendo.

— Non te la prendere — raccomandò Ofir. — Ha sofferto tanto che reimparare a vivere sarà per lei un'impresa lunga e faticosa.

— Ma cosa le hanno fatto?

— È stata minacciata di morte, percossa, rinchiusa, le è stato ingiunto di rinnegare la sua fede in Aton, il Dio unico, e di dimenticare il suo nome e i suoi genitori, hanno tentato di distruggere la sua anima. Se non fossi intervenuto io, sarebbe soltanto una povera pazza.

— Perché l'aiuti?

— Perché la mia famiglia è stata perseguitata come la sua. La nostra unica ragione di vita è la vendetta. Una vendetta che darà il potere a Lita e caccerà i falsi dei dalla terra d'Egitto.

— Ramses non è responsabile delle vostre disgrazie!

— Certo che lo è. Appartiene a una dinastia maledetta che inganna il popolo e lo tiranneggia.

— Come fate a sopravvivere?

— I fedeli del dio Aton ci nascondono e ci sfamano, con la speranza che Egli esaudisca le nostre preghiere.

— Sono ancora numerosi?

— Più di quanto non possiate immaginare, ma ridotti al silenzio. E se anche dovessimo rimanere soltanto noi due, continueremmo a combattere.

— Quei tempi sono passati — protestò la sorella di Ramses. — Siete gli unici a essere ancora in preda a questi rancori.

— Ti sbagli — obiettò Ofir. — Adesso voi siete miei alleati.

— Andiamo via di qui, Sary; questa gente è pazza.

— Io so chi sei — rivelò Ofir.

— È falso!

— Tu sei Dolente, la sorella di Ramses; quest'uomo è tuo marito, Sary, l'ex tutore del Faraone. Siete stati entrambi vittime della sua crudeltà e volete vendicarvi.

— È affar nostro.

— Sono in possesso della lastra di calcare con la quale vo-

levate fare la fattura. Se la portassi nell'ufficio del visir e te-
stimoniassi contro di voi...

— È un ricatto!

— Se diventiamo alleati, la minaccia svanirà.

— Quale vantaggio ne trarremmo? — chiese Sary.

— Usare la magia contro Ramses è una buona idea, ma
voi non ve ne intendete. La fattura che avete scelto avrebbe
fatto ammalare un semplice mortale, ma non un re. Il Faraone, durante l'incoronazione, ha ricevuto delle protezioni invisibili che formano uno schermo intorno alla sua persona.
Bisogna distruggerle una a una. Lita e io siamo in grado di
farlo.

— Cosa volete in cambio?

— Vitto, alloggio e un luogo appartato dove poter stabilire
i nostri contatti.

Dolente si avvicinò a Sary.

— Non lo ascoltare. È pericoloso, ci farà del male.

Sary si rivolse al mago.

— D'accordo. Siamo alleati.

29

Ramses accese i lumi a olio che illuminavano il naos di Karnak, la parte più segreta del tempio dove solo lui e il sommo sacerdote, suo delegato in caso di assenza, erano autorizzati a entrare. Le tenebre si dissolsero; apparve il Santo dei Santi, una cappella in granito rosa che conteneva l'immagine terrestre di Amon, "il nascosto", di cui nessun essere umano avrebbe mai conosciuto la vera forma. Delle pastiglie d'incenso bruciavano lentamente, diffondendo il loro profumo in quel luogo sacro per eccellenza dove l'energia divina si incarnava nell'invisibile e nel visibile.

Il re ruppe il sigillo d'argilla apposto sul naos, tirò il chiavistello e aprì gli sportelli del reliquiario.

— Svegliati in pace, potenza dell'origine che crea in ogni momento. Riconoscimi, sono tuo figlio, il mio cuore ti ama, vengo a nutrirmi dei tuoi consigli per compiere ciò che riterrai utile. Svegliati in pace e risplendi su questa terra che vive solo grazie al tuo amore. Attraverso la tua energia, resuscita tutto ciò che è.

Il re illuminò la statua divina, tolse le bende di lino colorato che la ricoprivano, la purificò con l'acqua del lago sacro, la cosparse di unguenti e la rivestì con nuove bende di stoffa pura. Poi, facendole nascere attraverso la sua voce, le presentò le offerte che i sacerdoti, in quello stesso momento, depositavano sui vari altari sparsi nel tempio. Lo stesso rito si svolgeva, tutte le mattine, in ogni santuario d'Egitto.

Giunse infine il momento dell'offerta suprema, quella di Maat, l'immortale Regola di vita.

— Di essa tu vivi, — disse il re alla divinità — essa ti vivifica con il suo profumo, ti nutre con la sua rugiada; i tuoi occhi sono la Regola, tutto il tuo essere è la Regola.

Il Faraone baciò fraternamente la Potenza, richiuse gli sportelli del naos, tirò il chiavistello e appose il sigillo d'argilla. L'indomani, il sommo sacerdote Nebu avrebbe ripetuto gli stessi gesti a nome suo.

Quando Ramses uscì dal naos, tutto il tempio si era risvegliato. I sacerdoti toglievano dagli altari le porzioni di cibo purificato destinate agli umani, i panifici di Karnak sfornavano pani e dolci, i macellai preparavano la carne per il pranzo, gli artigiani si mettevano al lavoro, i giardinieri ornavano di fiori le cappelle. La giornata si annunciava tranquilla e felice.

Il carro di Ramses, preceduto da quello di Serramanna, si dirigeva verso la Valle dei Re. Malgrado l'ora mattutina, la temperatura era già molto elevata. Benché temesse il caldo torrido della valle, Nefertari era serena. Un panno bagnato sulla nuca e un parasole le avrebbero permesso di sopportare quella prova.

Prima di ripartire verso nord, Ramses voleva rivedere la tomba di suo padre e raccogliersi davanti al sarcofago il cui nome egiziano, "il signore della vita", ne indicava la funzione. Nel mistero della casa d'oro, l'anima di Sethi si rigenerava in continuazione.

I due carri si fermarono di fronte all'angusto ingresso della Valle. Ramses aiutò Nefertari a scendere, mentre Serramanna, malgrado la presenza della polizia, ispezionava il luogo.

Non si sentiva tranquillo nemmeno lì. Il sardo squadrò i poliziotti di guardia all'ingresso e non notò nulla di anomalo nel loro comportamento.

Con grande sorpresa di Nefertari, Ramses non imboccò il viale che portava alle dimore di eternità di Sethi e del loro antenato, il primo dei Ramses, che riposava al suo fianco, ma prese una biforcazione sulla destra, verso un cantiere. Alcuni operai stavano picconando la roccia, le cui schegge venivano raccolte in piccole ceste.

Su alcuni blocchi levigati e allineati, uno dei capomastri della confraternita di Deir el-Medineh aveva srotolato un papiro. Si inchinò davanti alla coppia reale.

— Ecco dove sarà la mia tomba — rivelò Ramses a Nefertari.

— Hai già pensato a quel momento...

— Sin dal primo anno del suo regno un Faraone deve concepire il progetto della sua dimora di eternità e avviare i lavori.

Il velo di tristezza che aveva oscurato lo sguardo di Nefertari scomparve.

— La morte ci accompagna sempre, hai ragione; se sappiamo prepararla, essa ci sorriderà.

— Questo luogo è di tuo gradimento?

La regina girò lentamente su se stessa, come se si stesse impossessando dello spazio e scrutasse la roccia e le profondità della terra. Poi si bloccò, con gli occhi chiusi.

— È qui che riposerà il tuo corpo — predisse.

Ramses la strinse a sé.

— Anche se la Regola ti impone di risiedere nella Valle delle Regine, non ci lasceremo mai. E la tua dimora di eternità sarà la più bella mai costruita sulla nostra terra amata dagli dei. Le generazioni ne conserveranno il ricordo e ne celebreranno la bellezza nei secoli.

La potenza della Valle e la gravità di quel momento crearono un nuovo legame tra i due. I tagliapietre, i cavapietre e i capomastri ne colsero la luminosa intensità. Al di là dell'immagine di una donna e di un uomo innamorati l'uno dell'altra, si affermava la presenza di un Faraone e di una grande sposa reale la cui vita e la cui morte erano unite dal sigillo dell'eterno.

Il lavoro si era fermato, gli utensili tacevano. Ogni artigiano ebbe consapevolezza di partecipare al mistero di quei due esseri il cui compito era quello di regnare affinché il cielo riposasse sui suoi pilastri e la terra fosse in festa. Senza di loro, il Nilo avrebbe smesso di scorrere, i pesci non avrebbero più guizzato tra le sue acque, gli uccelli non avrebbero più volato nell'azzurro, l'umanità avrebbe perso il suo soffio di vita.

Ramses e Nefertari si separarono, senza mai distogliere lo sguardo l'uno dall'altra. Avevano appena varcato la soglia della vera unione.

Gli artigiani ricominciarono a picconare la roccia, il re si avvicinò al capomastro.

— Mostrami il progetto che hai ideato.

Il re esaminò il disegno che gli fu sottoposto.

— Dovrai allungare il primo corridoio, fare una prima sala con quattro pilastri, scavare maggiormente nella roccia e ampliare la sala di Maat.

Il capomastro porse un pennello al re e questi rettificò la pianta con l'inchiostro rosso, precisando le dimensioni desiderate.

— Dalla sala di Maat, dovrai girare ad angolo retto; un corto e angusto passaggio condurrà alla casa d'oro, ornata da otto pilastri, al centro della quale verrà deposto il sarcofago. Con essa comunicheranno varie cappelle, destinate a ricevere il mobilio funebre. Cosa ne pensi?

— Non c'è nessun impedimento tecnico, Maestà.

— Se dovessero insorgere difficoltà durante i lavori, desidero essere avvertito immediatamente.

— Sarà mio dovere risolverle.

La coppia reale e la sua scorta uscirono dalla Valle dei Re e ripresero la strada che portava al Nilo. Siccome il Faraone non aveva indicato a Serramanna la sua destinazione, questi scrutava continuamente la cima delle colline. Garantire la sicurezza di Ramses era una sfida permanente, data l'incuranza del giovane monarca di fronte al pericolo. A forza di giocare con la fortuna, avrebbe finito per perdere.

Giunto all'altezza dei campi, il carro reale svoltò a destra e passò davanti alla necropoli dei nobili e al tempio funebre di Thutmosis III, l'illustre Faraone che era riuscito a imporre la pace in Asia e a diffondere la civiltà egizia in tutto il Vicino Oriente e oltre.

Ramses si fermò su un terreno disabitato, al confine tra il deserto e i campi, non lontano dal villaggio operaio. Serramanna dispiegò immediatamente i suoi uomini per paura che un aggressore si fosse nascosto fra le messi.

— Cosa pensi di questo posto, Nefertari?

Elegante, eterea, la regina si era tolta i sandali per percepire meglio l'energia del terreno. I suoi piedi nudi sfiorarono la sabbia bollente, camminò da una parte all'altra, tornò sui propri passi e si sedette su una pietra piatta, all'ombra di una palma.

— Qui risiede la potenza, una potenza identica a quella che vive nel tuo cuore.

Ramses si inginocchiò e massaggiò dolcemente i piedi delicati della regina.

— Ieri — confessò la donna — ho provato una sensazione strana, quasi spaventosa.

— Me la puoi descrivere?

— Eri all'interno di una pietra allungata che ti proteggeva; qualcuno tentava di romperla, per privarti di quella protezione e distruggerti.

— E ci è riuscito?

— Il mio spirito ha lottato contro quella forza tenebrosa, e l'ha respinta. La pietra è rimasta intatta.

— Un brutto sogno?

— No, ero sveglia, e quell'immagine mi attraversava il

pensiero come una realtà lontana ma presente, talmente presente...

— Il tuo turbamento è svanito adesso?

— No, non del tutto. Rimane un'angoscia, come se un avversario si nascondesse nell'ombra, fuori dalla nostra portata, con la volontà di farti del male.

— Ho molti nemici, Nefertari, ma come stupirsene? Per abbattermi, non esiteranno a ricorrere alle armi più vili. O rimango immobile per paura dei colpi o vado avanti senza curarmene. Ho deciso di andare avanti.

— È dunque mio dovere proteggerti.

— Serramanna è qui per questo.

— Lui può parare gli attacchi visibili, ma come può proteggerti da quelli invisibili? Spetta a me farlo, Ramses; attraverso il mio amore, innalzerò intorno alla tua anima un muro che i demoni non potranno oltrepassare. Ma occorre qualcosa di più...

— A cosa pensi?

— A un essere che non esiste ancora e che preserverà il tuo nome e la tua vita.

— Nascerà qui, su questo suolo che hai calpestato con i tuoi piedi nudi. Anch'io ho pensato a quell'immenso alleato dal corpo di pietra e dall'anima costruita con i materiali dell'eternità. Qui edificheremo la mia dimora millenaria, il Ramesseo. Voglio concepirlo assieme a te, come un figlio.

30

Serramanna si lisciò i baffi, indossò una tunica viola con il collo svasato, si profumò e controllò allo specchio il taglio dei capelli. Dato ciò che aveva intenzione di dire a Ramses, doveva apparire come un personaggio rispettabile e ragionevole, in grado di fornire un parere autorevole. Il sardo aveva esitato a lungo prima di compiere questo passo; ma le sue deduzioni non potevano ingannarlo, e si sentiva incapace di tenere per sé un simile peso.

Decise di parlare al re alla fine delle sue libagioni mattutine. Fresco e riposato, il monarca lo avrebbe ascoltato con maggiore attenzione.

— Splendido — osservò Ramses. — Vuoi forse rinunciare al comando della mia guardia personale per occuparti dell'ultima moda di Menfi?

— Avevo pensato che...

— Hai pensato che la raffinatezza si addiceva meglio a una dichiarazione delicata.

— Chi ti ha avvertito...

— Nessuno, stai tranquillo; il tuo segreto è rimasto intatto.

— Maestà, ho ragione!

— Bell'inizio! E a che proposito?

— Quello scorpione che doveva pungerti e rovinarti il viaggio. Qualcuno lo ha messo in camera tua.

— È innegabile, Serramanna. Che altro?

— Irritato dal mio errore, ho svolto un'inchiesta.

— E le conclusioni ti hanno turbato.

— Infatti, Maestà, infatti.

— Hai forse paura, Serramanna?

Il sardo impallidì di fronte a una simile ingiuria. Se Ramses non fosse stato Faraone d'Egitto, il pugno di Serramanna gli avrebbe chiuso la bocca.

— Devo garantire la tua sicurezza, Maestà, e non è sempre facile.

— Mi vuoi forse rimproverare di essere imprevedibile?

— Se lo fossi meno...

— Ti annoieresti.

— Sono un ex pirata, ma amo il lavoro fatto bene.

— E chi ti impedisce di farlo?

— La protezione passiva non pone alcun problema; ma sono autorizzato ad andare oltre?

— Sii più chiaro.

— Sospetto una persona a te vicina. Per introdurre lo scorpione bisognava conoscere la posizione della tua cabina.

— Era nota a moltissime persone!

— È possibile, ma il mio istinto mi dice che ho una possibilità di scovare il colpevole.

— Con quali metodi?

— I miei.

— La giustizia è il fondamento della società egiziana, Serramanna; il Faraone è il primo servo della Regola e non si mette al di sopra delle leggi.

— In altre parole, non riceverò nessun ordine ufficiale.

— Non costituirebbe un ostacolo alla tua azione?

— Ho capito, Maestà!

— Non ne sono sicuro, Serramanna. Segui la tua pista, ma

rispetta gli altri; non ammetterò nessun sopruso. Ordine ufficiale o no, mi considero responsabile delle tue azioni.

— Non molesterò nessuno.

— La tua parola.

— Vale qualcosa la parola di un pirata?

— Un uomo coraggioso non la tradisce.

— Quando dico "molestare", voglio...

— La tua parola, Serramanna.

— Ce l'hai, Maestà.

La pulizia del palazzo era una delle ossessioni di Romè, promosso intendente da Ramses e dunque responsabile della vita domestica del Faraone. Perciò gli spazzini, gli addetti alla pulizia dei pavimenti e tutti quelli che maneggiavano stracci lavoravano con accanimento, agli ordini di uno scriba pignolo che voleva compiacere Romè per mantenersi il posto. Questi controllava il lavoro delle sue squadre e non esitava a richiamare quelle che non avevano svolto un lavoro soddisfacente, minacciando di diminuire gli stipendi in caso di recidiva.

All'imbrunire, lo scriba uscì da un palazzo tirato a lucido. Stanco e assetato, si diresse a passi veloci verso una taverna dove si serviva una birra squisita. Mentre passava in una viuzza intasata da asini carichi di sacchi di grano, una mano possente gli afferrò il colletto della tunica e lo costrinse a entrare indietreggiando in un'oscura bottega la cui porta venne richiusa brutalmente. In preda al terrore, il funzionario non aveva nemmeno gridato.

Due mani enormi gli strinsero il collo.

— Vuoi parlare, canaglia!

— Lasciami... lasciami respirare...

Serramanna allentò un po' la stretta.

— Sei complice del tuo capo, vero?

— Capo... quale capo?

— Romè, l'intendente.

— Ma... il mio lavoro è perfetto!

— Romè odia Ramses, vero?

— Lo ignoro... No, no, non credo! E io sono un servo fedele del re!

— Romè è un appassionato di scorpioni, ne sono certo.

— Di scorpioni, lui! Lo terrorizzano!

— Menti.

— No, ti giuro di no!

— Lo hai visto mentre li manipolava.

— Ti sbagli...

Il sardo cominciò a dubitare. Solitamente, un simile trattamento dava ottimi risultati. Lo scriba sembrava sincero.

— Cerchi... un appassionato di scorpioni?

— Ne conosci uno?

— Un amico del re, un certo Setau... Passa la sua vita in mezzo a serpenti e scorpioni. Si dice che parli il loro linguaggio e che gli obbediscano.

— Dove si trova?

— È andato a Menfi, dove possiede un laboratorio. È sposato con una maga nubiana, Loto, temibile quanto lui.

Serramanna mollò lo scriba che si massaggiò il collo, felice di poter respirare.

— Posso... posso andarmene?

Il sardo scacciò il funzionario con il dorso della mano.

— Un attimo... Non ti ho fatto male?

— No, no!

— Vattene, e non fare parola con nessuno di questa conversazione, altrimenti le mie braccia diventeranno serpenti e ti soffocheranno.

Mentre lo scriba fuggiva, Serramanna lasciò tranquillamente la bottega e si diresse, con aria pensierosa, nella direzione opposta.

Il suo istinto gli faceva pensare che l'intendente Romè, promosso troppo velocemente, fosse la persona più indicata per far del male al re. Serramanna non si fidava di quel tipo d'uomo, abile a celare l'ambizione dietro a una parvenza di giovialità. Ma doveva senza dubbio ammettere il proprio errore, un errore che aveva portato i suoi frutti perché lo scriba gli aveva forse indicato la pista giusta: quella che portava a Setau, uno degli amici del re.

Il sardo fece una smorfia.

Ramses aveva il senso dell'amicizia. Per lui era un valore sacro. Prendersela con Setau sarebbe stato rischioso, soprattutto dal momento che questi disponeva di armi terribili. Ciò nonostante, dopo aver ottenuto una simile informazione, Serramanna non poteva rimanere inattivo. Di ritorno a Menfi, avrebbe prestato un'attenzione particolare alla strana coppia che conviveva troppo a suo agio con i rettili.

— Non mi è giunta nessuna lamentela contro di te — constatò Ramses.

— Ho mantenuto la mia promessa, Maestà — affermò Serramanna.

— Ne sei sicuro?

— Assolutamente.

— I risultati della tua inchiesta?

— Per il momento, nessuno.

— Un fallimento totale?

— Una falsa pista.

— Allora non rinunci.

— Il mio compito è quello di proteggerti... Nel rispetto della legge.

— Mi nascondi forse qualche particolare importante, Serramanna?

— Me ne ritieni capace, Maestà?

— Un pirata non è pronto a tutto?

— Sono un ex pirata, e sono troppo soddisfatto di questa vita per correre inutili rischi.

Ramses lo fissò con uno sguardo penetrante.

— Il tuo sospetto numero uno non era quello giusto, ma vuoi andare avanti.

Serramanna fece un vago cenno con la testa.

— Mi dispiace, ma dovrai interrompere le tue ricerche.

Il sardo non celò il suo disappunto.

— Ho lavorato con discrezione, ti assicuro...

— Tu non c'entri. Domani partiamo per Menfi.

31

L'organizzazione del viaggio della corte da Tebe a Menfi era talmente complessa che Romè non sapeva da che parte cominciare. Non doveva mancare un solo vasetto di cosmetici alle dame eleganti, non una sola seggiola confortevole per i notabili, i pasti a bordo dovevano essere della stessa qualità di quelli serviti a palazzo, per il cane e il leone di Ramses si dovevano prevedere cibi vari e abbondanti. E quel cuoco che si era appena ammalato, quel lavandaio che era in ritardo, e quella tessitrice che si era sbagliata nel consegnare la biancheria!

Ramses aveva dato degli ordini e quegli ordini sarebbero stati eseguiti. Romè, che aveva immaginato di vivere una vita tranquilla dedicata al perfezionamento di succulente ricette, provava ammirazione nei confronti di quel giovane re esigente e precipitoso. Certo, creava un po' di scompiglio tra le persone che lo circondavano, sembrava intollerante, ardeva di un fuoco che rischiava di bruciare coloro che vi si avvicinavano. Ma era affascinante come quel falco perso nell'immensità del cielo che aveva il compito di proteggerlo. Romè voleva dar prova delle sue capacità, anche a costo di mettere a repentaglio la sua quiete.

L'intendente si presentò davanti alla passerella della nave reale con una cesta di fichi freschi. Serramanna gli sbarrò l'accesso.

— Perquisizione obbligatoria.

— Sono l'intendente di Sua Maestà!

— Perquisizione obbligatoria — ripeté il sardo.

— Stai cercando di provocarmi?

— Non hai la coscienza a posto?

Romè apparve turbato.

— Cosa intendi dire?

— O lo ignori, e per te andrà tutto bene, oppure lo sai, e non potrai sfuggirmi.

— Sei diventato pazzo, sardo! Dal momento che sei così diffidente, portalo tu il cesto al Faraone. Io ho mille cose da fare.

Serramanna sollevò il panno bianco che copriva il cesto. I fichi erano splendidi, ma non potevano celare una trappola mortale? Li prese uno per uno, con mano tremante, e li appoggiò sulla banchina. A ogni istante, si aspettava di veder guizzare la coda aggressiva di uno scorpione.

Quando la cesta fu completamente vuota, non gli rimase che riempirla di nuovo, evitando di schiacciare i frutti maturi.

La bella Iset era magnifica.

Si inchinò davanti a Ramses, come una giovane nobile di corte che incontrava il re per la prima volta e minacciava di perdere i sensi.

Con un gesto vigoroso ma tenero, il re la fece alzare.

— Sei forse diventata fragile?

— Può darsi, Maestà.

Il viso aveva un'espressione grave, quasi preoccupata, ma i suoi occhi sorridevano.

— Hai qualche problema?

— Mi autorizzi a parlartene?

Si sedettero uno vicino all'altra su due sedie basse.

— Ho un po' di tempo per un'udienza privata.

— Fare il re è un lavoro che ti assorbe tanto?

— Non mi appartengo più, Iset; le ore di un giorno non mi bastano a svolgere tutti i miei compiti, ed è giusto così.

— La corte torna a Menfi.

— Esatto.

— Non mi hai dato nessun ordine... Devo partire con te o rimanere a Tebe?

— Non indovini il motivo del mio silenzio?

— Devo ammettere che mi pesa.

— Lascio a te la scelta, Iset.

— Perché?

— Amo Nefertari.

— Ma ami anche me, vero?

— Dovresti odiarmi.

— Regni su un impero, ma mi chiedo se capisci il cuore di una donna. Nefertari è un essere straordinario, io no. Ma né lei né tu né gli dei potranno impedirmi di amarti, qualsiasi sia il posto che avrò nel tuo cuore. Perché una seconda consorte non avrebbe il diritto alla felicità, se è capace di afferrare ogni secondo che le viene offerto? Vederti, parlarti, dividere alcuni istanti della tua esistenza sono per me gioie preziose che non scambierei con nulla al mondo.

— Cosa decidi?

— Parto per Menfi, con la corte.

Una quarantina di navi lasciarono Tebe accompagnate dalle acclamazioni di una folla numerosa che aveva adottato Ramses e Nefertari. La successione del sommo sacerdote di Amon si era svolta senza intoppi, il sindaco della capitale del Sud aveva mantenuto la sua carica, e così anche il visir, la corte aveva organizzato splendidi banchetti, il popolo festeggiava l'abbondante piena che avrebbe garantito la prosperità del paese.

Romè si concesse qualche minuto di riposo. A bordo della nave reale non vi era stata alcuna stonatura, fatta eccezione per quel colosso sardo che lo spiava in continuazione. Non aveva forse voluto che venisse frugata ogni cabina e perquisito ogni membro dell'equipaggio? Un giorno quello straniero avrebbe ricevuto una botta in testa, e nessuno se ne sarebbe lamentato. La sua mancanza di rispetto nei confronti di eminenti personalità gli aveva già creato numerosi nemici e soltanto il sostegno del re gli permetteva di conservare la sua posizione. Ma quanto sarebbe durato?

In preda al dubbio, l'intendente controllò per la decima volta la qualità del letto reale e la solidità delle poltrone, verificò la bontà delle pietanze che sarebbero state servite a pranzo e corse sul ponte con un otre d'acqua fresca destinato al cane e al leone, sistemati all'ombra sotto a un baldacchino.

Da una delle finestre dell'ampia cabina di Nefertari, Ramses lo osservava, divertito.

— Finalmente un intendente che si preoccupa più del suo compito che dei suoi privilegi! Una bella sorpresa, non trovi?

Un'ombra di stanchezza velava il volto luminoso di Nefertari. Ramses si sedette sul letto e la strinse a sé.

— Serramanna non sembra del tuo stesso parere. Tra lui e Romè si sta creando una forte animosità.

Il re parve stupito.

— E per quale motivo?

— Serramanna è sospettoso, sempre all'erta.

— Sospettare Romè non ha senso!

— Lo spero.

— Metti in dubbio anche tu la sua lealtà?

— Lo conosciamo ancora poco.

— Gli ho offerto l'incarico dei suoi sogni!

— Un giorno lo dimenticherà.

— Sei pessimista, oggi.

— Mi auguro che Romè mi dia torto.

— Hai forse osservato un episodio specifico?

— Soltanto l'animosità di Serramanna.

— Il tuo sguardo è prezioso, talmente prezioso...

La donna appoggiò la testa sulla sua spalla.

— Nessuno sarà indifferente nei tuoi confronti, Ramses; o ti aiuteranno o ti odieranno. La tua potenza è tale che alcuni non ne perdoneranno l'esistenza.

Il re si sdraiò supino sul letto e Nefertari si accoccolò contro di lui.

— Mio padre non possedeva forse una potenza superiore alla mia?

— Siete simili e diversi. Sethi imponeva la sua autorità senza aver bisogno di dire una sola parola, la sua forza era segreta; tu sei il fuoco e il torrente, apri una via senza preoccuparti degli sforzi necessari a percorrerla.

— Ho un progetto, Nefertari, un progetto immenso.

— Uno solo?

— Questo è veramente immenso. Lo porto dentro di me dal giorno dell'incoronazione, e mi è apparso come un'esigenza cui non potrò sottrarmi. Se riesco a realizzarlo, l'Egitto ne uscirà trasformato.

Nefertari accarezzò la fronte del re.

— Questo progetto ha preso forma o si tratta ancora di un sogno?

— Ho la capacità di trasformare il sogno in realtà, ma aspetto un segno.

— Perché quest'esitazione?

— Perché ho bisogno dell'approvazione del cielo. Nessuno può rompere il patto concluso con gli dei.

— Vuoi che rimanga un segreto?

— Descriverlo con le parole sarebbe già un modo di incarnarlo; ma tu sei la grande sposa reale e non devi ignorare nulla di quanto è racchiuso nella mia anima.

Ramses si confidò con lei, e Nefertari ascoltò.

Immenso... Sì, il progetto del Faraone era immenso.

— Hai ragione ad attendere un segno dall'aldilà — concluse Nefertari — e io lo aspetterò al tuo fianco, ogni istante.

— Se non dovesse arrivare...

— Arriverà. Spetta a noi saperlo decifrare.

Ramses si raddrizzò e contemplò Nefertari il cui soprannome, "bella tra le belle", correva su tutte le bocche. Non assomigliava forse alla donna ideale delle poesie d'amore, con le sue membra di maiolica e turchese e il corpo agile e levigato che aveva la profondità delle acque celesti?

Il re appoggiò dolcemente l'orecchio sul grembo di sua moglie.

— Senti crescere nostro figlio?

— Nascerà, te lo prometto.

Una bretella dell'abito di Nefertari le era scivolata sulla spalla, scoprendo l'attaccatura del seno. Ramses morse il tessuto sottile e svelò lo splendido busto di sua moglie. I suoi occhi esprimevano la fluidità del Nilo celeste, la profondità del desiderio e la magia di due corpi uniti in un amore senza fine.

32

Per la prima volta dopo la sua incoronazione, Ramses entrò nello studio del padre, a Menfi. La stanza era disadorna, con le pareti bianche, tre finestre a bilico, un grande tavolo, una poltrona con lo schienale dritto destinata al re, sedie impagliate per i visitatori e un armadio per i papiri.

Gli si strinse il cuore per l'intensa emozione.

Lo spirito di Sethi animava ancora quel luogo austero dove aveva passato tanti giorni e tante notti a lavorare per governare l'Egitto e renderlo felice. Non vi era alcuna traccia di morte là, bensì la permanenza di una volontà implacabile.

La tradizione voleva che un figlio edificasse la propria casa e creasse un suo ambiente di vita. Ramses avrebbe dovuto dare ordine di distruggere quello studio e far costruire il proprio a sua immagine. Ed era infatti quella l'intenzione del giovane Faraone, prima di riscoprire l'ampia stanza.

Da una delle finestre, Ramses contemplò il cortile interno dove si trovava il carro reale; poi toccò la scrivania, aprì l'armadio con i papiri intonsi e sedette sulla poltrona dallo schienale dritto.

L'anima di Sethi non lo respinse.

Il figlio era succeduto al padre, il padre accettava il figlio come signore delle Due Terre. Ramses avrebbe conservato il suo studio intatto, ci avrebbe lavorato durante le sue permanenze a Menfi e ne avrebbe preservato quell'aspetto spoglio che lo avrebbe aiutato a formare le sue opinioni.

Sul grande tavolo, due rami d'acacia molto flessibili collegati a un'estremità da un filo di lino. La bacchetta da rabdomante usata da Sethi per trovare l'acqua nel deserto. Quanto aveva contato quel momento nella formazione del principe Ramses, ancora inconsapevole del proprio destino! Gli aveva permesso di capire che il Faraone lottava con gli elementi, con il mistero della creazione, che penetrava nel cuore della materia e ne irradiava la vita segreta.

Governare l'Egitto non era solo dirigere uno Stato, ma anche dialogare con l'invisibile.

Con le dita a volte un po' intorpidite per via dell'età, Omero impastò le foglie di salvia e caricò il fornello della pipa, un grosso guscio di lumaca che si stava ingrommando in modo assai soddisfacente. Tra un tiro e l'altro, il poeta si concedeva un sorso di vino forte, profumato d'anice e coriandolo. Seduto su una poltrona con un soffice cuscino, Omero stava assaporando la dolcezza della sera ai piedi del suo limone, quando la domestica gli annunciò la visita del re.

Vedendo Ramses più da vicino, Omero fu sorpreso dalla sua prestanza.

Il poeta si alzò con difficoltà.

— Rimani seduto, ti prego.

— Maestà, come sei cambiato!

— Maestà... Sei forse diventato ossequioso, mio caro Omero?

— Mi hai stupito. E quando un monarca è dotato di una simile prestanza, merita rispetto. Vedendoti, è chiaro che non sei più quell'adolescente esaltato che importunavo con le mie prediche. Le mie parole sono forse giunte all'orecchio del Faraone?

— Sono felice di vederti in buona salute. Sei soddisfatto della tua esistenza?

— Ho domato la cameriera, il giardiniere è silenzioso, il cuoco ha talento e lo scriba a cui detto i miei poemi fa finta di apprezzarli. Cosa potrei volere di più?

Ettore, il gatto bianco e nero, balzò sulle ginocchia del poeta e si mise a fare le fusa.

Come al solito, Omero si era cosparso il corpo d'olio d'oliva. Secondo lui non esisteva prodotto più igienico e profumo migliore.

— Sei andato avanti?

— Sono soddisfatto delle parole che Zeus rivolge agli dei: "Attaccate al cielo un cavo d'oro. Se lo tiro forte, trascinerò la terra e il mare; lo legherò all'Olimpo e questo mondo rimarrà sospeso in aria".

— In altre parole, il mio regno non è ancora consolidato e il mio reame oscilla in balia del vento.

— Come potrei saperlo, vivendo così ritirato?

— L'ispirazione del poeta e le chiacchiere dei domestici non ti permettono forse di conoscere gli avvenimenti principali?

Omero si grattò la barba bianca.

— È possibile... Essere bloccato qui non presenta soltanto inconvenienti. Il tuo ritorno a Menfi era auspicabile.

— Dovevo risolvere una questione delicata.

— La nomina di un nuovo sommo sacerdote di Amon che non ti tradisse appena assunto il suo incarico, lo so... Un'operazione condotta con determinazione e in modo assai giudizioso. La scelta di un vecchio senza ambizioni dimostra una rara abilità politica da parte di un giovane sovrano.

— È un uomo che apprezzo.

— Perché no, l'importante è che ti obbedisca.

— Se il Nord e il Sud dovessero entrare in conflitto, l'Egitto sarebbe rovinato.

— Strano paese, ma molto avvincente. Poco a poco, sto facendo l'errore di abituarmi alle vostre usanze, al punto di commettere delle infedeltà nei confronti del mio vino preferito.

— Ti prendi cura della tua salute?

— L'Egitto è pieno di medici! Al mio capezzale si sono alternati un dentista, un oculista e un medico generico! Mi hanno prescritto tante di quelle pozioni che ho rinunciato a prenderle. Passi ancora per i colliri che migliorano un po' la mia vista... Se li avessi avuti in Grecia, forse i miei occhi sarebbero rimasti validi. Non tornerò più laggiù... Troppe fazioni, troppi conflitti, troppi capiclan e reucci impantanati nelle loro rivalità. Per scrivere, ho bisogno di calma e agiatezza. Cerca di costruire una grande nazione, Maestà.

— Mio padre aveva già avviato quest'opera.

— Ho scritto queste parole: "A che servono i pianti che fanno trasalire l'anima, dal momento che questa è la sorte che gli dei hanno imposto ai mortali, condannati a vivere nel dolore?". Tu non sfuggi alla sorte dei comuni mortali, eppure il tuo ruolo ti pone al di sopra di quest'umanità sottomessa alla sofferenza. Non è forse grazie al Faraone, e alla durata secolare di quest'istituzione, che il tuo popolo crede nella felicità e la assapora con piacere riuscendo persino a costruirsela?

Ramses sorrise.

— Cominci a capire i misteri dell'Egitto.

— Non rimpiangere tuo padre e non tentare di imitarlo; diventa un re insostituibile, come lui.

Ramses e Nefertari avevano celebrato i rituali in tutti i templi di Menfi e avevano reso omaggio all'azione del sommo sacerdote della città incaricato di coordinare i lavori del collegio degli artigiani, tra cui figuravano degli eminenti scultori.

Giunse infine il momento tanto temuto: quello della posa. Il re e la regina, seduti sul trono, incoronati, con lo scettro in mano, dovettero rimanere immobili per molte interminabili ore, affinché gli scultori, "coloro che danno la vita", potessero incidere nella pietra l'immagine eternamente giovane della coppia reale. Nefertari superò la prova con dignità, mentre Ramses diede numerosi segni d'impazienza. Incapace di rimanere inattivo più a lungo, egli fece venire sin dal secondo giorno Ameni.

— E la piena?

— Discreta — rispose il segretario particolare del re. — Gli agricoltori speravano in qualcosa di meglio, ma il servizio dei bacini di raccolta è ottimista. L'acqua non mancherà.

— Come si comporta il mio ministro dell'Agricoltura?

— Mi affida il lavoro amministrativo e non mette piede nel suo ufficio. Si reca da un campo all'altro, da una tenuta all'altra, e risolve ogni giorno mille e una difficoltà. Non si tratta di un comportamento usuale per un ministro, ma...

— Che continui così! Ci sono state lamentele tra i contadini?

— I raccolti sono stati buoni, i granai sono pieni.

— E le mandrie?

— Secondo l'ultimo censimento, le nascite sono in aumento e la mortalità regredisce. I servizi veterinari non mi hanno comunicato nessun rapporto allarmante.

— E il mio amato fratello Shenar?

— Un modello di responsabilità. Ha riunito i suoi collaboratori del ministero degli Affari esteri, tessuto le tue lodi e chiesto a ogni funzionario di servire l'Egitto in modo coscienzioso ed efficiente. Prende il suo compito molto sul serio, comincia a lavorare la mattina presto, ascolta i consiglieri e tratta il nostro Asha con deferenza. Shenar conosce gli incartamenti e sta diventando un ministro responsabile.

— Stai parlando sul serio, Ameni?

— Non si scherza con l'amministrazione.

— Hai parlato con lui?

— Certo.

— E come ti ha accolto?

— Con cortesia. Non ha fatto nessuna obiezione quando

gli ho chiesto di fornirmi un rapporto settimanale sulle sue attività.

— Sorprendente... Mi aspettavo che ti mettesse alla porta.

— Secondo me, si calerà nella parte. Dal momento che lo controlli, che cosa puoi temere?

— Non devi tollerare nessuna irregolarità da parte sua.

— Una raccomandazione inutile, Maestà.

Ramses si alzò, appoggiò scettri e corona sul trono e congedò gli scultori il cui lavoro cominciava a prendere forma. Sollevata, Nefertari lo imitò.

— Posare è una tortura — confessò il monarca. — Se mi avessero avvisato che era una trappola del genere, l'avrei evitata! Fortunatamente, il nostro ritratto verrà fissato una volta per tutte.

— Ogni funzione ha i suoi obblighi e non te ne puoi sottrarre, Maestà.

— Stai attento, Ameni: potrebbero innalzare una tua statua un giorno, se entri a far parte dei saggi del paese.

— Con la vita che mi costringi a fare, non ci sono pericoli!

Ramses si avvicinò all'amico.

— Cosa pensi del mio intendente, Romè?

— Un uomo valido e tormentato.

— Tormentato?

— È ossessionato dai più piccoli dettagli ed è sempre alla ricerca della perfezione.

— Allora ti assomiglia.

Offeso, Ameni incrociò le braccia.

— È un rimprovero?

— Desidero sapere se trovi curioso il suo comportamento.

— Al contrario, mi tranquillizza! Se tutta la gerarchia si comportasse come lui, non avrei più nessun problema. Cosa gli rimproveri?

— Per il momento, niente.

— Non hai nulla da temere da parte di Romè. Se non hai altro da chiedermi, vado di corsa in ufficio.

Nefertari strinse dolcemente il braccio di Ramses.

— Ameni non cambia mai.

— Rappresenta da solo un vero e proprio governo.

— È arrivato il segno che aspettavi?

— No, Nefertari.

— Ho un presentimento.

— Che forma prenderà?

— Lo ignoro, ma si sta dirigendo verso di noi, come un cavallo imbizzarrito.

33

In quei primi giorni di settembre, la piena era in stanca. L'Egitto assomigliava a un lago immenso dal quale emergevano, qua e là, piccole colline coronate da villaggi. Per coloro che non erano impegnati nei cantieri del Faraone, era il periodo delle vacanze e delle gite in barca. Le bestie, ben al sicuro su montagnette di terra, divoravano il foraggio portato dai contadini; sulle tenute che venivano arate prima della piena si pescava!

All'estremità meridionale del Delta, poco sopra Menfi, il Nilo si allargava su venti chilometri; all'estremità settentrionale, l'inondazione copriva più di duecento chilometri e il fiume si univa al mare respingendolo al largo.

I papiri e le piante di loto proliferavano, come se il paese fosse tornato ai primordi, quando l'uomo non era ancora apparso. Le acque gioiose purificavano la terra, annegavano i parassiti e depositavano il fertile limo che portava con sé fecondità e prosperità.

Ogni mattina, dalla metà di maggio, un esperto scendeva le scale del nilometro di Menfi, le cui pareti riportavano delle graduazioni in cubiti* che permettevano di controllare l'al-

---

* Un cubito equivale a 0,52 metri.

tezza della piena e di calcolare il ritmo di crescita delle acque. In quel periodo dell'anno, il livello cominciava ad abbassarsi in modo quasi impercettibile, prima della decrescenza vera e propria che avveniva verso la fine di settembre.

Il nilometro aveva l'aspetto di una sorta di pozzo in pietre da taglio. Temendo di scivolare, l'esperto scese con prudenza. Nella mano sinistra stringeva una tavoletta di legno e una spina di pesce che usava per scrivere, e con la destra si appoggiava al muro.

Il suo piede toccò l'acqua.

Sorpreso, si bloccò e scrutò i segni sul muro. I suoi occhi di certo lo ingannavano; controllò e controllò ancora e poi salì le scale di corsa.

Il sovrintendente ai canali della regione di Menfi guardò con stupore il tecnico addetto al nilometro.

— Il tuo rapporto è assurdo.

— Ieri lo credevo anch'io; ho controllato di nuovo oggi e non c'è alcun dubbio!

— Sai la data di oggi?

— Siamo ai primi di settembre, lo so!

— Sei un funzionario assennato, con ottime valutazioni e già iscritto nella lista delle promozioni; sono disposto a dimenticare questo incidente, ma non ne parlare più e correggi il tuo errore.

— Non si tratta di un errore.

— Vuoi forse costringermi a prendere delle misure disciplinari?

— Controlla tu stesso, ti prego.

La sicurezza dell'addetto al nilometro turbò il sovrintendente ai canali.

— Sai bene che è impossibile!

— Non capisco, ma è la verità... Una verità che ho annotato sulla mia tavoletta, due giorni di seguito!

I due uomini si recarono insieme al nilometro.

Il sovrintendente constatò lui stesso lo straordinario fenomeno: invece di cominciare a calare, le acque stavano salendo!

Sedici cubiti, il livello ideale della piena. Sedici cubiti, ovvero la "gioia perfetta".

La notizia si diffuse in tutto il paese alla velocità di uno sciacallo in corsa, suscitando un forte clamore: Ramses, durante il primo anno del suo regno, aveva appena compiuto un miracolo! I bacini di raccolta sarebbero stati riempiti fino all'orlo, l'irrigazione delle colture sarebbe stata garantita sino alla fine della stagione secca, le Due Terre avrebbero attraversato un periodo favorevole grazie alla magia reale.

Nei cuori, Ramses sostituì Sethi. L'Egitto era governato da un Faraone benefico, dotato di poteri soprannaturali, capace di controllare la piena, di respingere lo spettro della carestia e di nutrire gli stomaci.

Shenar era furibondo. Come contenere l'idiozia del popolo che trasformava un fenomeno naturale in una manifestazione di stregoneria? Quel maledetto ritorno della piena, mai osservato prima da nessun addetto al nilometro, era certamente un fatto insolito, e poteva anche essere definito sconcertante, ma non aveva niente a che vedere con Ramses! Tuttavia, nelle città e nei villaggi organizzarono feste in onore del Faraone e il suo nome venne celebrato con entusiasmo. Non era forse destinato a diventare un giorno come gli dei?

Alla stregua dei colleghi di governo, il fratello del re annullò i suoi appuntamenti e concesse un giorno di ferie al personale del suo ministero. Sarebbe stato un grave errore distinguersi dagli altri.

Come mai Ramses era così fortunato? In poche ore, la sua popolarità aveva superato quella di Sethi. Molti dei suoi avversari erano scossi, e si chiedevano se fosse possibile combatterlo. Invece di progredire, Shenar sarebbe stato costretto a essere ancora più prudente e a tessere la sua tela lentamente.

Ma la sua ostinazione avrebbe sconfitto la fortuna del fratello. Infedele per natura, quest'ultima finiva sempre per abbandonare i suoi protetti. Nell'attimo stesso in cui avrebbe lasciato Ramses, Shenar sarebbe entrato in azione. Occorreva però preparare armi efficaci, per poter colpire bene e forte.

Delle urla salirono dalla strada. Shenar pensò si trattasse di un litigio, ma il fenomeno aumentò sino a diventare un vero e proprio frastuono: era l'intera città di Menfi che prorompeva in esclamazioni! Il ministro degli Affari esteri salì i pochi scalini che lo separavano dal terrazzo dell'edificio.

Lo spettacolo che vide allora, come altre migliaia di egiziani, lo lasciò di sasso.

Un immenso uccello azzurro, simile a un airone, volteggiava sopra la città.

"La fenice" pensò Shenar. "È impossibile, la fenice è tornata..." Il fratello di Ramses non riusciva a scacciare quello stupido pensiero e fissava lo sguardo sull'uccello azzurro. La leggenda diceva che la fenice tornasse dall'aldilà per annunciare un regno radioso e inaugurare una nuova era.

Una favola per bambini, sciocchezze inventate dai sacerdoti, bazzecole per divertire il popolino! Ma la fenice volteggiava, con un volo meravigliosamente ampio, come se scoprisse Menfi prima di scegliere la sua rotta.

Se fosse stato un arciere, Shenar avrebbe abbattuto il volatile per dimostrare che si trattava soltanto di un uccello migratore in preda al panico e disorientato. Dare l'ordine a un soldato? Nessuno avrebbe obbedito e il ministro sarebbe stato accusato di pazzia! Un popolo intero era in comunione attraverso la visione della fenice. Improvvisamente, il clamore si affievolì.

Shenar riacquistò qualche speranza. Ma certo, lo sapevano tutti! Se quell'uccello azzurro fosse stato la fenice, non si sarebbe accontentato di sorvolare Menfi poiché, secondo la leggenda, aveva una destinazione precisa. Data l'esitazione dell'airone, le illusioni della folla si sarebbero presto dissolte, la gente non avrebbe più creduto a un secondo miracolo di Ramses e forse avrebbe rimesso in discussione anche l'esistenza del primo.

Quella fortuna, quella famosa fortuna che lo stava già abbandonando!

Si sentì ancora gridare qualche bambino e poi il silenzio.

L'immenso uccello azzurro continuava a tracciare grandissimi cerchi. Grazie alla purezza dell'aria, si poteva sentire il grazioso canto del suo volo; il battito delle ali assomigliava al fruscio di un tessuto. Alla gioia succedettero l'amarezza e i pianti; il popolo non aveva avuto la fortuna di vedere la fenice che appare soltanto una volta ogni quindici secoli, ma un disgraziato airone che aveva perso il suo stormo e non sapeva più dove andare.

Sollevato, Shenar tornò nel suo ufficio. Come aveva ragione a non prestare fede a quelle vecchie leggende destinate a inebetire gli spiriti deboli! Né un uccello né un uomo potevano vivere per millenni, nessuna fenice veniva a scandire il tempo e a consacrare la predestinazione di un Faraone. Da quell'avvenimento occorreva però trarre un insegnamento: manipolare la folla era una necessità per chi intendeva governare. Darle sogni e illusioni era importante quanto procurarle da mangiare. Se la popolarità di un capo di Stato non fosse nata spontaneamente, occorreva dunque costruirla attraverso le voci e le dicerie.

I clamori ripresero.

Si trattava senza dubbio della stizza di una folla arrabbiata, frustrata dal prodigio negato. Shenar sentì il nome di Ramses, la cui sconfitta si annunciava sempre più cocente.

Tornò quindi sul terrazzo e scoprì, stupefatto, una folla esultante che salutava il volo della fenice verso la pietra primordiale, l'obelisco unico.

Furibondo, Shenar capì che gli dei proclamavano così una nuova era. L'era di Ramses.

— Due segni — concluse Nefertari. — Una piena imprevista e il ritorno della fenice! Quale regno è iniziato in modo più sfolgorante?

Ramses leggeva i rapporti che gli erano appena stati consegnati. Quell'incredibile crescita delle acque, sino a raggiungere il livello ideale, era una benedizione per tutto il paese; quanto all'immenso uccello azzurro che tutta la popolazione di Menfi aveva potuto ammirare, si era veramente appollaiato sulla punta dell'obelisco del grande tempio di Heliopolis, raggio di luce pietrificato.

Tornata dall'aldilà, la fenice non si muoveva più e contemplava il paese amato dagli dei.

— Sembri perplesso — osservò la regina.

— Chiunque sarebbe stupefatto di fronte alla potenza di quei segni!

— Potrebbero farti arretrare?

— Al contrario, Nefertari. Confermano che devo andare avanti senza preoccuparmi delle critiche, degli ostacoli e delle difficoltà.

— E così, è giunta l'ora di realizzare il tuo grande progetto.

Ramses la strinse tra le braccia.

— La piena e la fenice ci hanno dato la risposta.

Un Ameni ansante fece irruzione nella sala d'udienza della coppia reale.

— Il superiore... della Casa della Vita... Ti vuole parlare.

— Fallo entrare.

— Serramanna lo vuole perquisire... Provocherà uno scandalo!

Ramses si diresse a passi veloci verso l'anticamera dove si fronteggiavano il superiore, un robusto sessantenne dalla testa rasata, vestito con un abito bianco, e il colosso sardo, con tanto di elmo, corazza e armi.

Il superiore si inchinò davanti al Faraone di cui Serramanna percepì la contrarietà.

— Nessuna eccezione — borbottò il sardo. — Altrimenti la tua sicurezza non sarebbe più garantita.

— Cosa desideri? — chiese Ramses al superiore.

— La Casa della Vita spera di poterti vedere al più presto, Maestà.

34

Quando Sethi aveva portato Ramses a Heliopolis, aveva deciso di sottoporlo a una prova da cui sarebbe dipeso il suo futuro. Oggi, Ramses varcava da Faraone il portale del recinto del grande tempio di Ra, le cui dimensioni erano pari a quelle del tempio di Amon di Karnak.

Su quello spazio sacro, al quale si accedeva da un canale, erano stati costruiti vari edifici: il tempio della pietra primordiale, il santuario di Atum, il Creatore, all'ombra di un sicomoro, la cappella del salice, sul cui tronco erano state incise le dinastie e il memoriale di Zoser, artefice della piramide a gradini di Saqqara.

Heliopolis era un incanto. I viali, costeggiati da edicole di pietra che ospitavano le statue divine, attraversavano boschetti di acacie, salici e tamarindi, i frutteti e gli oliveti prosperavano, gli apicoltori facevano ricche raccolte di miele, le stalle ospitavano mucche che davano latte in abbondanza, le botteghe formavano artigiani di talento e un centinaio di villaggi lavoravano per la città santa che, in cambio, garantiva loro il benessere.

Era lì che aveva preso forma la saggezza egiziana, trascritta nei rituali e nei racconti mitologici, trasmessa oralmente dai

maestri ai discepoli; lì collegi di dotti, ritualisti e maghi imparavano la loro arte nel silenzio e nel segreto più assoluto.

Il superiore della Casa della Vita di Heliopolis, la più antica del paese nonché modello di tutte le altre presenti in ogni
grande tempio, non era solito apparire nel mondo profano.
Votato alla meditazione e allo studio, egli lasciava raramente
il recinto del suo tempio.

— Tuo padre si è spesso fermato da noi — rivelò a Ramses.
— Il suo desiderio più grande era quello di ritirarsi dal mondo, ma sapeva che un simile sogno non si sarebbe mai potuto
avverare. Tu, Maestà, sei giovane, e innumerevoli progetti occupano la tua mente e il tuo cuore. Ma sarai degno del nome
che porti?

Ramses trattenne a malapena la rabbia.

— Ne dubiti?

— Il cielo risponderà per me. Seguimi.

— È un ordine?

— Sei il signore del paese e io sono il tuo servo.

Il superiore della Casa della Vita non aveva abbassato lo
sguardo. Era l'avversario più temibile di tutti quelli che il Faraone aveva affrontato fino a quel momento.

— Mi segui?

— Fammi strada.

Il superiore si diresse con passo regolare verso il santuario
della pietra primordiale dove si ergeva un obelisco coperto
di geroglifici.

Sulla cima, la fenice, immobile.

— Accetti di alzare la testa, Maestà, e di fissare quell'uccello?

Il sole di mezzogiorno era talmente accecante che la fenice
era immersa in un mare di luce.

— Vuoi che diventi cieco?

— Spetta a te giudicare, Maestà.

— Un re non deve raccogliere le sfide.

— Chi lo può costringere se non se stesso?

— Spiegami il motivo del tuo comportamento.

— Tu porti un nome, Maestà, e su quel nome riposa il tuo regno. Sin qui, si trattava soltanto di un ideale; lo rimarrà ancora oppure oserai trasformarlo in realtà, esponendoti al rischio di una simile impresa?

Ramses guardò il sole.

Il disco d'oro non gli bruciò gli occhi; vide la fenice farsi più grande, battere le ali e innalzarsi nel cielo. Per alcuni lunghi minuti, lo sguardo del monarca non si staccò dalla luce che illuminava l'azzurro del cielo creando il giorno.

— Tu sei Ramses, Figlio della Luce e del Sole. Che il tuo regno proclami il loro trionfo sulle tenebre.

Ramses capì che non avrebbe mai avuto nulla da temere da quel sole di cui egli era l'incarnazione terrestre. Entrando in comunione con lui, si sarebbe nutrito della sua energia.

Senza dire una parola, il superiore si diresse verso un edificio oblungo, dalle mura alte e spesse. Ramses lo seguì ed entrò nella Casa della Vita di Heliopolis. Al centro, su un rialzo, era custodita la pietra divina, coperta da una pelle di ariete; gli alchimisti la usavano per le loro trasmutazioni e piccoli frammenti di essa venivano deposti nei sarcofaghi degli iniziati per consentire loro il passaggio dalla morte alla resurrezione.

Il superiore introdusse il re in una vasta biblioteca dove venivano conservate le opere di astronomia e astrologia, le profezie e gli annali regali.

— Secondo gli annali — dichiarò il superiore — la fenice non appariva a Heliopolis da millequattrocentosessantun'anni. La sua venuta, nel primo anno del tuo regno, sottolinea l'importante punto d'incontro fra due calendari stabiliti dai nostri astronomi: quello dell'anno fisso, che perde un giorno ogni quattro anni, e dell'anno reale, che perde un quarto di giorno all'anno. Nell'attimo esatto in cui sei salito sul trono, questi due cicli cosmici hanno coinciso. Se lo vorrai, verrà incisa una stele per annunciare questo avvenimento.

— Quale insegnamento devo trarre dalle tue rivelazioni?

— Che il caso non esiste, Maestà, e che il tuo destino appartiene agli dei.

Un'inondazione miracolosa, il ritorno della fenice, una nuova era... Era troppo per Shenar. Depresso, svuotato, riuscì comunque a fare bella figura durante le cerimonie organizzate in onore di Ramses, il cui regno, posto sotto simili auspici, si preannunciava notevole. Nessuno dubitava che gli dei avessero scelto quel giovane uomo per governare le Due Terre, mantenerne l'unione e aumentarne il prestigio.

Solo Serramanna appariva di cattivo umore. Garantire la sicurezza del re era continuamente un'impresa; vere e proprie orde di dignitari volevano salutare il Faraone che aveva inoltre attraversato sul suo carro le vie principali di Menfi, accompagnato dalle ovazioni del popolo. Indifferente alle raccomandazioni di prudenza impartitegli dal sardo, egli assaporava l'ebrezza della sua popolarità.

Non contento di esporsi in quel modo nella capitale, il re si avventurò nelle campagne, per la maggior parte coperte dalla stanca dell'inondazione. I contadini riparavano gli attrezzi e gli aratri, rafforzavano i granai, mentre i bambini imparavano a nuotare con l'aiuto di galleggianti. Le gru dal becco rosso e nero sorvolavano i campi inondati, mentre branchi di ippopotami irascibili oziavano nel fiume. Concedendosi solo due o tre ore di sonno al giorno, Ramses riuscì a visitare molti villaggi. Ricevette le promesse di fedeltà dei capi di provincia e dei sindaci e si guadagnò la fiducia dei più umili.

Quando tornò a Menfi, la decrescenza era cominciata e i coltivatori preparavano la semina.

— Non sembri nemmeno stanco — notò Nefertari.

— Come provare stanchezza quando si è in comunione con il proprio popolo? Tu, invece, sembri provata.

— Un malessere...

— Cosa dicono i medici?

— Che devo stare a letto se voglio avere un parto normale.

— E perché sei in piedi?

— In tua assenza, dovevo...

— Non lascerò più Menfi finché non avrai partorito.

— E il tuo grande progetto?

Ramses sembrò contrariato.

— Mi concederesti... un breve viaggio?

La regina sorrise.

— Posso forse rifiutare qualcosa a un Faraone?

— Com'è bella questa terra, Nefertari! Percorrendola, ho capito che era un miracolo del cielo, figlia dell'acqua e del sole. In essa si realizzano la forza di Horus e la bellezza di Hathor. Ogni secondo della nostra vita le deve essere dedicato; tu e io siamo nati non per governarla ma per servirla.

— Lo credo anch'io.

— Cosa intendi dire?

— Servire è l'atto più nobile che un essere umano possa compiere. È attraverso questo, e solo attraverso questo, che si può raggiungere la pienezza. *Hem*, "il servo"... Questa parola sublime non sta forse a indicare sia l'uomo più modesto, il manovale di un cantiere o il contadino, sia l'uomo più potente, il Faraone, servo degli dei e del suo popolo? Ma dall'incoronazione ho intravisto un'altra realtà. Né tu né io possiamo accontentarci di servire. Occorre anche dirigere, orientare, reggere il timone che permetterà alla nave dello Stato di seguire la rotta giusta. Nessuno può farlo al posto nostro.

Il re si incupì.

— Quand'è morto mio padre, ho provato lo stesso sentimento. Com'era bello sentire la presenza di un essere superiore, capace di guidare, consigliare e ordinare! Grazie a lui, nessuna difficoltà appariva insormontabile, nessuna disgrazia irrimediabile.

— È ciò che il tuo popolo si aspetta da te.

— Ho fissato il sole e non mi ha bruciato gli occhi.

— Il sole è in te, Ramses; esso dà la vita, fa crescere le piante, gli animali e gli uomini, ma può anche seccare e uccidere se diventa troppo forte.

— Il deserto è arso dal sole, eppure in esso la vita non manca!

— Il deserto è l'aldilà in terra, gli uomini non vi costruiscono le loro case, ma soltanto le dimore di eternità che attraverseranno i secoli, incuranti del tempo. Non è forse questa la tentazione del Faraone: immergere il suo pensiero nel deserto dimenticando gli uomini?

— Mio padre era un uomo del deserto.

— Ogni Faraone lo deve essere, ma il suo sguardo deve anche far fiorire la Valle.

Ramses e Nefertari assaporarono insieme la quiete della sera, mentre la luce dorata del crepuscolo illuminava l'obelisco unico di Heliopolis.

35

Appena le finestre della stanza di Ramses si oscurarono, Serramanna lasciò il palazzo, non senza aver controllato che le guardie da lui scelte fossero al loro posto. Il sardo saltò in groppa a uno splendido cavallo nero, attraversò Menfi al galoppo e si diresse verso il deserto.

Gli egiziani non amavano spostarsi di notte. Dopo il tramonto, i demoni uscivano dalle loro tane e aggredivano i viaggiatori imprudenti. Il colosso sardo non si curava di quelle superstizioni e sarebbe stato in grado di difendersi contro un'orda di bestie mostruose. Quando aveva qualcosa in mente, nessuno lo poteva fermare.

Serramanna aveva sperato che Setau si sarebbe presentato a corte e avrebbe partecipato ai festeggiamenti in onore di Ramses. Ma lo specialista dei serpenti, fedele alla sua reputazione di eccentrico, non aveva lasciato il suo laboratorio. Ancora a caccia di colui che aveva introdotto lo scorpione nella cabina di Ramses, il sardo interrogava gli uni e gli altri e tentava di ottenere informazioni più o meno confidenziali.

Nessuno amava Setau. Si temevano i suoi malefici e le orribili creature che frequentava, ma bisognava riconoscere che il suo commercio prosperava. Vendendo il veleno a coloro che preparavano i rimedi destinati a curare le malattie gravi, Setau stava diventando ricco.

Benché continuasse a diffidare di Romè, Serramanna fu costretto ad ammettere che Setau costituiva un ottimo sospetto. Dopo il fallito attentato, l'incantatore di serpenti non osava più presentarsi davanti a Ramses e affrontare lo sguardo dell'amico; il fatto che stesse rinchiuso nella sua proprietà, non era forse una confessione?

Serramanna aveva bisogno di vederlo. L'ex pirata si era abituato a giudicare gli avversari dall'aspetto e doveva la sua sopravvivenza alla perspicacia; dopo aver osservato Setau, si sarebbe fatto un'opinione. E dal momento che quest'ultimo si nascondeva, il sardo lo avrebbe scovato.

Sul limitare dei campi coltivati, Serramanna scese dal cavallo che legò al tronco di un fico. Mormorò qualche parola all'orecchio dell'animale per tranquillizzarlo e si diresse in silenzio verso la fattoria-laboratorio di Setau. Benché la luna fosse da poco crescente, la notte era chiara. La risata di una iena non turbò il sardo che si sentiva come se stesse andando all'abbordaggio di una nave cogliendola di sorpresa.

C'era luce nel laboratorio. E se un interrogatorio un po' spinto gli avesse permesso di ottenere la verità? Certo, Serramanna aveva promesso di andarci piano con i sospetti, ma la necessità non fa forse la legge? Prudente, si curvò, aggirò una montagnetta e raggiunse l'edificio dal retro.

Addossato al muro, il sardo ascoltò.

Dall'interno del laboratorio provenivano dei gemiti. Quale disgraziato stava torturando l'incantatore di serpenti? Serramanna si spostò di lato, sino a un'apertura, e diede un'occhiata all'interno. Vasetti, otri, filtri, gabbie che contenevano scorpioni e serpenti, coltelli di varie dimensioni, cesti... Ogni genere di cianfrusaglie disposte su scaffali e banchi da lavoro.

Per terra, un uomo e una donna, nudi e abbracciati. Una splendida nubiana, dal corpo slanciato e ardente, gemeva di piacere. Il suo compagno, dai capelli neri e la testa quadrata, era un uomo virile e tarchiato.

Il sardo voltò la testa. Per quanto apprezzasse immoderatamente le donne, vedere gli altri che facevano l'amore non lo interessava affatto; eppure, la bellezza di quella nubiana lo aveva toccato. Interrompere quell'appassionato amplesso sarebbe stato criminale; decise così di aspettare. Spossato, Setau sarebbe stato una preda più facile da interrogare.

Il pensiero di Serramanna si rivolse alla bella ragazza di Menfi con cui avrebbe cenato l'indomani sera; secondo la sua migliore amica, apprezzava gli uomini forti e muscolosi.

Sulla sua sinistra sentì uno strano rumore.

Il sardo voltò la testa e vide un enorme cobra. Il rettile si era rizzato ed era pronto ad attaccare. Conveniva evitare il confronto. Serramanna indietreggiò, urtò il muro e si bloccò. Un altro serpente, simile al primo, gli sbarrava la strada.

— Indietro, bestiacce!

Il pugnale del colosso non spaventò i serpenti, sempre altrettanto minacciosi. Se fosse riuscito a ucciderne uno, l'altro lo avrebbe morso.

— Che sta succedendo qui?

Nudo, con una fiaccola in mano, Setau vide Serramanna.

— Sei venuto a rubare i miei prodotti... I miei fedeli cani da guardia mi proteggono contro questi inconvenienti. Sono vigili e affettuosi. Peccato per te che il loro bacio sia mortale.

— Non commetteresti un omicidio, Setau!

— Guarda, conosci il mio nome... Sei comunque un ladro colto in flagrante, con un pugnale in mano. Legittima difesa, concluderà il giudice.

— Sono Serramanna, il capo della guardia personale di Ramses.

— Il tuo volto mi era familiare. Qual è il motivo di questo tentato furto?

— Volevo vederti, soltanto vederti.

— A quest'ora della notte? Non solo mi impedisci di fare l'amore con Loto, ma in più menti grossolanamente.

— Dico la verità.

— E perché questa voglia improvvisa?

— Questioni di sicurezza.

— Che cosa significa?

— È mio dovere proteggere il re.

— Io sarei una minaccia per Ramses?

— Non ho detto questo.

— Ma lo pensi, dal momento che sei venuto a spiarmi.

— Non ho il diritto di sbagliare.

I due cobra si erano avvicinati al sardo. Gli occhi di Setau erano pieni di rabbia.

— Non commettere follie.

— Un ex pirata teme forse la morte?

— Questa, sì.

— Vattene via, Serramanna, e non importunarmi più. Altrimenti, non tratterrò i miei guardiani.

Obbedendo a un segno di Setau, i cobra si allontanarono. Il sardo, madido di sudore, passò tra di loro e camminò dritto davanti a sé, sino ai campi coltivati.

Ormai, la sua opinione era chiara: quel Setau aveva un animo criminale.

— Che cosa fanno? — chiese il piccolo Kha guardando i contadini che spingevano un gregge di pecore ad avanzare su un terreno intriso d'acqua.

— Fanno schiacciare i semi agli animali — rispose Nedjem, il ministro dell'Agricoltura. — La piena ha depositato un'enorme quantità di limo sulle rive e sui campi e grazie a questo il grano sarà forte e abbondante.

— Sono utili quelle pecore?

— Quanto le mucche e tutti gli animali del creato.

La descrescenza era iniziata, i seminatori si erano messi al lavoro, felici di calpestare il fango fertile che il fiume aveva offerto loro in abbondanza. Lavoravano presto la mattina e avevano ben pochi giorni per approfittare di quella terra molle e facile da dissodare. Dopo il passaggio della marra, che spezzava le zolle intrise d'acqua, la terra appena seminata veniva ricoperta velocemente e gli animali aiutavano gli uomini a interrare i semi.

— È bella la tua campagna — disse Kha — ma preferisco i geroglifici e i papiri.

— Desideri vedere una fattoria?

— Se vuoi.

Il ministro prese il bimbo per mano. Camminava proprio come leggeva e scriveva: con una serietà del tutto insolita per la sua età. Nedjem il dolce era stato colpito dall'isolamento del bambino, che non chiedeva né giocattoli né amichetti, e aveva pregato sua madre, la bella Iset, di permettergli di fargli da precettore. Gli sembrava indispensabile far uscire il figlio di Ramses dalla sua prigione dorata e fargli scoprire la natura e le sue meraviglie.

Kha osservava le cose non come un bambino sorpreso da uno spettacolo insolito e nuovo, ma come uno scriba di provata esperienza, pronto a prendere appunti per redigere un rapporto per la sua amministrazione.

La fattoria era composta da alcuni granai, delle stalle, un'aia, un panificio e un orto. All'ingresso, Nedjem e Kha furono invitati a lavarsi le mani e i piedi. Poi il proprietario li accolse, felice di ricevere la visita di simili personalità. Fece vedere loro le sue più belle mucche da latte, nutrite e accudite con la massima cura.

— Il mio segreto — confessò — consiste nel portarle a pascolare nel posto giusto; non hanno troppo caldo, mangiano a sufficienza e prosperano ogni giorno di più!

— La mucca è l'animale della dea Hathor — dichiarò il piccolo Kha. — Per questo è bella e dolce.

Il fattore fu sorpreso.

— Chi ti ha insegnato queste cose, principe?

236

— L'ho letto in una fiaba.

— Sai già leggere?

— Mi fai un favore?

— Certo!

— Dammi un frammento di calcare e un pezzo di canna.

— Sì, sì... subito...

Il fattore lanciò un'occhiata a Nedjem che approvò ammiccando. Con i suoi strumenti, il bambino si avventurò nel cortile della fattoria e poi nelle stalle, sorvegliato dai contadini esterrefatti.

Un'ora dopo, presentò al suo ospite il frammento di calcare, ricoperto di cifre.

— Ho contato bene — affermò Kha. — Possiedi centododici mucche.

Il bambino si stropicciò gli occhi e si rifugiò tra le gambe di Nedjem.

— Adesso ho sonno — confessò.

Il ministro dell'Agricoltura lo prese in braccio.

Kha si era già addormentato.

"Un nuovo miracolo di Ramses" pensò Nedjem.

36

Le spalle larghe, la fronte alta incorniciata da una folta capigliatura, la barba, il viso segnato dal sole, Mosè aveva lo stesso corpo atletico di Ramses. Entrò con lentezza nello studio del re d'Egitto.

Ramses si alzò, i due amici si abbracciarono.

— È qui che lavorava Sethi, vero?

— Non ho modificato nulla, Mosè. Questa stanza è abitata dal suo pensiero; possa ispirarmi per governare.

Una luce soffusa penetrava dalle tre finestre a bilico la cui posizione consentiva all'aria di circolare. Il caldo di fine estate stava diventando piacevole.

Ramses si alzò dalla poltrona reale dallo schienale dritto per andarsi a sedere su una sedia impagliata, davanti all'amico.

— Come stai, Mosè?

— Godo di ottima salute, ma le mie energie non trovano sfogo.

— Non abbiamo più il tempo di vederci, ed è colpa mia.

— Sai bene che l'ozio, per quanto agiato, mi fa orrore. Il mio lavoro a Karnak mi piaceva.

— La corte di Menfi non offre attrattive?

— I cortigiani mi annoiano. Non smettono un momento di

tessere le tue lodi e faranno presto di te una divinità. È una cosa stupida e disprezzabile.

— Stai forse criticando il mio operato?

— La piena miracolosa, la fenice, la nuova era... Sono fatti indiscutibili che spiegano la tua popolarità. Possiedi poteri soprannaturali, sei predestinato? Il tuo popolo ne è convinto.

— E tu, Mosè?

— Forse è la verità. Ma tu non sei il vero Dio.

— L'ho forse mai sostenuto?

— Stai attento, Ramses; le lusinghe di chi ti circonda potrebbero far nascere in te una vanità illimitata.

— Conosci male il ruolo e la funzione del Faraone. Inoltre, mi prendi per un mediocre.

— Cerco soltanto di aiutarti.

— Te ne offro l'occasione.

Un guizzo di curiosità attraversò lo sguardo di Mosè.

— Mi rimandi a Karnak?

— Ho un compito più importante da affidarti, se sei d'accordo.

— Più importante di Karnak?

Il re si alzò e si appoggiò alla finestra.

— Ho concepito un progetto enorme e ne ho parlato con Nefertari. Abbiamo ritenuto entrambi che fosse necessario attendere un segno prima di realizzarlo. La piena e la fenice... Il cielo mi ha offerto due segni, la Casa della Vita mi ha confermato che, secondo le leggi dell'astronomia, stava iniziando una nuova era. Terminerò ovviamente l'opera avviata da mio padre, sia a Karnak che ad Abido; ma questa nuova era dev'essere segnata da nuove creazioni. Pensi si tratti di vanità, Mosè?

— La tradizione vuole che ogni Faraone agisca così.

Ramses sembrò pensieroso.

— Il mondo sta cambiando, gli ittiti costituiscono una minaccia permanente. L'Egitto è un paese ricco e attraente. Queste verità mi hanno portato a ideare il mio progetto.

— Rafforzare la potenza dell'esercito?

— No, Mosè, ma spostare il centro vitale dell'Egitto.

— Vuoi dire...

— Edificare una nuova capitale.

L'ebreo era esterrefatto.

— Ma non è... una follia?

— È sulla frontiera nordorientale che si deciderà la sorte del nostro paese. È quindi sul Delta che dovrà risiedere il mio governo affinché possa essere immediatamente informato del benché minimo avvenimento in Libano, in Siria e nei protettorati minacciati dagli ittiti. Tebe rimarrà la città di Amon, una città splendida, sede dell'immensa Karnak e della sublime Luxor che contribuirò ad abbellire. Sulla riva occidentale, la montagna del silenzio veglierà per sempre sulle Valli dei Re e delle Regine, e sulle dimore di eternità dei giusti.

— Ma... Menfi?

— Menfi è l'ago della bilancia delle Due Terre, il punto di congiunzione tra il Delta e la valle del Nilo; rimarrà la nostra capitale economica e il nostro centro di regolazione interna. Ma dobbiamo spostarci verso nord e verso est, Mosè, non dobbiamo rinchiuderci nel nostro splendido isolamento né scordarci che siamo già stati invasi e che l'Egitto costituisce una preda allettante.

— La linea fortificata non basta?

— In caso di pericolo, devo poter reagire subito. Più sarò vicino alla frontiera, più le informazioni mi giungeranno rapidamente.

— Creare una capitale è un'impresa pericolosa. Akhenaton non ha forse fallito?

— Akhenaton aveva commesso degli errori imperdonabili. Il sito prescelto, nel Medio Egitto, era condannato in partenza. Egli non ricercava la felicità del suo popolo, ma la realizzazione di un sogno mistico.

— Non si è forse opposto come te ai sacerdoti di Amon?

— Se il sommo sacerdote di Amon è fedele alla Regola e al re, perché dovrei combatterlo?

— Akhenaton credeva in un Dio unico e costruì una città in suo onore.

— Ha quasi rovinato il prospero paese che gli era stato lasciato dal padre, il grande Amenhotep; Akhenaton era un uomo debole e indeciso, perso nelle sue preghiere. Durante il suo regno, le potenze ostili all'Egitto hanno conquistato numerosi territori che erano sotto il nostro controllo. Intendi forse difenderlo?

Mosè esitò.

— Oggi la sua capitale è abbandonata.

— La mia verrà costruita per molte generazioni.

— Mi stai quasi spaventando, Ramses.

— Riprendi coraggio, amico mio!

— Quanti anni ci vorranno per far sorgere una città dal nulla?

Ramses sorrise.

— Non sorgerà dal nulla.

— Spiegati.

— Durante gli anni della mia formazione, Sethi mi ha fatto scoprire alcuni luoghi molto importanti. A ogni viaggio, mi trasmetteva un insegnamento che tentavo di cogliere; adesso, quei pellegrinaggi assumono un significato. Uno dei suoi luoghi preferiti era Avaris.

— Avaris, la città maledetta, la capitale degli invasori Hyksos?

— Sethi portava il nome di Seth, l'assassino di Osiride, perché la sua potenza era tale da placare la forza distruttiva e da estrarne la luce nascosta e usarla per costruire.

— E tu vorresti trasformare Avaris nella città di Ramses?

— *Pi-Ramses*, "la città di Ramses", capitale d'Egitto: sarà questo il suo nome.

— È una follia!

— Pi-Ramses sarà magnifica e accogliente, i poeti ne celebreranno la bellezza.

— Fra quanti anni?

— Non sto eludendo la tua domanda; è anzi proprio per questo che ti ho convocato.

— Temo di capire...

— Ho bisogno di un uomo fidato per controllare i lavori ed evitare i ritardi. Ho fretta, Mosè; Avaris dev'essere trasformata quanto prima in Pi-Ramses.

— Hai pensato a un termine?

— Meno di un anno.

— Impossibile!

— Grazie a te, no.

— Mi credi forse capace di spostare le pietre alla velocità del falco e di assemblarle con la sola forza della volontà?

— Le pietre, no; i mattoni, sì.

— Allora, hai pensato...

— Agli ebrei che lavorano numerosi in questo settore. Al momento sono dispersi in vari centri abitati; riunendoli, metterai insieme una formidabile squadra di operai qualificati, capaci di portare a termine un'impresa gigantesca!

— I templi non devono essere fatti di pietra?

— Farò ampliare quelli che esistono già e la costruzione si prolungherà negli anni. Con i mattoni edificheremo i palazzi, gli edifici amministrativi, le ville dei nobili, le case, grandi e piccole. Tra meno di un anno, Pi-Ramses sarà abitabile e fungerà da capitale.

Mosè sembrò perplesso.

— Continuo a pensare che sia impossibile. Solo la pianta...

— L'ho già in mente, la pianta! La disegnerò io stesso sul papiro e tu ne controllerai personalmente l'esecuzione.

— Gli ebrei sono persone piuttosto ribelli; ogni clan ha un suo capo.

— Non ti chiedo di diventare il re di una nazione, ma di dirigere i lavori.

— Non sarà facile impormi.

— Mi fido.

— Non appena il progetto diventerà noto, altri ebrei tenteranno di prendere il mio posto.

— Credi che possano riuscirci?

Mosè sorrise a sua volta.

— Entro i termini che hai fissato, non abbiamo nessuna possibilità di riuscire.

— Costruiremo Pi-Ramses, la città risplenderà sotto il sole del Delta e illuminerà l'Egitto con la sua bellezza. Al lavoro, Mosè.

37

Abner, il mattonaio, non sopportava più le prepotenze di Sary. Solo perché era il marito della sorella di Ramses, l'egiziano trattava gli operai con disprezzo e durezza. Sottopagava gli straordinari, truffava i suoi uomini sulle razioni di cibo e rifiutava di concedere loro le ferie con il pretesto che il lavoro era fatto male.

Fino a che Mosè era rimasto a Tebe, Sary era stato costretto a battere in ritirata; dopo la sua partenza, era diventato ancora più aggressivo. Il giorno prima aveva preso a bastonate un ragazzo di quindici anni, accusandolo di non trasportare abbastanza velocemente i mattoni dall'opificio alla barca.

Questa volta, aveva oltrepassato il segno.

Quando Sary si presentò all'ingresso dell'opificio, gli ebrei erano seduti in cerchio. Solo Abner stava in piedi, davanti alle ceste vuote.

— In piedi, al lavoro! — ordinò Sary, la cui magrezza si era accentuata.

— Vogliamo delle scuse — dichiarò Abner con calma.

— Quale parola hai usato?

— Il ragazzo che hai battuto ingiustamente è a letto. Gli devi delle scuse, a lui come a noi.

— Hai perso la testa, Abner?

— Finché non avremo ricevuto soddisfazione, non riprenderemo il lavoro.

La risata di Sary fu feroce.

— Sei ridicolo, mio povero Abner!

— Dato che ti prendi gioco di noi, sporgeremo denuncia.

— Sei ridicolo e stupido. Ho ordinato un'inchiesta alla polizia la quale ha concluso che quel giovane manovale è rimasto vittima di un incidente avvenuto per colpa sua.

— Ma... è una bugia!

— La sua dichiarazione è stata messa a verbale da uno scriba in mia presenza; se dovesse tornare sulla sua deposizione, sarebbe lui a essere accusato di menzogna.

— Come osi snaturare così la verità?

— Se non riprendete immediatamente il lavoro, subirete gravi punizioni. Dovete consegnare i mattoni per la nuova dimora del sindaco di Tebe e lui non tollera i ritardi.

— Le leggi...

— Non parlare delle leggi, ebreo. Sei incapace di capirle. Se osi sporgere denuncia, la tua famiglia e i tuoi cari ne subiranno le conseguenze.

Abner ebbe paura dell'egiziano. Lui e gli altri operai ripresero il lavoro.

Dolente, la moglie di Sary, era sempre più affascinata dalla strana personalità di Ofir, il mago libico. Malgrado il suo viso inquietante e il suo profilo aquilino, egli pronunciava parole rassicuranti e parlava del disco solare, Aton, con un calore contagioso. Ospite discreto, aveva accettato di ricevere numerosi amici della sorella di Ramses, di narrare l'ingiusta persecuzione inflitta ad Akhenaton e di affermare la necessità di promuovere il culto di un Dio unico.

Ofir ammaliava. Nessuno usciva da quei colloqui indifferente; alcuni erano scossi, altri convinti che il mago avesse ragione. Egli era riuscito, a poco a poco, a tessere una ragnatela nella quale tratteneva le prede degne d'interesse. Col passare delle settimane, la rete dei sostenitori di Aton e del regno di Lita si era ampliata, anche se sembrava ancora lontano il giorno in cui avrebbe potuto avere un qualche ruolo nella conquista del trono. Un movimento di idee stava prendendo forma.

Lita assisteva alle conversazioni, ma non diceva una parola. La dignità della giovane donna, il suo portamento, il suo ritegno conquistarono vari notabili. Apparteneva indubbiamente a una stirpe regale che meritava di essere presa in considerazione. Non era destinata a ritrovare, prima o poi, un posto a corte?

Ofir non criticava, non esigeva nulla. Con voce grave e suadente, ricordava le convinzioni profonde di Akhenaton, la bellezza dei poemi da lui stesso composti in onore di Aton, il suo amore per la verità. L'amore e la pace: non era questo il messaggio del re perseguitato e della sua discendente Lita? E quel messaggio annunciava un futuro magnifico, un futuro degno dell'Egitto e della sua civiltà.

Quando Dolente presentò il mago all'ex ministro degli Affari esteri Meba si sentì molto orgogliosa. Orgogliosa di uscire dalla sua solita apatia, orgogliosa di servire una nobile causa. Ramses l'aveva abbandonata, il mago dava un senso alla sua esistenza.

Con il suo viso ampio e rassicurante, il suo portamento nobile e imponente, l'anziano diplomatico non nascose la propria diffidenza.

— Cedo di fronte alla tua insistenza, mia cara, ma unicamente per farti piacere.

— Te ne ringrazio, Meba; non lo rimpiangerai.

Dolente accompagnò Meba dal mago, seduto sotto una persea. L'uomo stava legando due fili di lino per preparare una cordicella alla quale avrebbe fissato un amuleto.

Si alzò e si inchinò.

— È un grandissimo onore per me ricevere un ministro.

— Non sono più niente — dichiarò Meba con asprezza.

— L'ingiustizia può colpire chiunque in qualsiasi momento.

— Non è una consolazione.

La sorella di Ramses intervenne.

— Ho spiegato tutto al mio amico Meba; forse accetterà di aiutarci.

— Non facciamoci illusioni, mia cara! Ramses mi ha costretto a un ritiro dorato.

— Desideri vendicarti — affermò il mago con voce posata.

— Non esageriamo — protestò Meba. — Ho ancora degli amici influenti che...

— Si preoccuperanno della loro carriera, non della tua. Io ho un altro obiettivo: dimostrare la legittimità di Lita.

— È un'utopia. Ramses possiede una personalità straordinariamente forte, e non cederà il potere a nessuno. Per di più, i miracoli che hanno segnato il primo anno del suo regno lo hanno reso molto popolare. Credimi, è impossibile colpirlo.

— Per sconfiggere un simile avversario, non bisogna battersi sul suo stesso terreno.

— Qual è il tuo piano?

— Ti interessa?

Imbarazzato, Meba toccò l'amuleto che portava al collo.

— Be'...

— Con quel gesto, hai dato tu stesso la risposta: la magia. Io ho la capacità di spezzare le protezioni che circondano Ramses. Sarà un lavoro lungo e difficile, ma ci riuscirò.

Spaventato, il diplomatico fece un passo indietro.

— Non sono in grado di aiutarti.

— Non te lo chiedo, Meba. Ma c'è un altro terreno sul quale possiamo attaccare Ramses: quello delle idee.

— Non ti seguo.

— I seguaci di Aton hanno bisogno di un capo rispettato e rispettabile. Quando Aton eliminerà gli altri dei, quell'uomo giocherà un ruolo fondamentale e rovescerà Ramses, ormai indebolito e incapace di reagire.

— È... è molto rischioso!

— Akhenaton è stato perseguitato, ma Aton no. Nessuna legge ne proibisce il culto, i suoi seguaci sono numerosi e determinati a imporlo. Akhenaton ha fallito, noi vinceremo.

Meba era turbato; le sue mani tremavano.

— Devo riflettere.

— Non è forse esaltante? — gli chiese la sorella del re. — È un mondo nuovo quello che si apre davanti a noi, un mondo dove ritroveremo il posto che ci spetta!

— Sì, indubbiamente... Ci penserò.

Ofir era molto soddisfatto di quel colloquio. Il prudente e timoroso Meba non aveva certo la stoffa del capo, ma odiava Ramses e sognava di riconquistare la sua posizione. Incapace di agire, avrebbe sfruttato quest'opportunità dopo aver consultato il suo amico e la sua guida, Shenar, l'uomo che Ofir intendeva manipolare. Dolente gli aveva parlato a lungo del nuovo ministro degli Affari esteri, un tempo geloso del fratello. Se non era cambiato, Shenar procedeva sicuramente, di nascosto, animato dallo stesso desiderio di distruggere Ramses. Attraverso Meba, il mago avrebbe finito per mettersi in contatto con quel potente personaggio e ne avrebbe fatto il suo alleato principale.

Dopo una lunga ed estenuante giornata di lavoro, l'alluce del piede destro di Sary era rosso e gonfio, deformato dall'artrite. L'ex tutore guidava con difficoltà il suo carro di rappresentanza perché stare in piedi gli procurava un dolore insopportabile. La sua unica soddisfazione era stata quella di prendere delle misure disciplinari contro gli ebrei, che avevano finalmente capito quanto fosse inutile ribellarsi contro di lui. Grazie alle sue conoscenze nella polizia di Tebe e all'appoggio del sindaco della città, poteva trattare i fabbricanti di mattoni a suo piacimento e sfogarsi con quella plebaglia.

La presenza del mago e della sua silenziosa ninfa Egeria cominciavano a importunarlo. Certo, quei due strani perso-

naggi erano molto discreti, ma avevano un'influenza eccessiva su Dolente, la cui devozione nei confronti di Aton stava
diventando esasperante. A forza di perdersi nel suo mistici-
smo e di bere le parole di Ofir come fossero acqua di sorgente, non stava forse trascurando i suoi doveri coniugali?

La languida donna dai capelli neri lo attendeva sulla soglia
della villa.

— Vai a prendere l'unguento per massaggiarmi — le ordinò. — Il dolore è insopportabile.

— Non sei un po' troppo delicato, mio caro?

— Io, delicato? Non immagini quanto siano pesanti le mie
giornate! La compagnia di quegli ebrei mi deprime.

Dolente lo prese per un braccio e lo accompagnò nella loro
camera. Sary si sdraiò su dei cuscini, sua moglie gli lavò i
piedi, li profumò e spalmò d'unguento l'alluce gonfio.

— Il tuo mago è ancora qui?

— Meba è venuto a trovarlo.

— L'ex ministro degli Affari esteri?

— Sono andati d'accordo.

— Meba, seguace di Aton? È un fifone!

— Ha ancora molte conoscenze, tanti notabili lo rispettano. Se accetta di aiutare Ofir e Lita, faremo dei progressi.

— Non stai dando troppa importanza a quei due illuminati?

— Sary! Come osi parlare così?

— Va bene, va bene... Non ho detto niente.

— Sono la nostra unica possibilità di riconquistare la posizione che ci spetta. E poi la fede in Aton è così bella, così pura... Il tuo cuore non si intenerisce quando Ofir parla della
sua fede?

— Tuo marito non conta forse di più di quel mago libico?

— Ma... non è paragonabile!

— Lui ti osserva tutto il giorno, mentre io sorveglio quegli
sfaticati di ebrei. Una bionda e una mora sotto lo stesso tetto... È un uomo fortunato, Ofir!

Dolente smise di massaggiare l'alluce malato.

— Stai delirando, Sary! Ofir è un saggio e un uomo di preghiera. È da tempo che non pensa più...

— E tu, ci pensi ancora?

— Sei disgustoso!

— Togliti il vestito, cara, e ricomincia a massaggiarmi. A me, le preghiere non interessano.

— Ah, dimenticavo!

— Che cosa?

— Un messaggero reale ha consegnato una lettera per te.

— Portamela.

Dolente uscì. A Sary l'alluce faceva già meno male. Cosa volevano dall'amministrazione? Senz'altro offrirgli una carica più degna, che gli avrebbe permesso questa volta di evitare il contatto con gli ebrei.

Sua moglie riapparve con la lettera. Sary tolse il sigillo del papiro e lo srotolò.

Nel leggerlo, il suo viso si contrasse, le sue labbra sbiancarono.

— Cattive notizie?

— Sono convocato a Menfi con la mia squadra di fabbricanti di mattoni.

— È... è meraviglioso!

— La lettera è firmata da Mosè, sovrintendente dei cantieri reali.

38

All'appello, non mancava un solo mattonaio ebreo. Quando le lettere di Mosè avevano raggiunto i vari centri abitati dove lavoravano, l'entusiasmo era stato generale. Dai tempi della sua permanenza a Karnak, la reputazione di Mosè si era diffusa in tutto il paese. Chiunque sapeva che l'ebreo difendeva i suoi fratelli e che non tollerava l'oppressione. Essere amico di Ramses gli dava un vantaggio enorme; ed ecco che era stato nominato sovrintendente dei cantieri reali! Per molti, era la nascita di una grande speranza. Il giovane ebreo non avrebbe forse migliorato le loro condizioni di lavoro e la loro retribuzione?

Lui stesso non si aspettava un simile successo. Alcuni capi-clan apparivano contrariati, ma gli ordini del Faraone non potevano essere discussi; e così accettarono di sottostare all'autorità di Mosè, che percorreva gli accampamenti di tende insediati a nord di Menfi per verificarne le condizioni e l'igiene.

Sary gli sbarrò la strada.

— Perché mi hai convocato?

— Lo saprai presto.

— Non sono un ebreo, io!

— Ci sono diversi capisquadra egiziani qui.

— Dimentichi forse che mia moglie è la sorella del re?

— E io sono il sovrintendente dei suoi cantieri. In altre parole, mi devi obbedire.

Sary si morse le labbra.

— Il mio branco di ebrei è molto indisciplinato. Ho preso l'abitudine di usare il bastone e non intendo abbandonarla.

— Se usato bene, il bastone serve ad aprire l'orecchio che abbiamo sulla schiena; in caso di ingiustizia, spetta al bastonatore essere bastonato. Ne avrò cura io stesso.

— La tua arroganza non mi spaventa.

— Dovresti stare più attento, Sary; sono in grado di licenziarti. Potresti diventare un ottimo mattonaio!

— Non oseresti mai...

— Ramses mi ha dato pieni poteri. Ricordatelo.

Mosè si allontanò da Sary che sputò sulle impronte dei suoi passi.

Quel ritorno a Menfi, di cui tanto si rallegrava Dolente, si annunciava infernale. Benché fosse stato ufficialmente informato del fatto che la sua sorella maggiore aveva accompagnato il marito, Ramses non aveva reagito. La coppia si era sistemata in una villa di medie dimensioni dove nascondevano Ofir e Lita, che avevano spacciato per domestici. I tre, malgrado la disapprovazione di Sary, erano assolutamente decisi a ricominciare a Menfi ciò che avevano intrapreso a Tebe. Dato l'alto numero di stranieri residenti nella capitale economica del paese, la diffusione della religione di Aton sarebbe stata più facile rispetto al Sud, più tradizionalista e ostile alle evoluzioni religiose. Dolente vedeva in tutto ciò un segno assai propizio al successo della loro iniziativa.

Sary rimaneva scettico e si preoccupava essenzialmente del suo destino. Che cosa avrebbe detto Mosè nel discorso che doveva pronunciare di fronte a migliaia di ebrei sovreccitati?

L'ingresso del ministero degli Affari esteri era sorvegliato da una statua di Thot, rappresentato con le sembianze di un enorme babbuino di granito rosa. Il dio della scrittura, incarnato in quel temibile animale capace di mettere in fuga una belva, non aveva forse separato le lingue nel momento della creazione delle razze umane? Seguendo il suo esempio, i diplomatici dovevano conoscere diversi idiomi, poiché l'esportazione dei segni sacri, scolpiti nella pietra dagli egiziani, era proibita. Durante le loro permanenze all'estero, gli ambasciatori e i messaggeri parlavano la lingua del paese in cui si trovavano.

Alla stregua di tutti gli alti funzionari del ministero, Asha si raccolse nella cappella che si trovava a sinistra dell'ingresso dell'edificio e depose alcuni narcisi sull'altare di Thot. Prima di occuparsi delle complesse pratiche da cui dipendeva la sicurezza del paese, era bene implorare i favori dello scriba divino.

Dopo aver compiuto il rito, l'elegante e brillante diplomatico attraversò varie sale occupate da funzionari indaffarati e chiese di poter essere ricevuto da Shenar, il cui ampio ufficio si trovava a quello stesso piano.

— Asha, finalmente! Dov'eri?

— Ho passato una notte alquanto frivola e ho dormito più a lungo del solito. Il mio lieve ritardo ti ha forse creato problemi?

Il viso di Shenar era rosso e gonfio; il fratello maggiore del Faraone era indubbiamente in preda a una violenta emozione.

— Un grave incidente?

— Hai sentito parlare dell'assembramento dei mattonai ebrei a nord di Menfi?

— Non ci ho fatto molto caso.

— Neanch'io, e abbiamo avuto torto tutti e due!

— E come potrebbero riguardarci quelle persone?

Il rigido volto allungato e la voce suadente, Asha provava

solo un gran disprezzo nei confronti degli operai, che non aveva mai occasione di frequentare.

— Sai chi è l'uomo che li ha convocati là e che ha ormai la carica di sovrintendente dei cantieri reali? Mosè!

— Non è sorprendente. Aveva già controllato il cantiere di Karnak e ha ottenuto una promozione.

— Se si trattasse solo di questo... Ieri, Mosè si è rivolto agli ebrei e ha svelato loro il progetto di Ramses: costruire una nuova capitale nel Delta!

Questa rivelazione fu seguita da un lungo silenzio. Asha, solitamente così sicuro di sé, accusava il colpo.

— Sei sicuro...

— Sì, Asha, assolutamente sicuro! Mosè esegue gli ordini di mio fratello.

— Una nuova capitale... È impossibile.

— Non per Ramses!

— Si tratta solo di un progetto?

— Il Faraone ha disegnato lui stesso la pianta e scelto l'ubicazione. Un'ubicazione incredibile: Avaris, la città maledetta degli Hyksos, gli occupanti di cui è stato così difficile sbarazzarsi!

Improvvisamente, il viso smorto di Shenar si illuminò.

— E se... se Ramses fosse impazzito? La sua impresa è destinata a fallire e a quel punto bisognerà rivolgersi a persone ragionevoli.

— Non essere troppo ottimista. Ramses corre certo dei grandi rischi, ma il suo istinto è una buona guida. Il Faraone non poteva prendere una decisione migliore; spostare la capitale nella parte nordorientale del paese, così vicino alla frontiera, sarà un chiaro avvertimento per gli ittiti. Invece di ripiegarsi su se stesso, l'Egitto si mostra consapevole del pericolo e deciso a non cedere neanche di un palmo. Il re sarà subito informato degli intrighi dei nemici e reagirà senza indugi.

Shenar si mise a sedere, disgustato.

— È una catastrofe. I nostri progetti crollano.

— Non mostrarti troppo pessimista. Innanzitutto, il desiderio di Ramses forse non diventerà realtà; e poi, perché rinunciare ai nostri piani?

— Non è evidente come mio fratello stia tentando di impossessarsi della politica estera?

— Non è una sorpresa, ma continua comunque a dipendere dalle informazioni che riceverà e sulla base delle quali valuterà la situazione. Lasciamo che minimizzi il nostro ruolo e obbediamogli con deferenza.

Shenar riacquistò fiducia.

— Hai ragione, Asha; una nuova capitale non sarà per noi un ostacolo insormontabile.

La regina madre Tuya aveva ritrovato con emozione il giardino del suo palazzo di Menfi. Come erano state rare le passeggiate in compagnia di Sethi, e brevi gli anni passati al suo fianco! La donna ricordava ogni sua parola, ogni suo sguardo, e aveva spesso sognato una vecchiaia lunga e tranquilla durante la quale avrebbero rievocato insieme i ricordi. Ma Sethi era partito per i dolci sentieri dell'aldilà e lei camminava da sola in quel meraviglioso giardino, tra i melograni, i tamarindi e i giuggioli. Da ogni lato del viale, fiordalisi, anemoni, lupini e ranuncoli. Un po' stanca, Tuya si sedette vicino alla vasca dei fiori di loto, sotto un chiosco coperto di glicini.

Quando Ramses si diresse verso di lei, la sua tristezza svanì.

In meno di un anno di regno, suo figlio aveva acquisito una tale sicurezza che il dubbio sembrava spazzato via per sempre dalla sua mente. Egli governava con lo stesso vigore del padre, come se fosse posseduto da una forza inesauribile.

Ramses baciò la madre con tenerezza e rispetto, e si sedette alla sua destra.

— Ho bisogno di parlarti.

— Sono qui per questo, figlio mio.

— Approvi la scelta degli uomini che compongono il mio governo?

— Ricordi il consiglio di Sethi?

— È lui che mi ha guidato: "Scruta l'animo degli uomini, cerca dei funzionari di carattere fermo e onesto, capaci di formulare un giudizio imparziale senza tradire il loro giuramento di obbedienza". Ci sono riuscito? Solo gli anni ce lo diranno.

— Temi già una rivolta?

— Sto procedendo molto rapidamente, quindi è inevitabile. Verranno urtate delle suscettibilità, contrariati degli interessi. Quando ho avuto l'idea di questa nuova capitale, è stata come una folgorazione, un lampo di luce che mi ha attraversato il pensiero e che mi si è imposto come una verità indistruttibile.

— Si chiama *sia*, l'intuizione diretta, senza ragionamento e senza analisi. Sethi ha preso così molte decisioni. Tuo padre riteneva che si trasmettesse da cuore di Faraone a cuore di Faraone.

— Approvi la costruzione di Pi-Ramses, la mia città?

— Dal momento che *sia* ha parlato al tuo cuore, perché hai bisogno del mio parere?

— Perché mio padre è presente in questo giardino, e io e te ne udiamo la voce.

— I segni sono apparsi, Ramses; con il tuo regno si apre una nuova era. Pi-Ramses sarà la tua capitale.

Le mani di Ramses si unirono a quelle della madre.

— Tu vedrai quella città, madre, e ti renderà felice.

— Sono preoccupata per la tua protezione.

— Serramanna è vigile.

— Intendevo dire la tua protezione magica. Hai pensato alla costruzione della tua dimora millenaria?

— L'ubicazione è già stata scelta, ma Pi-Ramses è la mia priorità.

— Non dimenticare quel tempio. Se le forze delle tenebre si dovessero scatenare contro di te, sarà il tuo migliore alleato.

39

Il posto era magnifico.

Una terra fertile, vasti campi, pascoli rigogliosi, sentieri fioriti, meli i cui frutti avevano il sapore del miele, un oliveto dalle piante vigorose, stagni colmi di pesci, saline, distese di papiri alti e fitti: così appariva la campagna di Avaris, la città odiata, ridotta ormai a poche case e a un tempio del dio Seth.

Lì Sethi aveva messo a confronto Ramses con *la* potenza. E lì Ramses avrebbe costruito la sua capitale.

La bellezza di quel posto lussureggiante sorprese Mosè; gli ebrei e i capomastri egiziani facevano parte della spedizione guidata da Ramses in persona, accompagnato dal suo leone e dal cane. L'occhio vigile, Serramanna e una decina di esploratori si erano recati in avanscoperta per assicurarsi che il re non corresse alcun pericolo.

Il borgo di Avaris sonnecchiava sotto il sole. Ospitava ormai solo funzionari senza futuro, contadini dai gesti lenti e raccoglitori di papiri. Quel luogo sembrava destinato a cadere nell'oblio e a subire il ritmo eterno delle stagioni.

Dopo essere partita da Menfi, la spedizione si era fermata nella città santa di Heliopolis, dove Ramses aveva fatto un'offerta al suo protettore, Ra. Poi era passata per Bubastis, la città della dea della dolcezza e dell'amore, Bast dalla testa di gatta, e aveva costeggiato il ramo pelusiaco* del Nilo, chiamato le "acque di Ra". Situata vicino al lago Menzaleh, Avaris si trovava all'estremità occidentale della "via di Horus", una pista che portava alla Siro-Palestina lungo la fascia costiera del Sinai.

— Una posizione strategica di fondamentale importanza — constatò Mosè guardando la pianta che gli era stata consegnata da Ramses.

— Capisci i motivi della mia scelta? Se prolungate da un canale, le "acque di Ra" ci metteranno in comunicazione con i grandi laghi che costeggiano l'istmo di Qantara. Per via fluviale, in caso d'emergenza, sarà possibile raggiungere rapidamente la fortezza di Sile e i posti di frontiera. Rafforzerò la protezione della parte orientale del Delta, controllerò la strada delle invasioni, e potrò essere informato subito del benché minimo disordine nei protettorati. Qui l'estate sarà piacevole; le guarnigioni non soffriranno il caldo e saranno sempre pronte a intervenire.

— Sei lungimirante e ambizioso — affermò Mosè.

— Come reagiscono i tuoi uomini?

— Sembrano felici di lavorare ai miei ordini. Ma la motivazione più grande non è forse il sostanziale aumento di stipendio che hai concesso loro?

— Non esiste vittoria senza generosità. Voglio una città splendida.

Mosè si chinò di nuovo sulla pianta. Quattro templi maggiori dovevano essere costruiti: a ovest quello di Amon, "il nascosto"; a sud quello di Seth, il signore del luogo; a est quello di Astarte, la dea siriana; a nord quello di Uadjit, "la

---

* Il ramo "pelusiaco", uno dei bracci principali del Delta, è così chiamato perché sfocia a Pelusio (vicino a Tell Farameh), città situata all'estremità orientale del Delta.

verdeggiante", garante della prosperità del sito. Vicino al tempio di Seth, un grande porto fluviale, collegato alle "acque di Ra" e alle "acque di Avaris", e due larghi canali che circondavano la città assicurandole un'approvvigionamento costante di acqua potabile. Intorno al porto, magazzini, granai, officine e botteghe. Più a nord, al centro della città, il palazzo reale, gli edifici amministrativi, le ville dei nobili e i quartieri residenziali dove avrebbero vissuto fianco a fianco i grandi e gli umili. Dal palazzo sarebbe partita la via principale, che arrivava in linea retta al tempio di Ptah, il Creatore, mentre due grandi viali avrebbero portato, sulla sinistra, al tempio di Amon e, sulla destra, al tempio di Ra. Il santuario di Seth era più isolato, dalla parte opposta del canale che collegava le "acque di Ra" con le "acque di Avaris".

Quanto all'esercito, avrebbe usufruito di ben quattro caserme, una tra il ramo pelusiaco e gli edifici amministrativi, e le altre tre lungo le "acque di Avaris", la prima dietro il tempio di Ptah, la seconda adiacente ai quartieri popolari e la terza vicino ai templi di Ra e Astarte.

— Degli specialisti apriranno domani stesso le fabbriche di piastrelle smaltate — svelò Ramses. — Dalla casa più modesta alla sala di ricevimento del palazzo regneranno ovunque colori smaglianti. Prima occorre però che questi edifici esistano; e qui entri in gioco tu, Mosè.

Con l'indice della mano destra, Mosè identificò uno a uno gli edifici le cui dimensioni erano state specificate dal monarca.

— È un'opera gigantesca ma entusiasmante. Eppure...

— Eppure?

— Non ti voglio offendere, Maestà, ma manca un tempio. Potrebbe inserirsi bene in questo spazio vuoto, tra i santuari di Amon e di Ptah.

— A quale divinità dovrebbe essere dedicato?

— A quella che crea la funzione del Faraone. Non è forse in quel tempio che dovrai celebrare la tua festa del rinnovamento?

260

— Per compiere quel rito, un Faraone deve aver regnato trent'anni. Cominciare oggi la costruzione di un simile tempio sarebbe un'offesa al destino.

— Però ne hai previsto l'ubicazione.

— Se non ci avessi pensato sarebbe stata un'offesa alla mia buona sorte. Nel trentesimo anno del mio regno, in occasione di quella festa, sarai in prima fila tra i dignitari, in compagnia dei nostri amici d'infanzia.

— Trent'anni... Chissà quale sorte Dio ha in serbo per noi!

— Per il momento, ci ordina di creare insieme la capitale d'Egitto.

— Ho diviso gli ebrei in due gruppi. Il primo trasporterà i blocchi di pietra fino ai cantieri dei templi dove lavoreranno sotto la direzione di capomastri egiziani. Il secondo fabbricherà migliaia di mattoni destinati al tuo palazzo e agli edifici civili. Il coordinamento dei gruppi di produzione non sarà facile; temo che la mia popolarità calerà rapidamente. Lo sai come mi chiamano gli ebrei? *Masha*, il "salvato dalle acque"!

— Hai forse compiuto anche tu un miracolo?

— È una vecchia leggenda babilonese che amano molto; hanno fatto un gioco di parole con il mio vero nome, Mosè, "colui che è nato", perché ritengono che io, un ebreo, sia benedetto dagli dei. Non ho forse ricevuto l'educazione dei nobili e non sono amico del Faraone? Dio mi ha salvato dalle "acque" della miseria e della disgrazia. Un uomo che gode di una simile fortuna merita di essere seguito; è per questo che i fabbricanti di mattoni si fidano di me.

— Fa in modo che non manchi loro niente. Ti autorizzo a ricorrere ai granai reali in caso di necessità.

— Edificherò la tua capitale, Ramses.

I mattonai ebrei costituivano una corporazione orgogliosa delle proprie capacità; portavano una corta parrucca nera cinta da una benda bianca che lasciava scoperte le orecchie, amavano i baffi e la barba corta, avevano la fronte bassa e le labbra inferiori spesse. I siriani e gli egiziani tentavano di entrare in competizione con loro, ma i migliori specialisti in quel campo erano e rimanevano gli ebrei. Il lavoro era duro, strettamente sorvegliato dai capicantiere egiziani, ma pagato onestamente e inframezzato da numerosi giorni di ferie. Per di più, in Egitto il cibo era buono e abbondante, si trovava alloggio assai facilmente e i più coraggiosi riuscivano persino a costruirsi delle comode dimore con materiali di recupero.

Mosè non aveva nascosto agli operai che nei cantieri di Pi-Ramses il ritmo di lavoro sarebbe stato più intenso del solito; ma la consistenza dei premi avrebbe compensato quell'inconveniente. Partecipare alla costruzione della nuova capitale avrebbe contribuito ad arricchire più di un ebreo, a condizione che fosse disposto a sudare. Lavorando a un ritmo normale, tre operai potevano fabbricare otto-novecento mattoni di piccole dimensioni al giorno; a Pi-Ramses, sarebbe stato necessario modellare mattoni molto grandi* che sarebbero stati usati come base per la posa di altri mattoni più piccoli e prodotti in serie. La responsabilità di quelle fondamenta incombeva però sui capomastri e sui tagliapietre, non sui mattonai.

Sin dal primo giorno, gli ebrei capirono che Mosè sarebbe stato sempre estremamente vigile. Coloro che avevano sperato di poter fare lunghe sieste sotto agli alberi dovettero arrendersi all'evidenza: il ritmo sarebbe stato sostenuto fino all'inaugurazione ufficiale della capitale. Come i suoi colleghi, Abner accettò di lavorare senza tregua per mescolare il limo del Nilo con la paglia tritata fino a ottenere, grazie alla lunga esperienza, la consistenza giusta. Molte zone** erano state messe a disposizione degli operai che inumidivano il limo con l'acqua attinta in un fosso collegato al canale. Dopodiché, accompagnandosi con canti, lavoravano di buona le-

* 38x18x12 centimetri.
** Di circa 6.000 metri quadrati ciascuna.

na la materia così ottenuta a colpi di zappa e di marra, per rendere i futuri mattoni più resistenti.

Abner era energico e abile; non appena la qualità dell'argilla gli sembrava buona, riempiva una cesta che un manovale portava a spalle sino all'opificio dove sarebbe stata versata dentro a uno stampo di legno rettangolare. La sformatura era un'operazione delicata alla quale Mosè assisteva a volte personalmente. I mattoni erano disposti su un terreno molto asciutto, e seccavano per alcuni giorni prima di essere accatastati e trasportati verso i vari cantieri, cominciando dai mattoni più chiari.

Se fabbricato bene, il mattone di limo del Nilo, anche se si trattava di un materiale modesto, presentava una resistenza incredibile. Quando gli strati erano posati correttamente, potevano persino attraversare i secoli.

Tra gli ebrei nacque un fenomeno di vera e propria emulazione; certamente ciò era dovuto all'aumento degli stipendi e ai premi, ma vi era anche l'orgoglio di partecipare a un'impresa colossale e di vincere la scommessa che era stata imposta loro. Non appena l'ardore si affievoliva, Mosè ridava loro lo slancio necessario e venivano sformati migliaia di mattoni perfetti.

Pi-Ramses stava nascendo, Pi-Ramses scaturiva dal sogno di Ramses per diventare realtà. Capomastri e tagliapietre edificavano le solide fondamenta seguendo la pianta del re. Instancabili, i manovali trasportavano i mattoni fabbricati dagli ebrei.

Sotto il sole, la città prendeva forma.

Abner, alla fine di ogni giornata, ammirava Mosè. Il capo degli ebrei si recava da un gruppo all'altro, controllava la qualità del cibo, ordinava il riposo ai malati e agli operai troppo stanchi. Contrariamente a quanto l'ebreo aveva immaginato, la sua popolarità cresceva in continuazione.

Grazie ai premi che aveva già accumulato, Abner sarebbe stato in grado di offrire una bella dimora alla sua famiglia, proprio lì, nella nuova capitale.

— Sei soddisfatto, Abner?

Il viso magro di Sary esprimeva una gioia malsana.

— Cosa vuoi da me?

— Sono il tuo caposquadra, lo hai forse dimenticato?

— Faccio il mio lavoro.

— Lo fai male.

— Come male?

— Hai rovinato diversi mattoni.

— È falso!

— Due capomastri hanno constatato i tuoi errori e redatto un rapporto. Se dovessi consegnarlo a Mosè, verresti licenziato e senz'altro condannato.

— Perché queste invenzioni? Perché queste bugie?

— Non c'è che una soluzione: comprare il mio silenzio con i tuoi guadagni. In questo modo, il tuo errore verrà cancellato.

— Sei uno sciacallo, Sary!

— Non hai scelta, Abner.

— Perché mi odi tanto?

— Sei un ebreo, uno dei tanti; paghi per gli altri, tutto qui.

— Non hai il diritto di fare questo!

— Dammi subito una risposta.

Abner abbassò lo sguardo. Sary era il più forte.

40

Ofir era più a suo agio a Menfi che a Tebe. La grande città ospitava molti stranieri, la maggior parte dei quali erano perfettamente integrati nella popolazione egiziana. Tra questi vi erano alcuni adepti della dottrina di Akhenaton e il mago si cimentò nel ravvivarne la fede, promettendo loro che avrebbero così ottenuto, in un prossimo futuro, gioia e prosperità.

Coloro che ebbero la fortuna di vedere Lita, sempre silenziosa, furono molto impressionati. Nessuno dubitava del fatto che nelle sue vene scorresse sangue reale e che fosse l'erede del re maledetto. I discorsi pazienti e suadenti del mago funzionavano a meraviglia e la villa menfita della sorella di Ramses fece da cornice a fruttuosi incontri che permisero, giorno dopo giorno, di aumentare il numero dei seguaci del Dio unico.

Ofir non era il primo straniero a diffondere idee originali, ma fu il solo a tentare di resuscitare l'eresia rifiutata dai successori di Akhenaton. La sua capitale e la sua tomba erano state abbandonate, nessun cortigiano era stato seppellito nella necropoli vicina alla città di Aton. E tutti sapevano che Ramses, dopo aver sottomesso alla sua volontà la gerarchia di Karnak, non avrebbe tollerato alcun disordine religioso. Perciò Ofir distillò con cautela le critiche nei confronti del re e della sua politica, attento a non suscitare mai disapprovazione.

Il mago faceva dei passi avanti.

Dolente gli portò un succo di carruba fresco.

— Sembri stanco, Ofir.

— Il nostro compito richiede un ardore continuo. Come sta tuo marito?

— È molto scontento. Secondo la sua ultima lettera, passa il suo tempo a redarguire ebrei pigri e bugiardi.

— Eppure si dice che la costruzione della capitale proceda molto rapidamente.

— Tutti dicono che sarà splendida!

— Ma dedicata a Seth, signore del male e delle potenze tenebrose! Ramses tenta di soffocare la luce e di occultare il sole. Dobbiamo impedirglielo.

— Ne sono convinta, Ofir.

— Il tuo sostegno mi è indispensabile, lo sai. Mi autorizzeresti a usare le risorse della mia scienza per impedire a Ramses di distruggere l'Egitto?

La languida donna dai capelli neri si morse le labbra.

— Ramses è mio fratello!

Ofir prese dolcemente le mani di Dolente.

— Con tutto il male che ci ha già fatto! Ovviamente, rispetterò la tua decisione, ma perché esitare ancora? Ramses sta andando avanti! E più va avanti, più si rafforzano le sue protezioni magiche. Se ritardiamo ancora il nostro intervento, non so se sarò in grado di distruggerle.

— È una cosa seria, talmente seria...

— Devi essere conscia delle tue responsabilità, Dolente. Posso ancora agire, ma fra poco sarà troppo tardi.

La sorella del re esitava a pronunciare una condanna definitiva. Ofir lasciò andare le mani della donna.

— Forse c'è un'altra possibilità.

— A cosa pensi?

— Si dice che la regina Nefertari sia incinta.

— Non è più una voce! Basta guardarla.

— Le sei legata?

— Per niente.

— Questa notte, uno dei miei compatrioti mi porterà ciò di cui ho bisogno.

— Mi chiuderò in camera! — gridò Dolente prima di scomparire.

L'uomo arrivò nel bel mezzo della notte. La villa era silenziosa, Dolente e Lita dormivano. Ofir aprì la porta della dimora, afferrò il sacco che gli porgeva un mercante e lo pagò con due lenzuola di lino che gli aveva dato Dolente.

La transazione durò solo pochi istanti.

Ofir si rinchiuse in una stanzetta della villa debolmente illuminata da un unico lume a olio e tappò bene ogni spiraglio.

Su un tavolino basso, il mago rovesciò il contenuto del pacchetto: la statuetta di una scimmia, una mano d'avorio, la rozza figurina di una donna nuda, un piccolissimo pilastro, e un'altra figurina di donna che stringeva dei serpenti. La scimmia gli avrebbe dato la tecnica del dio Thot; la mano, la capacità di agire; la donna nuda, quella di colpire gli organi genitali della regina; il pilastro avrebbe reso duratura la sua aggressione; la donna con i serpenti avrebbe distillato il veleno della magia nera nel corpo di Nefertari.

Il compito di Ofir non era facile. La regina possedeva una forte personalità e, durante l'incoronazione, aveva ricevuto delle protezioni invisibili analoghe a quelle di Ramses. Ma la gravidanza indeboliva le sue difese. Un'altra vita si nutriva di quella di Nefertari e, a poco a poco, la privava delle sue forze.

Sarebbero stati necessari almeno tre giorni e tre notti prima che la fattura avesse una possibilità di riuscire. Ofir era un po' deluso di non poter attaccare direttamente Ramses, ma la defezione della sorella non glielo consentiva. Quando sarebbe riuscito a conquistare la mente di Dolente, avrebbe perseguito il suo obiettivo più ambizioso. Nel frattempo, avrebbe indebolito l'avversario.

Ramses aveva abbandonato la gestione dell'ordinaria amministrazione ai ministri e ad Ameni per potersi recare spesso nel cantiere di Pi-Ramses. Grazie all'incitamento di Mosè e all'organizzazione rigorosa del lavoro, l'opera faceva passi da gigante.

Gli operai erano allegri; non solo il cibo continuava a essere eccellente e abbondante, ma i premi annunciati venivano versati regolarmente, tenendo conto dello sforzo di ognuno. I più volonterosi riuscivano così a mettere da parte dei gruzzoletti che avrebbero permesso loro di stabilirsi o nella nuova capitale o in un altro centro abitato dove avrebbero potuto acquistare un terreno. Per di più, un servizio sanitario ben attrezzato si occupava dei malati e prodigava cure gratuite; contrariamente a quanto avveniva in altri cantieri, a Pi-Ramses non c'erano simulatori che tentavano di ottenere un giorno di riposo invocando malattie immaginarie.

Il re si preoccupava molto della sicurezza; vari capomastri erano incaricati di farla rispettare sempre. Si erano lamentati solo alcuni feriti lievi durante il posizionamento dei blocchi di granito sull'ubicazione del tempio di Amon. Grazie al sistema dei turni, sempre osservati in maniera meticolosa, gli uomini non si sfinivano; ogni sei giorni, due giorni di riposo permettevano loro di distendersi e di recuperare

Solo Mosè non si concedeva mai una pausa. Controllava tutto, evitava i conflitti, prendeva le decisioni più urgenti, riorganizzava le squadre meno efficaci, richiedeva il materiale mancante, redigeva i rapporti, dormiva un'ora dopo pranzo e tre ore di notte. I mattonai ebrei, che avevano scoperto in lui quella vitalità eccezionale, gli obbedivano senza discutere; non erano mai stati prima agli ordini di un uomo che difendeva così bene i loro interessi.

Abner aveva voglia di parlare a Mosè delle angustie che Sary gli imponeva, ma temeva le rappresaglie per via degli ottimi rapporti che correvano tra l'egiziano e la polizia. Se Abner fosse stato denunciato come perturbatore, sarebbe stato espulso dal paese e non avrebbe più rivisto né moglie né figli. Da quando lo aveva pagato, Sary lo lasciava in pace e si comportava in modo quasi cortese. Poiché il peggio sembrava passato, l'ebreo si rinchiuse nel silenzio e fabbricò i mattoni con la stessa lena dei suoi colleghi.

Quella mattina Ramses visitò il cantiere. Non appena fu annunciata la visita del monarca, gli ebrei si lavarono senza fare economia d'acqua, si tagliarono la barba e i baffi, cinsero le loro parrucche da festa con una benda intonsa e sistemarono i mattoni ordinatamente uno vicino all'altro.

Dal primo carro che si fermò di fronte alla fabbrica, scese un gigante corazzato e armato che li spaventò. Uno degli operai doveva forse subire una punizione? Lo spiegamento di venti arcieri contribuì a rendere pesante l'atmosfera.

Senza dire una parola, Serramanna passò in rassegna le file degli operai ebrei, immobili e preoccupati.

Soddisfatto dell'ispezione, il sardo fece segno a uno dei soldati di aprire la strada al carro reale.

I fabbricanti di mattoni si inchinarono davanti al Faraone che si congratulò con ognuno di loro, chiamandoli per nome. L'annuncio della distribuzione di parrucche nuove e di otri di vino bianco del Delta provocò un'esplosione di gioia; ma il regalo che toccò maggiormente gli operai fu l'attenzione con la quale il re osservò i mattoni appena sformati. Ne prese in mano diversi e li soppesò.

— Perfetto — dichiarò. — Raddoppiate le razioni per una settimana e date un giorno di riposo in più. Dov'è il vostro caposquadra?

Sary uscì dai ranghi.

L'ex tutore di Ramses era l'unico a non rallegrarsi della visita del monarca. Lui, un tempo brillante professore e cortigiano ambizioso, temeva un nuovo incontro con il re contro il quale aveva complottato.

— Sei soddisfatto delle tue nuove funzioni, Sary?

— Ti ringrazio, Maestà, per il compito affidatomi.

— Senza la clemenza di mia madre e di Nefertari, la tua punizione sarebbe stata più severa.

— Ne sono consapevole, Maestà, e tento, con il mio comportamento, di cancellare le mie colpe.

— Sono incancellabili, Sary.

— Il rimorso che tormenta il mio cuore è peggio di un acido.

— Dev'essere molto dolce per permetterti di sopravvivere così a lungo al tuo crimine.

— Posso sperare nel tuo perdono, Maestà?

— È un concetto che ignoro, Sary; si vive nella Regola o fuori dalla Regola. Tu hai sporcato Maat, e la tua anima è vile per sempre. Che Mosè non si debba lamentare di te, altrimenti non avrai più modo di nuocere a nessuno.

— Ti giuro, Maestà, che...

— Non una parola di più, Sary. E ritieniti fortunato di partecipare alla costruzione di Pi-Ramses.

Quando il re risalì sul suo carro, le acclamazioni esplosero tra la folla. Controvoglia, Sary unì la sua voce al clamore generale.

41

Come previsto, i templi crescevano più lentamente degli edifici profani. Tuttavia i blocchi venivano consegnati senza ritardi e avviati regolarmente verso i cantieri dagli addetti all'alaggio, in gran parte ebrei.

Grazie all'intensa attività dei mattonai, il palazzo reale, le cui sezioni in pietra erano affidate a degli specialisti, formava già un corpo importante nel cuore della capitale. Arrivavano le prime imbarcazioni da trasporto, i magazzini venivano aperti, dalle falegnamerie uscivano mobili di gran lusso, la fabbrica di piastrelle smaltate aveva avviato la produzione. I muri delle ville sembravano scaturire dalla terra, i quartieri della città prendevano forma, e presto le caserme avrebbero ospitato le prime truppe.

— Il lago del palazzo sarà magnifico — annunciò Mosè. — Prevedo la fine degli scavi per la metà del mese prossimo. La tua capitale sarà bella, Ramses, perché è edificata con amore.

— Tu sei il principale artefice di questo successo.

— Solo in apparenza. Sei stato tu a disegnare il progetto; io lo realizzo.

Il re colse una sfumatura di rimprovero nel tono dell'amico. Stava per chiedere una spiegazione quando un messaggero del palazzo di Menfi arrivò al galoppo. Serramanna lo costrinse a fermarsi a una decina di metri dal re.

Ansante, il messaggero saltò a terra.

— Bisogna tornare a Menfi, Maestà... La regina... la regina sta male.

Ramses andò a sbattere contro il dottor Pariamakhu, il capo dei medici di palazzo, cinquantenne dotto e autoritario, dalle mani eleganti e sottili. Chirurgo di provata esperienza, aveva fama di medico eccellente, ma severo con i pazienti.

—Voglio vedere la regina — intimò Ramses.

— La regina dorme, Maestà. Gli infermieri le hanno massaggiato il corpo con olio mischiato a un sonnifero.

— Che succede?

— Un parto prematuro, temo.

— Non è... pericoloso?

— In effetti, i rischi sono maggiori.

— Ti ordino di salvare Nefertari.

— La mia prognosi per la nascita rimane favorevole.

— Come puoi saperlo?

— I miei assistenti hanno effettuato la prova consueta, Maestà. Hanno messo dell'orzo e del grano in due sacchi di tela che hanno bagnato per diversi giorni di seguito con l'urina della regina. L'orzo e il grano sono germogliati entrambi, quindi partorirà; e dato che è germogliato prima il grano, darà alla luce una bambina.

— Ho sentito dire il contrario.

Il dottor Pariamakhu divenne glaciale.

— Ti confondi con un'altra prova, Maestà, nella quale si utilizzano frumento e orzo che vengono poi ricoperti di terra. Possiamo solo sperare che il seme, partito dal tuo cuore per arrivare al cuore della regina, si sia fissato bene nella colonna vertebrale e nelle ossa del bambino. Uno sperma di buona qualità produrrà un midollo spinale e un midollo osseo eccellenti. Devo ricordarti che il padre è responsabile delle ossa e dei tendini, e la madre della carne e del sangue?

Pariamakhu era soddisfatto del corso di medicina che stava impartendo al suo prestigioso allievo.

— Dottore, dubiti forse delle mie cognizioni fisiologiche di vecchio allievo del *Kap*?

— Certo che no, Maestà!

— Non avevi previsto questo incidente.

— Maestà, la mia scienza ha dei limiti e...

— Il mio potere non ne ha, dottore. Esigo il buon esito di questo parto.

— Maestà...

— Sì, dottore?

— Anche la tua salute richiede grande attenzione. Non ho ancora avuto l'onore di visitarti, come imporrebbero i doveri della mia carica.

— Non ci pensare, io ignoro le malattie. Avvertimi non appena si sveglierà la regina.

Quando Serramanna permise al dottor Pariamakhu di entrare nello studio del re, il sole era ormai al tramonto.

Il medico era a disagio.

— La regina si è svegliata, Maestà.

Ramses si alzò.

— Ma...

— Parla, dottore!

Pariamakhu, che con i colleghi si era vantato di saper domare il suo illustre cliente, rimpiangeva Sethi, nonostante lo considerasse caparbio e sgradevole. Ramses era una forza della natura di cui era meglio evitare la collera.

— La regina è stata portata in sala parto.

— Avevo ordinato di farmela vedere!

— Le levatrici hanno ritenuto che non si dovesse perdere neanche un secondo.

Rames spezzò il calamo con cui stava scrivendo. Se Nefertari fosse morta, avrebbe avuto la forza di regnare?

Sei levatrici della Casa della Vita, con una lunga tunica e una larga collana di turchesi, aiutarono Nefertari ad arrivare fino alla sala parto, un padiglione arioso e adorno di fiori. Come tutte le donne egiziane, la regina avrebbe partorito nuda, con il busto eretto, accosciata sopra delle lastre di pietra coperte da un manto di rose, che simboleggiavano il destino di ogni nuovo nato. Thot avrebbe stabilito la durata della vita del bambino.

La prima levatrice doveva sostenere la regina stringendola alla vita, la seconda sarebbe intervenuta in ogni fase del parto, la terza avrebbe ricevuto il bambino tra le mani aperte, la quarta gli avrebbe prestato le prime cure, la quinta era la nutrice e la sesta avrebbe offerto alla regina le due chiavi della vita, fino al momento in cui il piccolo avrebbe emesso il primo vagito. Benché consapevoli del rischio, le sei donne dimostravano tuttavia una calma perfetta.

Dopo aver massaggiato a lungo Nefertari, la capolevatrice le aveva applicato dei cataplasmi sul bassoventre e le aveva fasciato l'addome. Avendo deciso di affrettare il parto che si annunciava doloroso, aveva introdotto nella vagina della regina una pasta di resina di terebinto, cipolla, latte, finocchio e sale. Per attenuare il dolore, avrebbe preparato della terracotta macinata con olio tiepido e l'avrebbe spalmata sugli organi genitali.

Le sei levatrici sapevano che la battaglia di Nefertari sarebbe stata lunga e l'esito incerto.

— Che la dea Hathor conceda un figlio alla regina — cantilenò una di loro. — Che la malattia non lo tocchi; sparisci, demone che emergi dalle tenebre, che entri subdolo con il viso voltato all'indietro! Tu non ghermirai questo bambino, non lo farai addormentare, non gli farai del male, non lo porterai via! Che lo spirito arrivi e lo animi, che nessun maleficio lo tocchi, che le stelle gli siano favorevoli!

Sul far della notte le contrazioni si intensificarono. Tra i denti della regina venne introdotta una pasta a base di fave, per permetterle di stringerli forte senza ferirsi.

Certe dei loro metodi, concentrate, recitando le antiche formule contro il dolore, le sei levatrici aiutarono la regina a dare la vita.

Ramses non ce la faceva più.

Quando il dottor Pariamakhu riapparve per la decima volta, pensò che il re l'avrebbe aggredito.

— È finita?

— Sì, Maestà.

— Nefertari?

— La regina è viva, in buona salute, e avete una figlia.

— Anche lei in buona salute?

— È... più complesso...

Ramses spinse da parte il medico e si precipitò verso la sala parto che una levatrice stava ripulendo.

— Dove sono la regina e mia figlia?

— In una camera del palazzo, Maestà.

— La verità!

— La bambina è molto debole.

— Voglio vederle.

Nefertari dormiva rilassata, raggiante ma esausta. La capolevatrice le aveva fatto bere una pozione sedativa.

La neonata era di notevole bellezza. Fresca, lo sguardo meravigliato e curioso, la figlia di Nefertari e Ramses assaporava già la vita come fosse un miracolo.

Il re la prese in braccio.

— È magnifica! Cosa temete?

— Il cordone dell'amuleto che dovevamo metterle intorno al collo si è spezzato. È un cattivo presagio, Maestà, un pessimo presagio.

— La predizione è stata formulata?

— Attendiamo la profetessa.

Quest'ultima arrivò pochi minuti dopo e con le sei levatrici ricreò la confraternita delle sette Hathor, che dovevano predire il destino del neonato. Le donne formarono un cerchio intorno alla bambina e concentrarono insieme i loro pensieri per leggere il futuro.

La loro meditazione durò più a lungo del previsto.

La profetessa si staccò dal gruppo e si avvicinò al re con aria preoccupata.

— Il momento non è propizio, Maestà. Non siamo in grado di...

— Non mentire.

— Possiamo sbagliarci.

— Sii sincera, ti prego.

— Il destino di questa bambina si giocherà entro le prossime ventiquattr'ore. Se non troviamo il modo di respingere i demoni che le rodono il cuore, tua figlia non supererà la prossima notte.

42

La nutrice, in ottima salute, venne incaricata di allattare la figlia della coppia reale. Il dottor Pariamakhu ne aveva controllato personalmente il latte, che doveva avere l'odore piacevole della farina di carruba. Per stimolare una vigorosa montata lattea, la nutrice aveva bevuto succo di fico e aveva mangiato una lisca di pesce latterino, cotta e condita con olio.

La bambina rifiutò il latte con grande disperazione del dottore e della nutrice. Ne cercarono un'altra, invano. L'ultima risorsa, un latte eccezionale conservato in un vaso a forma di ippopotamo, non diede risultati migliori. La neonata non succhiava il liquido grasso che colava dalle mammelle dell'animale.

Il medico inumidì le labbra della piccola paziente e stava per avvolgerla in un panno umido quando Ramses prese in braccio la figlia.

— Bisogna idratarla, Maestà!

— La vostra scienza è inutile. La mia forza la terrà in vita.

Il re andò al capezzale di Nefertari stringendo la figlia al petto. Nonostante la spossatezza, la regina era raggiante.

— Sono felice... tanto felice! È ben protetta?

— Come ti senti?

— Non ti preoccupare. Hai pensato al nome di nostra figlia?

— Spetta alla madre farlo.

— Si chiamerà Meritamon, "la prediletta di Amon", e vedrà la tua dimora millenaria. Mentre la davo alla luce sono stata visitata da uno strano pensiero... Bisogna costruirlo senza indugi, Ramses... Quel tempio sarà il tuo miglior baluardo contro il maligno e lì saremo uniti contro le avversità.

— Il tuo desiderio diventerà realtà.

— Perché stringi così forte nostra figlia?

Lo sguardo di Nefertari era così limpido, così fiducioso, che Ramses non poté nasconderle la verità.

— Meritamon non sta bene.

La regina si raddrizzò e afferrò il re per il polso.

— Che cos'ha?

— Rifiuta di nutrirsi, ma io la guarirò.

Sfinita, la regina smise di lottare.

— Ho già perso un figlio, e le forze delle tenebre vogliono riprendersi la nostra bambina... La notte mi tormenta.

Nefertari svenne.

— Le tue conclusioni, dottore? — chiese Ramses.

— La regina è molto debole — rispose Pariamakhu.

— La salverai?

— Lo ignoro, Maestà. Se sopravvive non potrà più avere bambini. Una nuova gravidanza le sarebbe fatale.

— E nostra figlia?

— Non capisco, ora è così calma! Forse l'ipotesi delle levatrici è giusta, ma a me sembra assurda.

— Parla!

— Credono che sia un maleficio.

— Un maleficio qui, nel mio palazzo?

— È per questo che mi sembra un'idea inverosimile. Tuttavia, forse dovremmo convocare i maghi di corte...

— E se il responsabile fosse uno di loro? No, mi rimane una sola possibilità.

Meritamon si era addormentata tra le possenti braccia di Ramses.

A corte, le voci correvano. Nefertari aveva messo al mondo un secondo figlio nato morto e la regina stava agonizzando. Ramses, in preda alla disperazione, aveva perso la ragione. Senza osare credere a quelle ottime nuove, Shenar sperava che non fossero del tutto prive di fondamento.

Shenar si recò a palazzo con la sorella e compose il viso in un'espressione grave e afflitta. Dolente sembrava distrutta.

— Stai diventando un'ottima attrice, sorella cara.

— Questi eventi mi turbano.

— Eppure tu non vuoi bene a Ramses né a Nefertari.

— Ma la bambina... la bambina non è responsabile.

— Che importa? Sei diventata di colpo molto sensibile! Se le voci sono fondate, il nostro orizzonte si schiarisce.

Dolente non osava confessare a Shenar che la vera causa del suo turbamento era l'incantesimo del mago Ofir. Per essere riuscito a spezzare il destino della coppia reale, il libico doveva disporre di una rara padronanza delle forze oscure.

Ameni, più pallido del solito, ricevette Dolente e Shenar.

— Date le circostanze — dichiarò quest'ultimo — abbiamo pensato che il re potesse desiderare avere accanto suo fratello e sua sorella.

— Mi dispiace, preferisce restare solo.

— Nefertari come sta?

— La regina riposa.

— E la bambina? — chiese Dolente.

— Pariamakhu, il medico, è al suo capezzale.

— Non hai informazioni più precise?

— Bisogna pazientare.

Lasciando il palazzo, Shenar e Dolente videro passare Serramanna e i suoi soldati che accompagnavano un uomo senza parrucca, mal rasato e con una tunica in pelle di antilope piena di tasche. Il gruppo si dirigeva a passo sostenuto verso gli appartamenti privati della coppia reale.

— Setau! Sei la mia ultima speranza.

L'incantatore di serpenti si avvicinò al re e contemplò la neonata che Ramses stringeva tra le braccia.

— Non mi piacciono i bambini, ma questa è una piccola meraviglia. Opera di Nefertari, ovviamente.

— È Meritamon, nostra figlia. Morirà, Setau.

— Che dici?

— Un maleficio.

— Qui, a palazzo?

— Lo ignoro.

— Come si manifesta?

— Rifiuta di nutrirsi.

— Nefertari?

— Sta malissimo.

— Suppongo che il caro dottor Pariamakhu abbia gettato la spugna?

— È sconvolto

— È il suo atteggiamento normale. Appoggia delicatamente tua figlia nella culla.

Ramses obbedì. Non appena ebbe lasciato le braccia del padre, Meritamon cominciò a respirare con difficoltà.

— Solo la tua forza può tenerla in vita... Come temevo. Ma... Ma dove avete la testa, in questo palazzo? Questa bambina non porta nemmeno un amuleto per proteggerla!

Da una delle molteplici tasche, Setau tirò fuori un amuleto a forma di scarabeo, lo legò a una cordicella con sette nodi e lo mise al collo di Meritamon. Sullo scarabeo era incisa una frase: "La morte rapace non mi avrà, la luce divina mi salverà".

— Riprendi tua figlia — intimò Setau — e aprimi le porte del laboratorio.

— Pensi che riuscirai...

— Parleremo dopo. Il tempo è contato.

Il laboratorio di palazzo comprendeva diverse sezioni. Setau si chiuse nel locale dove erano conservati i canini inferiori di ippopotamo maschio, che a volte superavano i settanta centimetri di lunghezza e i dieci di larghezza. Da uno di questi intagliò una luna crescente dalle estremità allungate e, dopo averla lucidata senza rovinare l'avorio, vi incise delle figure destinate a respingere le forze malefiche scaturite dalla notte per uccidere la madre e la figlia. Setau aveva scelto quelle che riteneva più adatte alla situazione: un grifone alato dal corpo di leone e la testa di falco, un ippopotamo femmina che stringeva un coltello, una rana, un sole splendente, un nano barbuto che stringeva dei serpenti nelle mani. Descrivendo le figure a voce alta, Setau le rese vitali e ordinò loro di tagliare la gola ai demoni maschi e femmine, di schiacciarli sotto i piedi, di farli a pezzi e metterli in fuga. Poi preparò una pozione a base di veleno di vipera per aprire la bocca dello stomaco, ma persino a dosi infinitesimali rischiava di essere troppo violenta per l'organismo di una neonata.

Quando Setau uscì, il dottor Pariamakhu si precipitò verso di lui, sconvolto.

— Bisogna fare in fretta, la bambina sta peggiorando.

Davanti al sole che tramontava, Ramses stringeva ancora la figlia tra le braccia, abbandonata e fiduciosa. Ma nonostante il suo magnetismo la respirazione della piccola era ormai irregolare. La figlia di Nefertari, unico frutto della loro unione che sarebbe potuto vivere... Se Meritamon fosse morta, Nefertari non le sarebbe sopravvissuta. La collera invase il cuore del re, una collera che avrebbe sfidato le tenebre incombenti e salvato sua figlia dal maleficio.

Setau entrò nella stanza con l'avorio scolpito in mano.

— Questo dovrebbe bloccare l'incantesimo — spiegò. —
Ma non sarà sufficiente. Se vogliamo riparare i danni all'interno del corpo e permetterle di nutrirsi, bisognerà farle bere
questo antidoto.

All'annuncio della composizione, il dottor Pariamakhu
sussultò.

— Io mi oppongo, Maestà!

— Sei certo del risultato, Setau?

— Il pericolo è reale. Sta a te decidere.

— Facciamolo.

43

Setau appoggiò l'avorio sul petto di Meritamon. Distesa nella culla, con i grandi occhi animati da un'espressione interrogativa, la bambina respirava tranquilla.

Ramses, Setau e il medico Pariamakhu rimasero in silenzio. Il talismano sembrava efficace, ma quanto sarebbe durata la sua protezione?

Dieci minuti dopo, Meritamon si agitò e scoppiò a piangere.

— Fate portare l'effigie della dea Opet — ordinò Setau. — Io torno in laboratorio. Tu, medico, inumidisci le labbra alla piccola e, mi raccomando, non fare nient'altro!

Opet, l'ippopotamo femmina, era la dea protettrice delle levatrici e delle nutrici. In cielo aveva assunto la forma di una costellazione che impediva all'Orsa maggiore, di natura più vicina a Seth e quindi portatrice di un potere formidabile, di turbare la pace di Osiride resuscitata. La statua di Opet, colma di latte materno e caricata di energia positiva dai maghi della Casa della Vita, venne sistemata alla testa della culla.

Opet calmò la bambina. Meritamon si addormentò.

Setau riapparve stringendo in mano due frammenti d'avorio magico, grossolanamente intagliato.

— È sommario — dichiarò — ma dovrebbe bastare.

Appoggiò il primo sul ventre della bambina e il secondo ai suoi piedi. Meritamon non ebbe alcuna reazione.

— Ora è protetta da un campo di forze positive. L'incantesimo è spezzato, il maleficio è inattivo.

— È salva? — chiese il re.

— Solo l'allattamento la strapperà alla morte. Se la bocca dello stomaco rimane chiusa, morirà.

— Dalle la pozione.

— Dagliela tu stesso.

Ramses schiuse con delicatezza le labbra della figlia profondamente addormentata, e versò il liquido ambrato nella piccola bocca. Il dottor Pariamakhu si era voltato.

Qualche secondo dopo Meritamon aprì gli occhi e pianse.

— Presto — disse Setau. — Il seno della statua!

Ramses sollevò la figlia, Setau scostò il beccuccio metallico che tappava la mammella da dove colava il latte e il re appoggiò le labbra della piccola contro l'apertura.

Meritamon bevve con voluttà il liquido nutriente, interrompendosi appena per riprendere fiato, sospirando di piacere.

— Cosa desideri, Setau?

— Nulla, Ramses.

— Ti nomino direttore dei maghi di palazzo.

— Che se la sbrighino senza di me! Come sta Nefertari?

— È sorprendente. Domani passeggerà in giardino.

— La piccola?

— La sua voglia di vivere è inesauribile.

— Cos'hanno predetto le sette donne?

— Il velo nero che copriva il destino di Meritamon si è lacerato; hanno visto un abito da sacerdotessa, una donna di grande nobiltà e le pietre di un tempio.

— Una vita austera, direi.

— Meriti la ricchezza, Setau.

— I miei serpenti, i miei scorpioni e Loto mi bastano.

— Avrai crediti illimitati per la ricerca. Quanto alla produzione di veleno, te lo comprerà il palazzo, al miglior prezzo, per distribuirlo agli ospedali.

— Rifiuto i privilegi.

— Non si tratta di privilegi. I tuoi prodotti sono eccellenti, quindi la remunerazione deve essere adeguata e il tuo lavoro incoraggiato.

— Se osassi...

— Osa.

— Avresti ancora un po' di vino rosso del Fayyum del terzo anno del regno di Sethi?

— Te ne farò consegnare diverse anfore domani stesso.

— Mi costerà un bel po' di fiale di veleno!

— Permettimi di offrirtele.

— Non mi piacciono i regali, soprattutto da parte del re.

— È l'amico che ti prega di accettarle. Come hai acquisito le conoscenze che hanno salvato Meritamon?

— I serpenti mi hanno insegnato quasi tutto, Loto ha fatto il resto. La tecnica delle maghe nubiane è incomparabile. L'amuleto che tua figlia porta al collo le eviterà molti dispiaceri, a condizione che venga riconsacrato tutti gli anni.

— C'è una villa di rappresentanza che aspetta te e Loto.

— In piena città! Vuoi scherzare... Come potremmo studiare i serpenti? Ci vuole il deserto, la notte, il pericolo. A proposito di pericolo... Quell'incantesimo è piuttosto insolito.

— Spiegati.

— Ho dovuto impiegare grandi mezzi, perché l'attacco era serio. È un maleficio straniero, siriano, libico o ebreo. Se non avessi utilizzato tre frammenti d'avorio magici, non sarei riuscito a spezzare il campo di forze negative. Per non parlare della volontà di far morire di fame una neonata... Uno spirito particolarmente perverso, secondo me.

— Un mago del palazzo?

— Mi sorprenderebbe. Il tuo nemico ha molta familiarità con le forze del male.

— Ricomincerà.

— Puoi starne certo.

— Come riconoscerlo e metterlo in condizione di non nuocere?

— Non ne ho idea. Un demone di quest'entità sa dissimularsi con arte consumata. Forse l'hai già incontrato e ti sarà parso amabile e inoffensivo. Forse si nasconde in un antro inaccessibile.

— Come posso proteggere Nefertari e Meritamon?

— Utilizzando i mezzi che hanno già dimostrato la loro efficacia: amuleti e rituali d'invocazione delle forze benefiche.

— E se fossero insufficienti?

— Ci vorrà un'energia superiore a quella della magia nera.

— Quindi dobbiamo creare una fonte che la produca.

La dimora millenaria... Ramses non poteva trovare alleato più efficace.

Pi-Ramses cresceva.

Non era ancora una città, ma edifici e case prendevano forma, dominati dalla massa imponente del palazzo, le cui fondamenta in pietra eguagliavano quelle di Tebe e Menfi. L'ardore nel lavoro non diminuiva. Mosè sembrava instancabile, l'amministrazione era esemplare. Vedendo i risultati dei loro sforzi, i costruttori della nuova capitale, dai capomastri ai manovali, speravano di poter ammirare l'opera completata, e molti intendevano stabilirsi nella città edificata con le loro mani.

Due capiclan gelosi del successo di Mosè avevano cercato di contrastarne l'autorità. Ma tutti i mattonai avevano preteso che continuasse a dirigere i lavori, evitando così al giovane ebreo la pena di replicare. Da quel momento, senza avvedersene, Mosè sembrò sempre più il re senza corona di un popolo senza paese. Costruire quella capitale gli costava così tanta energia che le sue angosce si erano dissolte. Non s'interrogava più sull'unico Dio e pensava solo alla buona organizzazione dei cantieri.

L'annuncio dell'arrivo di Ramses lo rallegrò. Certi uccellacci del malaugurio avevano accennato alla morte di Nefertari e di sua figlia. Per alcuni giorni l'atmosfera era stata tesa. Mosè aveva smentito quelle voci scommettendo che il re non avrebbe tardato a visitare la sua città in costruzione.

Ramses gli dava ragione.

Serramanna non poté impedire agli operai di formare due ali esultanti al passaggio del carro reale. Volevano toccarlo per poter assorbire un po' della magia del Faraone. Il sardo maledì il giovane monarca che non teneva alcun conto delle misure di sicurezza e che si esponeva al pugnale di un possibile aggressore.

Ramses si recò direttamente alla villa provvisoriamente occupata da Mosè. Quando il Faraone mise piede a terra, l'ebreo si inchinò. Una volta all'interno, al riparo da sguardi estranei, i due amici si abbracciarono.

— Se continuiamo così, rischi di vincere la tua insensata scommessa.

— Sei davvero in anticipo rispetto alle scadenze?

— È una certezza.

— Oggi voglio vedere tutto!

— Avrai solo belle sorprese. Come sta Nefertari?

— La regina sta benissimo, e anche nostra figlia. Meritamon sarà bella come la madre.

— Non hanno forse rischiato di morire?

— È stato Setau a salvarle.

— Con i suoi veleni?

— È diventato un esperto di magia e ha dissolto il maleficio che aveva colpito mia moglie e mia figlia.

Mosè apparve stupefatto.

— Chi ha osato?

— Ancora lo ignoriamo.

— Bisogna essere veramente ignobili per prendersela con una donna e una bambina, e folli per attaccare la sposa e la figlia del Faraone!

— Mi sono chiesto se quest'orribile attentato non fosse legato alla costruzione di Pi-Ramses. Sto contrariando molti notabili edificando questa nuova capitale.

— No, è impossibile... Tra il malcontento e il delitto, il salto è troppo grande.

— Se il colpevole fosse ebreo, quale sarebbe la tua reazione?

— Un criminale è un criminale, a qualsiasi popolo appartenga. Ma credo che tu stia sbagliando strada.

— Se dovessi venire a sapere qualcosa, qualsiasi cosa, non me lo devi nascondere.

— Non hai più fiducia in me?

— Ti parlerei forse così?

— Nessun ebreo sarebbe in grado di concepire una simile scelleratezza.

— Devo assentarmi per molte settimane, Mosè. Ti affido la mia capitale.

— Quando tornerai non la riconoscerai più. Non tardare troppo; non vorremmo essere costretti a rimandare l'inaugurazione.

44

In quei primi giorni di un giugno soffocante, Ramses festeggiava l'inizio del suo secondo anno di regno. Già un anno da quando Sethi era partito per il regno delle stelle.

La nave della coppia reale si era fermata all'altezza del Gebel Silsileh, nel punto in cui le due rive si avvicinavano. Secondo la tradizione, lì viveva il genio del Nilo, e il Faraone doveva svegliarlo perché diventasse padre nutritore e facesse salire la piena.

Dopo le offerte di latte e vino, e dopo aver recitato gli antichi rituali, la coppia reale entrò in una cappella scavata nella roccia. La temperatura all'interno era gradevole.

— Il medico Pariamakhu ti ha parlato? — chiese Ramses a Nefertari.

— Mi ha prescritto un nuovo trattamento per cancellare le ultime tracce di stanchezza.

— Nient'altro?

— Mi ha forse nascosto la verità a proposito di Meritamon?

— No, tranquillizzati.

— Cosa avrebbe dovuto dirmi?

— Il coraggio non è la virtù principale del nostro buon medico.

— Di quale viltà si è macchiato?

— Tu sei sopravvissuta al parto per miracolo.

Il viso di Nefertari si oscurò.

— Non avrò altri bambini, vero? E non potrò darti figli maschi.

— Kha e la piccola Meritamon sono gli eredi legittimi della corona.

— Ramses deve avere altri figli e altre figlie. Se ritieni necessario che mi ritiri al tempio...

Il re strinse a sé la sposa.

— Io ti amo, Nefertari. Tu sei l'amore e la luce, sei la regina d'Egitto. Le nostre anime sono unite per sempre, nulla potrà separarci.

— Iset ti darà altri figli.

— Nefertari...

— È necessario, Ramses, è necessario. Tu non sei un uomo qualunque, sei il Faraone.

Arrivati a Tebe, il Faraone e la sua sposa si recarono sul sito dove sarebbe stata costruita la dimora millenaria di Ramses. Il luogo sembrò loro grandioso e carico di un'energia che si nutriva sia della montagna d'Occidente che della fertile pianura.

— Ho avuto torto a trascurare questa costruzione a vantaggio della capitale — confessò Ramses. — L'avvertimento di mia madre e l'attentato contro te e nostra figlia mi hanno aperto lo spirito. Solo la dimora millenaria ci proteggerà dal male nascosto nelle tenebre.

Nobile e splendente, Nefertari percorse la vasta distesa di sabbia e rocce che sembrava votata alla sterilità. Come Ramses, la regina godeva di una complicità particolare con il sole, che le scivolava sulla pelle senza bruciarla e l'illuminava con i suoi raggi. In quegli istanti immobili, era la dea delle fondazioni e consacrava il terreno prescelto a ogni suo passo.

La grande sposa reale scaturiva dall'eternità e la infondeva in quella terra bruciata dal sole, già segnata con il sigillo di Ramses.

I due uomini si urtarono sulla passerella della nave reale e si fermarono faccia a faccia. Setau era meno alto di Serramanna, ma aveva le spalle larghe quanto le sue. Si sfidarono con lo sguardo.

— Speravo di non rivederti accanto al re, Setau.

— Averti deluso non mi addolora.

— Si parla di magia nera che ha messo in pericolo la vita della regina e di sua figlia.

— Ancora non hai trovato il mago? Ramses è proprio circondato dalle persone sbagliate.

— Non ti ha mai tappato la bocca nessuno?

— Provaci se ti diverte. Ma stai attento ai miei serpenti.

— Mi minacci?

— Quello che pensi mi è del tutto indifferente. Qualunque sia l'abito che indossa, un pirata resta un pirata.

— Se confessassi il tuo delitto, mi eviteresti di perdere tempo.

— Per un capo della sicurezza, sei proprio male informato. Ignori che ho salvato la figlia della coppia reale?

— Uno stratagemma. Tu sei un depravato, Setau.

— Tu invece sei contorto.

— Nel preciso istante in cui tenterai di nuocere al re, ti fracasserò il cranio con un pugno.

— La presunzione ti soffocherà, Serramanna.

— Proviamo, vuoi?

— Aggredire senza motivo un amico del re ti farebbe finire ai lavori forzati.

— Tu ci andrai presto.

— Tu mi precederai, sardo. Nell'attesa, lasciami passare.

— Dove vai?

— A raggiungere Ramses e liberare, su sua richiesta, il luogo in cui sorgerà il suo futuro tempio dai rettili che lo hanno eletto a domicilio.

— Io ti impedirò di nuocere, stregone.

Setau scostò Serramanna.

— Faresti meglio a proteggere il re, invece di dire stupidaggini.

Ramses si raccolse per molte ore nella cappella di culto del padre, all'interno del tempio di Gurnah, sulla riva occidentale di Tebe. Il re aveva deposto sull'altare grappoli d'uva, fichi, bacche di ginepro e pigne. In quel luogo di riposo, l'anima di Sethi viveva in pace, nutrita dalla sottile essenza delle offerte.

Qui Sethi aveva annunciato a Ramses che gli sarebbe succeduto. Il giovane principe non aveva avvertito il pieno significato delle parole del padre. Viveva un sogno all'ombra protettrice di un gigante il cui pensiero si muoveva come la nave divina attraverso gli spazi celesti.

Quando la corona rossa e la corona bianca erano state posate sul suo capo, Ramses aveva abbandonato per sempre la quiete dell'erede al trono per affrontare un mondo di cui non sospettava la durezza. Sulle pareti del tempio, gli dei sorridenti e gravi consacravano la vita; un Faraone resuscitato rendeva loro omaggio e comunicava con l'invisibile. All'esterno, gli uomini; l'umanità con il suo coraggio e la sua vigliaccheria, la sua rettitudine e la sua ipocrisia, la sua generosità e la sua avidità. E lui, Ramses, in mezzo a quelle forze contrarie, doveva mantenere il legame tra uomini e dei, quali che fossero i suoi desideri e le sue debolezze.

Regnava da un solo anno, ma da tempo non era più padrone di se stesso.

Quando Ramses salì sul carro di Serramanna, che stringeva le redini, il sole stava calando.

— Dove andiamo, Maestà?

— Alla Valle dei Re.

— Ho fatto perquisire le navi della flotta.

— Nulla di sospetto?

— No.

Il sardo era nervoso.

— Non mi devi dire altro, Serramanna?

— Proprio nulla, Maestà.

— Ne sei certo?

— Accusare senza prove sarebbe un grave torto.

— Hai forse individuato il mago?

— La mia opinione non ha alcun valore. Contano solo i fatti.

— Al galoppo, Serramanna.

I cavalli si lanciarono verso la Valle dei Re, il cui accesso era costantemente sorvegliato dai soldati. In quella giornata estiva che volgeva al termine, il calore si era accumulato nelle rocce che ora lo restituivano e si aveva l'impressione di penetrare in una fornace dove si rischiava di morire soffocati.

Sudato, ansante, l'ufficiale responsabile del distaccamento si inchinò davanti al Faraone e assicurò che nessun ladro si era introdotto nella tomba di Sethi.

Ma Ramses non si diresse verso la dimora d'eternità del padre, bensì verso la sua. Terminata la giornata di lavoro, i tagliapietre ripulivano i loro utensili per sistemarli nei panieri. La visita inaspettata del sovrano interruppe tutte le conversazioni. Gli artigiani si riunirono dietro il loro capomastro che stava terminando di redigere il suo rapporto quotidiano.

— Abbiamo scavato il lungo corridoio, fino alla sala di Maat. Posso mostrartelo, Maestà?

— Lasciami solo.

Ramses varcò la soglia della sua tomba e scese la breve scala scavata nella roccia, che corrispondeva all'entrata del sole nelle tenebre. Sulle pareti del corridoio erano scolpiti dei geroglifici in colonne verticali, preghiere che una figura di Faraone eternamente giovane rivolgeva alla potenza della luce, di cui enumerava i nomi segreti. Poi si scoprivano le ore della notte e le prove della camera nascosta che il vecchio sole doveva superare per sperare di poter rinascere al mattino.

Dopo aver attraversato il regno delle ombre, Ramses si vide ritratto in adorazione davanti alle divinità, presenti nell'aldilà come lo erano state in terra. Mirabilmente disegnate, dipinte a colori vivaci, ricreavano eternamente il re.

Sulla destra si apriva la sala del carro reale a quattro pilastri. Qui sarebbero stati conservati il timone, il cocchio, le ruote e gli altri pezzi del carro rituale di Ramses affinché venisse rimontato nell'altro mondo per permettere al monarca di spostarsi e abbattere i nemici della luce.

Proseguendo, il corridoio si stringeva. Era decorato con le scene e i testi rituali dell'apertura della bocca e degli occhi, praticata sulla statua del re, trasfigurato e resuscitato.

Poi, di nuovo solo roccia, appena sbozzata dai ceselli dei tagliapietre. Avrebbero impiegato diversi mesi per aprire e decorare la sala di Maat e la casa d'oro dove sarebbe stato installato il sarcofago.

La morte di Ramses gli si costruiva davanti, quieta e misteriosa. Non sarebbe mancata nessuna parola alla lingua dell'eternità, nessuna scena all'arte dell'invisibile. Il giovane re spaziava nell'aldilà della sua persona terrestre, partecipava a un universo le cui leggi avrebbero superato per sempre la comprensione umana.

Quando il Faraone uscì dalla sua tomba, una notte tranquilla avvolgeva la Valle dei suoi antenati.

45

Doki, il secondo profeta di Amon, corse al palazzo di Tebe dove il re aveva convocato i dignitari più importanti della gerarchia di Karnak. Piccolo, il cranio rasato e la fronte stretta, il naso e il mento a punta, la mascella che ricordava quella di un coccodrillo, Doki ora temeva di arrivare in ritardo per via della stupidità del suo segretario, che non l'aveva avvertito immediatamente mentre stava verificando i conti di uno scriba addetto alle greggi. Avrebbe mandato quell'imbecille in una fattoria, lontano dalle comodità degli uffici del tempio.

Serramanna perquisì Doki e lo lasciò entrare nella sala di udienza del Faraone. Davanti a lui, seduto su un seggio con i braccioli, sedeva Nebu, sommo sacerdote e primo profeta di Amon. Il viso pieno di rughe e le spalle cadenti, aveva appoggiato su un cuscino la gamba sinistra dolorante e annusava un flacone di essenza di fiori.

— Maestà, perdona il mio ritardo...

— Non parliamone più. Dov'è il terzo profeta?

— È preposto ai riti di purificazione nella Casa della Vita e desidera rimanervi recluso.

— Concesso. Bakhen, il quarto profeta?

— È nel cantiere di Luxor.

— Perché non è qui?

— Sovrintende la difficile installazione degli obelischi. Se desideri lo farò venire immediatamente...

— Non serve. La salute del sommo sacerdote di Karnak è soddisfacente?

— No — rispose Nebu con tono stanco. — Mi muovo a fatica e passo la maggior parte del mio tempo nella sala degli archivi. Il mio predecessore ha trascurato antichi rituali a cui desidero restituire il giusto valore.

— E tu, Doki, ti preoccupi ancora degli affari di questo mondo?

— È necessario, Maestà! Bakhen e io gestiamo questa fondazione sotto il controllo del nostro venerabile sommo sacerdote.

— I miei giovani subordinati hanno capito che una gamba malandata non impedisce di avere la vista buona — spiegò Nebu. — La missione che il re mi ha affidato sarà eseguita senza fallo, e non tollererò né improvvisazioni né pigrizia.

Il tono fermo del sommo sacerdote sorprese Ramses. Sebbene sembrasse esausto, il vecchio Nebu teneva saldamente il timone.

— La tua presenza è una gioia, Maestà. Significa che la nascita della nuova capitale non implica l'abbandono di Tebe.

— Non era mia intenzione, Nebu. Quale Faraone degno della sua carica potrebbe trascurare la città di Amon, il dio delle vittorie?

— Perché allontanarsene allora?

Quella domanda sembrava carica di rimproveri.

— Non spetta al sommo sacerdote di Amon discutere la politica dell'Egitto.

— Lo ammetto volentieri, Maestà, ma non deve forse preoccuparsi del futuro del suo tempio?

— Nebu si rassicuri. La grande sala ipostila di Karnak non è forse la più bella e la più ampia mai costruita?

— Ti sia reso grazie, Maestà. Ma permetti a un vecchio senza ambizioni di chiedere la vera ragione della tua presenza qui.

Ramses sorrise.

— Chi è più impaziente, Nebu, tu o io?

— In te arde il fuoco della giovinezza, in me s'impone la voce del regno delle ombre. Il poco che mi resta da vivere mi vieta discorsi inutili.

La discussione tra Ramses e Nebu lasciava Doki senza parole. Se il sommo sacerdote di Karnak avesse continuato a sfidare il monarca, la collera di Ramses sarebbe certamente esplosa.

— La famiglia reale è in pericolo — rivelò il Faraone. — Sono venuto a Tebe per cercare la protezione magica di cui abbiamo bisogno.

— Come intendi agire?

— Fondando la mia dimora millenaria.

Nebu strinse il bastone.

— Ti approvo, ma prima devi aumentare il *ka*, il potere di cui sei depositario.

— In che modo?

— Terminando il tempio di Luxor, santuario del *ka* per eccellenza.

— Non stai cercando di tirare acqua al tuo mulino, Nebu?

— In altre circostanze avrei certamente cercato di influenzarti in qualche modo, ma la gravità delle tue parole me ne ha dissuaso. È a Luxor che si accumula la potenza di cui Karnak ha bisogno per far irraggiare il divino; di questo hai bisogno per regnare.

— Terrò conto della tua opinione, sommo sacerdote, ma ti ordino di preparare il rituale di fondazione della mia dimora millenaria che verrà eretta sulla riva occidentale.

Per calmare l'eccitazione che si era impadronita di lui, Doki bevve varie coppe di birra forte. Gli tremavano le mani, un sudore gelato gli scorreva lungo la schiena. Dopo aver subito tante ingiustizie, finalmente la fortuna gli sorrideva!

Lui, secondo profeta di Amon, condannato a invecchiare in quell'incarico subalterno, era depositario di un segreto di Stato della più grande importanza! Svelando il proprio progetto, Ramses aveva commesso un errore che Doki avrebbe sfruttato nella speranza di accedere alla carica di sommo sacerdote.

La dimora millenaria... Un'occasione insperata, la soluzione che riteneva impossibile! Ma doveva calmarsi, agire senza precipitazione, non perdere un secondo, dire le parole giuste, saper tacere.

La sua posizione di secondo profeta gli avrebbe consentito di sottrarre le derrate che gli sarebbero servite come moneta di scambio, sopprimendo qualche riga negli inventari. Essendo supervisore degli scribi controllori, non avrebbe corso nessun rischio.

Ma non stava forse illudendosi, possedeva veramente la capacità di portare a termine un simile progetto? Né il sommo sacerdote né il re erano degli ingenui. Al minimo passo falso l'avrebbero smascherato. Ma un'opportunità del genere non si sarebbe ripresentata. Un Faraone costruisce una sola dimora millenaria.

A mezz'ora di marcia da Karnak, Luxor era collegata all'immenso tempio di Amon da un viale fiancheggiato da sfingi protettrici.

Sfruttando la ricchezza degli archivi della Casa della Vita, che custodivano i segreti del cielo e della terra, e leggendo i libri di Thot, Bakhen aveva tracciato un progetto che permetteva di ingrandire Luxor, conformemente a quanto richiesto da Ramses sin dal primo anno del suo regno. Grazie all'appoggio di Nebu, i lavori erano andati avanti in fretta. Un grande cortile, cinquantadue metri di larghezza per quarantotto di lunghezza, era stato aggiunto al santuario di Amenhotep III e avrebbe ospitato delle statue di Ramses. Davanti all'elegante pilone, largo sessantacinque metri, sei colossi rappresentanti il Faraone avrebbero sorvegliato l'accesso al tempio del *ka* e due obelischi di venticinque metri si sarebbero drizzati verso il cielo per distruggere le forze del male.

Le pietre di arenaria, di impareggiabile bellezza, i muri coperti di elettro, il pavimento d'argento avrebbero fatto di Luxor il capolavoro del regno di Ramses. I pennoni con gli stendardi, che testimoniavano la presenza del divino, sarebbero arrivati alle stelle.

Ma lo spettacolo al quale Bakhen stava assistendo da meno di un'ora lo gettava nella disperazione. Proveniente dalle cave di Assuan, una chiatta di settanta metri con il primo dei due obelischi girava su se stessa in mezzo al Nilo, presa in un vortice che non era indicato su nessuna carta nautica.

A prua della pesante imbarcazione in legno di sicomoro, il marinaio, che sondava ininterrottamente il fiume con una lunga pertica per evitare di incagliarsi su un banco di sabbia, aveva avvistato il pericolo troppo tardi. In preda al panico, l'uomo che governava la chiatta aveva fatto una manovra sbagliata e, nel momento stesso in cui era caduto in acqua, uno dei due timoni si era spezzato. L'altro era bloccato, inutilizzabile.

I movimenti disordinati dell'imbarcazione avevano squilibrato il carico. Spostandosi, l'obelisco, un monolito di duecento tonnellate, aveva spezzato molte delle corde che ne assicuravano la stabilità e altre minacciavano di cedere. Ben presto, il gigantesco blocco di granito rosa sarebbe finito nel fiume.

Bakhen strinse i pugni e pianse.

Quel naufragio era un fallimento terribile da cui il quarto profeta di Amon non si sarebbe ripreso. Sarebbe stato giustamente considerato responsabile della perdita dell'obelisco e della morte di molti uomini. Non era stato forse lui, per la fretta, a ordinare la partenza della chiatta, senza aspettare la piena? Non pensando ai pericoli che avrebbe fatto correre all'equipaggio, Bakhen si era ritenuto superiore alle leggi della natura.

Il quarto profeta di Amon avrebbe dato volentieri la vita per impedire quel disastro. Ma la chiatta beccheggiava sempre di più e scricchiolii sinistri rivelavano che lo scafo non avrebbe tardato a spezzarsi. L'obelisco era perfetto; mancava solo la doratura della punta piramidale che avrebbe brillato sotto i raggi del sole. Un obelisco condannato a sparire in fondo al Nilo.

Sulla riva, un uomo, un gigante baffuto, armato, con l'elmo, gesticolava, ma le sue parole erano spazzate dalla violenza del vento.

Bakhen si rese conto che si stava rivolgendo a un nuotatore, supplicandolo di tornare indietro. Ma quest'ultimo avanzava in fretta verso la chiatta impazzita. Rischiando di annegare o di morire tramortito da un remo, riuscì a raggiungere la prua della chiatta e ad arrampicarsi lungo lo scafo aiutandosi con una corda.

L'uomo impugnò il timone bloccato, che altre mani tentavano invano di rimettere a posto. Con una forza incredibile, inarcato sui talloni, i muscoli delle braccia e del petto che sembravano sul punto di scoppiare, riuscì a far muovere la pesante barra di legno.

La chiatta smise di girare su se stessa e si fermò per qualche istante, parallela alla riva. Approfittando del vento a favore, l'uomo al timone riuscì a uscire dal vortice, subito aiutato dai rematori che avevano riacquistato sicurezza.

Non appena la chiatta accostò, decine di tagliapietre e di manovali cominciarono subito a scaricare l'obelisco.

Quando il suo salvatore apparve in cima alla passerella, Bakhen lo riconobbe. Ramses, il re d'Egitto, aveva rischiato la vita per salvare la lancia di pietra che avrebbe penetrato il cielo.

46

Shenar consumava sei pasti al giorno e ingrassava a vista d'occhio. Questo succedeva quando perdeva la speranza di conquistare il potere e prendersi finalmente la rivincita su Ramses. La bulimia lo rassicurava, gli permetteva di dimenticare la nascita della nuova capitale e l'insolente popolarità del re. Neanche Asha riusciva più a consolarlo. Certo, sfoderava argomenti convincenti: il potere logora, l'entusiasmo dei primi mesi di regno si sarebbe esaurito, difficoltà di tutti i generi si sarebbero accumulate sul cammino di Ramses... Ma nulla di concreto avallava quelle belle parole. Gli ittiti sembravano paralizzati, sensibili all'eco dei miracoli realizzati dal giovane monarca.

Insomma, le cose andavano di male in peggio.

Shenar si stava accanendo su una coscia d'oca arrosto quando il suo intendente gli annunciò la visita di Meba, l'ex ministro degli Affari esteri di cui Shenar aveva preso il posto facendogli credere che Ramses fosse l'unico responsabile dell'avvicendamento.

— Non lo voglio vedere.

— Insiste.

— Mandalo via.

— Meba sostiene di avere un'informazione importante che ti riguarda.

L'ex ministro non era né uno spaccone né un visionario. La sua carriera si era svolta all'insegna della prudenza.

— Allora fallo venire.

Meba non era cambiato: il viso largo e rassicurante, l'aria dottorale, una voce neutra, privo di grande personalità. Era un importante funzionario abituato alle sue comodità e abitudini, incapace di comprendere i veri motivi della sua decadenza.

— Grazie per avermi ricevuto, Shenar.

— La visita di un amico di lunga data è sempre un piacere. Hai fame, sete?

— Un po' d'acqua fresca andrà bene.

— Hai forse rinunciato al vino e alla birra?

— Da quando ho perso la mia carica soffro di terribili mal di testa.

— Mi dispiace di essere involontariamente il beneficiario di quest'ingiustizia. Ma il tempo passa, Meba, e forse riuscirò a ottenere per te una carica onoraria.

— Ramses non è un re che torna sui propri passi. In pochi mesi il suo successo è già eclatante.

Shenar affondò i denti in un'ala d'oca.

— Mi ero rassegnato — confessò il vecchio diplomatico — fino a quando tua sorella Dolente non mi ha fatto incontrare uno strano personaggio.

— Come si chiama?

— Ofir, un libico.

— Mai sentito nominare.

— Si nasconde.

— Per quale motivo?

— Perché protegge una ragazza, Lita.

— Che sordida storia mi stai raccontando?

— Secondo Ofir, Lita è una discendente di Akhenaton.

— Ma tutti i suoi discendenti sono morti!

— E se fosse vero?

— Ramses la esilierebbe immediatamente.

— Tua sorella difende a spada tratta la ragazza e i seguaci di Aton, il Dio unico che escluderà gli altri. Persino a Tebe se ne è formato un gruppo.

— Spero che tu non ne faccia parte! Questa follia finirà male. Dimentichi che Ramses appartiene a una dinastia che condanna l'esperienza di Akhenaton?

— Ne sono del tutto consapevole ed ero terrorizzato all'idea di incontrare Ofir. Però, riflettendo, quell'uomo potrebbe essere un alleato prezioso contro Ramses.

— Un libico costretto a nascondersi?

— Ofir possiede una qualità apprezzabile: è un mago.

— Ce ne sono centinaia!

— Questo però ha messo in pericolo la vita di Nefertari e di sua figlia.

— Che dici?

— Tua sorella Dolente è convinta che Ofir sia un saggio e che Lita salirà sul trono d'Egitto. Dato che lei conta su di me per riunire i seguaci di Aton, io beneficio delle sue confidenze. Ofir è un mago temibile, deciso a distruggere le magiche difese della coppia reale.

— Ne sei certo?

— Quando l'avrai visto, te ne convincerai. Ma non è tutto, Shenar. Hai pensato a Mosè?

— Mosè... Perché Mosè?

— I principi di Akhenaton non sono molto lontani da quelli di alcuni ebrei. Non si vocifera forse che l'amico del Faraone sia tormentato dall'avvento di un Dio unico e che la sua fede nella nostra civiltà stia vacillando?

Shenar osservò Meba attentamente.

— Cosa proponi?

— Incoraggia Ofir a continuare le sue pratiche di magia nera e a incontrare Mosè.

— La tua discendente di Akhenaton mi preoccupa...

— Disturba anche me, ma che importa? Convinciamo Ofir che crediamo in Aton e nel regno di Lita. Quando il mago avrà indebolito Ramses e manipolato Mosè contro il re, ci sbarazzeremo di quell'uomo ambiguo e della sua protetta.

— Un piano interessante, mio caro Meba.

— Conto su di te per migliorarlo.

— Cosa desideri in cambio?

— Riavere la mia carica. La diplomazia è tutta la mia vita. Mi piace ricevere gli ambasciatori, presiedere le cene mondane, discutere a parole velate con i dignitari stranieri, promuovere una relazione, tendere trappole, sfruttare il protocollo... Non lo si può capire se non si è mai stati diplomatici. Quando sarai re, nominami ministro degli Affari esteri.

— Le tue proposte meritano attenzione.

Meba era felice.

— Se non ti disturba, accetterei volentieri un po' di vino. L'emicrania è sparita.

Bakhen, quarto profeta di Amon, era prosternato davanti a Ramses.

— Non ho nessuna scusa, Maestà. Sono il solo responsabile di questo disastro.

— Quale disastro?

— L'obelisco sarebbe potuto andare perduto, l'equipaggio decimato...

— I tuoi incubi sono privi di senso, Bakhen. Conta solo la realtà.

— Non cancella la mia imprudenza.

— Perché l'hai commessa?

— Volevo fare di Luxor il gioiello del tuo regno.

— Credevi forse che un solo capolavoro mi sarebbe bastato? Rialzati, Bakhen.

L'ex istruttore militare di Ramses non aveva perduto nulla della sua robustezza. Assomigliava molto di più a un atleta che a un sacerdote ascetico.

— Sei stato fortunato, Bakhen, e io apprezzo gli uomini favoriti dal destino. La magia non consiste forse nel deviare i colpi della sorte?

— Senza il tuo intervento...

— Sei quindi in grado di provocare la venuta del Faraone! Un bel successo, in verità, che merita di essere scolpito negli annali.

Bakhen temette che quelle parole ironiche venissero seguite da qualche terribile sanzione. Ma lo sguardo penetrante di Ramses si diresse verso la chiatta. Le manovre di scarico si svolgevano senza difficoltà.

— L'obelisco è splendido. Quando sarà pronto il secondo?

— A fine settembre, spero.

— Che gli incisori di geroglifici si affrettino!

— Nelle cave di Assuan il caldo è già molto forte.

— Chi sei, Bakhen, un costruttore o un piagnucolone? Tornaci, e sorveglia la fine dei lavori. I colossi?

— I tagliapietre hanno scelto un'arenaria magnifica delle cave del Gebel Silsileh.

— Che si mettano all'opera anche loro, e senza indugi. Manda un emissario oggi stesso, e poi vai a controllare che gli scultori non perdano neanche un'ora. Perché il grande cortile è ancora incompleto?

— È stato impossibile fare più in fretta, Maestà!

— Ti sbagli, Bakhen. Per costruire un santuario del *ka*, luogo di riposo offerto alla potenza che crea costantemente l'universo, non bisogna comportarsi come un modesto capomastro, timido con i materiali, che esita sui passi da compiere. Il fuoco del fulmine deve proiettare il tuo pensiero nella pietra e far nascere il tempio. Ti sei dimostrato lento e pigro: ecco la tua vera colpa.

Bakhen era sbalordito, incapace di protestare.

— Quando Luxor sarà terminata, produrrà il *ka*. Quell'energia mi è necessaria, il prima possibile. Mobilita i migliori artigiani.

— Alcuni si occupano della tua dimora d'eternità nella Valle dei Re.

— Falli venire qui, la mia tomba aspetterà. Dovrai occuparti anche di un'altra questione urgente: la creazione della mia dimora millenaria, sulla riva occidentale. La sua costruzione proteggerà il regno da molte sciagure.

— Vuoi...

— Un edificio colossale, un santuario così potente che la sua magia possa respingere le avversità. Domani vedrà la luce.

— Maestà, se c'è Luxor...

— C'è anche Pi-Ramses, una città intera. Manda gli scultori di tutte le province e trattieni solo quelli con il tocco del genio.

— Maestà, non posso allungare le giornate!

— Se il tempo ti manca, crealo.

47

Doki incontrò lo scultore in una taverna di Tebe che nessuno
dei due aveva mai frequentato prima. Si sedettero nell'angolo
più buio, vicino a degli operai libici che parlavano a voce alta.

— Ho ricevuto il tuo messaggio e sono venuto — disse lo
scultore. — Perché tanto mistero?

Con una parrucca che gli nascondeva le orecchie e scendeva bassa sulla fronte, Doki era irriconoscibile.

— Hai parlato a qualcuno della mia lettera?

— No.

— Neanche a tua moglie?

— Sono celibe.

— Alla tua amante?

— La vedrò solo domani sera.

— Dammi la lettera.

Lo scultore consegnò il papiro arrotolato a Doki, che lo lacerò in mille pezzi.

— Se non ci metteremo d'accordo — spiegò — non resterà
traccia del nostro incontro. Io non ti ho mai scritto e noi non
ci siamo mai incontrati.

Lo scultore, un uomo robusto e tarchiato, coglieva male
quelle sottigliezze.

— Ho già lavorato per Karnak e non ho mai avuto motivo di lamentarmi, ma non mi hanno mai convocato in una taverna per farmi proposte incoerenti!

— Parliamoci chiaro: vuoi diventare ricco?

— Chi non lo vorrebbe?

— Puoi fare rapidamente fortuna, ma bisogna correre un rischio.

— Quale?

— Prima di rivelartelo, dobbiamo metterci d'accordo.

— D'accordo su cosa?

— Se rifiuti, dovrai lasciare Tebe.

— Altrimenti?

— Forse sarà meglio fermarci qui.

Doki si alzò.

— Va bene. Rimani.

— La tua parola, sulla vita del Faraone e sotto la vigilanza della dea del silenzio, che fulmina gli spergiuri.

— Ce l'hai.

Dare la propria parola era un atto magico che impegnava tutto l'essere. Tradirla faceva fuggire il *ka* e privava l'anima delle sue qualità.

— Ti chiederò solo di scolpire alcuni geroglifici su una stele — rivelò Doki.

— Ma... è il mio mestiere! Perché tanti misteri?

— Lo vedrai al momento opportuno.

— E la fortuna di cui parlavi?

— Trenta vacche da latte, cento pecore, dieci buoi grassi, un'imbarcazione leggera, venti paia di sandali, dei mobili e un cavallo.

Lo scultore era esterrefatto.

— Tutto questo... per una semplice stele?

— Infatti.

— Bisognerebbe essere pazzi per rifiutare. Qua la mano!

Doki e lo scultore sigillarono l'accordo con una stretta di mano.

— A quando il lavoro?

— Domani all'alba, sulla riva occidentale di Tebe.

Meba aveva invitato Shenar nella villa di un suo ex subalterno, una ventina di chilometri a nord di Menfi, in aperta campagna. L'ex ministro degli Affari esteri e il fratello maggiore di Ramses erano giunti da strade diverse, a due ore di intervallo. Shenar aveva deciso che era meglio non avvertire Asha dell'incontro.

— Il tuo mago è in ritardo — rimproverò Shenar a Meba.

— Mi ha promesso di venire.

— Non ho l'abitudine di aspettare. Se non arriva entro un'ora, me ne vado.

Ofir fece il suo ingresso accompagnato da Lita.

Il cattivo umore di Shenar sparì all'istante. Osservò affascinato l'inquietante personaggio. Magro, gli zigomi sporgenti, il naso prominente, le labbra molto sottili, il libico aveva un viso da avvoltoio pronto a divorare la preda. La ragazza era a testa china, aveva l'aria di una sconfitta, priva di qualsiasi personalità.

— È un grande onore per noi — dichiarò Ofir con una voce profonda che fece rabbrividire Shenar. — Non osavamo sperare in un simile favore.

— Il mio amico Meba mi ha parlato di voi.

— Il dio Aton gliene sarà grato.

— Questo è un nome che sarebbe meglio non pronunciare.

— Ho dedicato la mia esistenza a far conoscere il diritto di Lita al trono. Se il fratello maggiore di Ramses mi riceve, non è forse perché approva la mia iniziativa?

— Il tuo ragionamento è giusto, Ofir, ma non stai trascurando l'ostacolo principale, Ramses stesso?

— Al contrario. Il Faraone che governa l'Egitto è un uomo di una statura e di una forza eccezionali, quindi un avversario molto duro le cui difese saranno difficili da spezzare. Tuttavia dispongo di armi che ritengo efficaci.

— Chi esercita la magia nera viene punito con la pena di morte.

— Ramses e i suoi antenati hanno tentato di distruggere l'opera di Akhenaton. Tra lui e me, la lotta sarà senza quartiere.

— Qualsiasi consiglio di moderazione sarebbe quindi inutile?

— Infatti.

— Conosco bene mio fratello: è un uomo testardo e violento, che non sopporterà nessun attacco alla sua autorità. Se incontrerà sul suo cammino i fautori del Dio unico, li distruggerà.

— Per questo l'unica soluzione è colpirlo alle spalle.

— Progetto eccellente, ma di difficile realizzazione.

— La mia magia sarà corrosiva come un acido.

— Che ne diresti di un alleato all'interno della fortezza?

Gli occhi del mago si strinsero come quelli di un gatto. Rimase solo una fessura che rese insostenibile il suo sguardo. Shenar era contento di sé, aveva colpito nel segno.

— Come si chiama?

— Mosè. Un amico d'infanzia di Ramses, un ebreo a cui ha affidato la sovrintendenza dei cantieri di Pi-Ramses. Convincilo ad aiutarti, e diventeremo alleati.

Per il generale che comandava il forte di Elefantina i giorni scorrevano felici. Dopo l'incursione guidata da Sethi in persona, le province nubiane sotto la tutela egiziana vivevano in pace e inviavano regolarmente i loro prodotti.

La frontiera meridionale delle Due Terre era ben sorvegliata; da diversi decenni nessuna tribù nubiana aveva tentato di attaccarla, e neanche di rimetterla in discussione. La Nubia era ormai per sempre territorio egiziano; i figli dei capitribù venivano educati in Egitto per poi tornare e propagare la cultura dei Faraoni, sotto il controllo del viceré di Nubia, un alto funzionario nominato dal re. Sebbene gli egiziani avessero orrore di passare tanto tempo all'estero, quell'incarico era molto ambito, perché il titolare beneficiava di notevoli vantaggi.

Ma il generale non lo invidiava, perché nulla valeva il clima e la calma di Elefantina, la sua terra natale. La guarnigione si addestrava sin dall'alba per poi mettersi a disposizione dei cavapietre e sorvegliare il carico dei blocchi di granito sulle chiatte in partenza per il nord. Com'erano lontani i tempi delle spedizioni militari, e com'era bello che fossero lontani!

Dal momento della sua nomina, il generale si era trasformato in doganiere. I suoi uomini controllavano i prodotti provenienti dal Grande Sud e vi applicavano le tasse in base alle tabelle imposte dalla Doppia Casa Bianca, il ministero dell'Economia e delle Finanze. Un mucchio di scartoffie e documenti amministrativi ingombrava il quartier generale, ma l'ufficiale superiore preferiva combattere con loro piuttosto che con i temibili guerrieri nubiani.

Tra qualche istante sarebbe salito su un'imbarcazione veloce per ispezionare le fortificazioni lungo il Nilo. Come ogni giorno, avrebbe gustato la dolcezza della brezza e si sarebbe riempito gli occhi della bellezza delle rive e delle rocce. E come non pensare alla cena gustosa che avrebbe poi diviso con una giovane vedova che stava lentamente uscendo dal suo sconforto?

Un inconsueto rumore di passi lo fece sobbalzare.

Il suo attendente gli si presentò davanti, ansante.

— Un messaggio urgente, generale.

— Da dove arriva?

— Da una pattuglia in ricognizione nel deserto della Nubia.

— Le miniere d'oro?

— Sì, generale.

— Cos'ha detto il messaggero?

— Che la questione è molto seria.

In altre parole, il generale non poteva rinchiudere il rotolo di papiro in un armadio e dimenticarlo lì per qualche giorno. Ruppe il sigillo, srotolò il documento e lo lesse stupefatto.

— È... è falso!

— No, generale. Il messaggero è a tua disposizione.

— Un fatto del genere non può essere successo... Nubiani in rivolta avrebbero attaccato il convoglio militare che portava l'oro in Egitto!

48

La luna nuova era appena sorta.

Ramses era a torso nudo, con una parrucca e un cingilombi arcaico simile a quelli dei Faraoni dell'Antico Regno. La regina indossava un lungo abito bianco fasciante. Al posto della corona, la stella a sette punte della dea Sechat, che la regina incarnava durante i riti per la fondazione del Ramesseo, la dimora millenaria. Ramses non aveva dimenticato il soggiorno tra i tagliapietre nelle cave del Gebel Silsileh, dove aveva imparato a usare mazzuolo e scalpello. Allora, prima che il padre lo strappasse al suo sogno, pensava di diventare membro di quella corporazione.

La coppia reale era assistita da una trentina di ritualisti venuti dal tempio di Karnak. Alla loro testa, il sommo sacerdote Nebu, il secondo profeta Doki, e il quarto, Bakhen. A partire dal mattino seguente, due architetti e le loro squadre si sarebbero messi al lavoro.

Cinque ettari! Di cinque ettari era l'estensione della dimora millenaria stabilita da Ramses. Oltre al santuario vero e proprio, avrebbe compreso un palazzo e diverse altre costruzioni, tra cui una biblioteca, dei magazzini e un giardino. La città sacra, economicamente autonoma, sarebbe stata

314

dedicata al culto del potere soprannaturale presente nel Faraone.

Stordito dall'ampiezza del progetto, Bakhen si rifiutava di pensare alle difficoltà e si concentrava sui gesti compiuti dalla coppia reale. Dopo aver fissato gli angoli simbolici del futuro edificio, il re e la regina avevano conficcato con un lungo mazzuolo i picchetti di fondazione e teso la funicella, evocando la memoria di Imhotep, creatore della prima piramide e modello per gli architetti.

Poi il Faraone aveva praticato uno sterro per le fondamenta con l'aiuto di una zappa, e nella cavità aveva deposto dei piccoli lingotti d'oro e d'argento, degli utensili in miniatura e degli amuleti, poi ricoperti di sabbia e celati alla vista.

Con mano ferma Ramses aveva sistemato la prima pietra angolare con una leva, e aveva modellato lui stesso il primo mattone. Dal suo atto creatore sarebbero scaturiti i pavimenti, i muri e i soffitti del tempio. Venne il momento della purificazione: Ramses fece il giro del perimetro sacro gettando dell'incenso, il cui nome geroglifico, *sonter*, significava "colui che divinizza".

Bakhen drizzò una porta di legno, modello della futura porta monumentale dell'edificio. Consacrandola, il re aprì la bocca della sua dimora millenaria e le diede la vita. Ormai il Verbo era in lei. Dodici volte Ramses colpì la porta con la mazza bianca, "l'illuminatrice", invocando la presenza delle divinità. Con una lampada rischiarò il santuario che sarebbe stato dimora dell'invisibile.

Alla fine pronunciò l'antica formula, dichiarando che non aveva costruito quel monumento per se stesso e che lo offriva al suo vero padrone, la Regola, origine e fine di tutti i templi d'Egitto.

Bakhen ebbe l'impressione di assistere a un vero miracolo. Quanto stava avvenendo lì, davanti agli occhi di pochi privilegiati, trascendeva la comprensione umana. Su quel terreno ancora spoglio, che già apparteneva agli dei, la potenza del *ka* cominciava a dispiegarsi.

— La stele di fondazione è pronta — dichiarò Doki.

— Che venga installata — ordinò il re.

Lo scultore pagato da Doki portò una piccola pietra coperta di geroglifici. Il testo consacrava per sempre il territorio del Ramesseo che non sarebbe mai più tornato al mondo profano; la magia dei segni trasformava la terra in cielo.

Setau si avvicinò portando un papiro intonso e una ciotola piena di inchiostro fresco. Doki sobbalzò; l'intervento di quel rozzo personaggio non era previsto.

Setau scrisse un testo sul papiro, in linee orizzontali da destra a sinistra, poi lo lesse ad alta voce.

— "Che venga suggellata ogni bocca vivente che parli contro il Faraone pronunciando male parole o che abbia intenzione di pronunciarle contro di lui, di notte e di giorno. Che questa dimora millenaria sia il perimetro magico a protezione del re e respinga il male".

Doki sudava abbondantemente. Nessuno l'aveva avvertito di quell'intervento magico che, per fortuna, non avrebbe potuto alterare l'esecuzione del suo piano.

Setau offrì il papiro arrotolato a Ramses. Il re vi appose il sigillo e lo depose ai piedi della stele dove sarebbe stato sotterrato. Sfiorando i geroglifici con lo sguardo, il re li portò alla vita.

Improvvisamente si voltò.

— Chi ha scolpito questi geroglifici?

La voce del monarca tradiva la collera.

Lo scultore fece un passo avanti.

— Io, Maestà.

— Chi ti ha dato il testo da incidere nella pietra?

— Il sommo sacerdote di Amon in persona, Maestà.

Lo scultore si prosternò per rispetto, ma anche per evitare lo sguardo furioso di Ramses. L'iscrizione tradizionale della fondazione di una dimora millenaria era stata modificata e snaturata, annullando la sua funzione protettrice.

Così il vecchio Nebu, alleato delle forze delle tenebre e venduto ai nemici del Faraone, aveva tradito Ramses! Il re aveva voglia di fracassargli la testa con il mazzuolo delle fondamenta, ma una strana energia, proveniente dal suolo consacrato, diffuse un calore benefico lungo il suo albero della vita, la colonna vertebrale. Nel suo cuore si aprì una porta che modificò la sua visione. No, non doveva usare la violenza. E il gesto appena fatto da Nebu con molta discrezione lo confortò nella sua opinione.

— Rialzati, scultore.

L'uomo obbedì.

— Vai dal sommo sacerdote e conducilo a me.

Doki trionfava. Il suo piano si svolgeva alla perfezione, le proteste del vecchio sarebbero state ingarbugliate e inutili. Il castigo del re sarebbe stato terribile e la carica di sommo sacerdote si sarebbe liberata. Questa volta il re avrebbe fatto appello a un uomo di provata esperienza, con una certa familiarità della gerarchia, lui, Doki!

Lo scultore aveva imparato bene la lezione. Si fermò davanti a un vecchio che teneva nella mano destra un bastone dorato e un anello d'oro al medio, i due attributi simbolici del sommo sacerdote di Amon.

— È questo l'uomo che ti ha dato il testo da incidere sulla stele? — chiese Ramses.

— È proprio lui.

— Allora sei un bugiardo.

— No, Maestà! Ti giuro che è stato il sommo sacerdote di Amon in persona a...

— Scultore, tu non l'hai mai visto.

Nebu riprese il bastone e l'anello che aveva affidato a un ritualista anziano mentre lo scultore, che gli dava le spalle, aveva pronunciato l'accusa contro di lui.

Sconvolto, l'artigiano vacillò.

317

— Doki... Dove sei, Doki? Devi aiutarmi, io non sono responsabile! Sei stato tu a ordinarmi di dire che il sommo sacerdote di Amon voleva distruggere la magia del tempio!

Doki fuggiva.

Accecato dalla rabbia, lo scultore lo afferrò e lo riempì di pugni.

Doki morì per le ferite. Lo scultore, accusato di crimine di sangue, degradazione di geroglifici, corruzione e menzogna, sarebbe comparso davanti al tribunale del visir e sarebbe stato condannato alla pena di morte sotto forma di suicidio o ai lavori forzati in qualche colonia penale delle oasi.

Il giorno dopo il dramma, al tramonto, Ramses installò personalmente la stele di fondazione del Ramesseo, debitamente rettificata.

Il Ramesseo era nato.

— Sospettavi già che Doki ti volesse nuocere? — chiese Ramses a Nebu.

— La natura umana è fatta così — rispose il sommo sacerdote. — Rari sono gli esseri che si accontentano di seguire il loro cammino senza invidiare gli altri. Come giustamente scrivono i saggi, l'invidia è una malattia mortale che nessun medico può combattere.

— Bisogna sostituire Doki.

— Stai pensando a Bakhen, Maestà?

— Certamente.

— Non mi opporrò alla tua decisione, ma mi sembra prematura. Hai incaricato Bakhen di sorvegliare i lavori di Luxor e della tua dimora millenaria, e hai avuto ragione. Quell'uomo merita la tua fiducia. Ma non lo schiacciare sotto un fardello troppo greve e non lasciare che il suo pensiero si disperda in compiti troppo diversi. Al momento opportuno, supererà altri livelli della gerarchia.

— Cosa proponi?

— Al posto di Doki nomina un vecchio, come me, che

pensi alla meditazione e ai riti. Così il tempio di Amon di Karnak non ti darà più alcun pensiero.

— Lo sceglierai tu stesso. Hai esaminato il progetto del Ramesseo?

— La mia esistenza è stata un susseguirsi di giorni felici e tranquilli, ma mi rimarrà un rimpianto: non vivere abbastanza da veder terminata la tua dimora millenaria.

— Chi lo sa, Nebu.

— Mi fanno male le ossa, Maestà, la vista diminuisce, le orecchie diventano sorde e dormo sempre di più. La fine è prossima, lo sento.

— Ma i saggi non arrivano a centodieci anni?

— Sono solo un vecchio appagato. Perché dovrei rimproverare alla morte di riprendersi la fortuna di cui ho beneficiato per offrirla a un altro?

— Il tuo colpo d'occhio mi sembra ancora eccellente. Se tu non avessi dato il bastone e l'anello al ritualista, cosa sarebbe successo?

— Quello che è successo è successo, Maestà. La Regola di Maat ci ha protetti.

Ramses contemplò la vasta distesa dove sarebbe sorta la sua dimora millenaria.

— Vedo un edificio grandioso, Nebu, un santuario di granito, di arenaria e basalto. I piloni arriveranno al cielo, le porte saranno di bronzo dorato, gli alberi ombreggeranno le vasche d'acqua pura, i granai saranno colmi di grano, la tesoreria custodirà oro, argento, pietre preziose e vasi rari. Delle statue immortali abiteranno i cortili e le cappelle. Un recinto proteggerà queste meraviglie. All'alba e al tramonto saliremo insieme sulla terrazza e renderemo onore all'eternità incisa nella pietra. In questo tempio tre esseri vivranno per sempre: mio padre Sethi, mia madre Tuya e la mia sposa Nefertari.

— Dimentichi il quarto, che è anche il primo: tu stesso, Ramses.

La grande sposa reale si avvicinò al re con un germoglio d'acacia.

Ramses s'inginocchiò e lo piantò nel terreno; Nefertari lo annaffiò con delicatezza.

— Veglia su quest'albero, Nebu, crescerà con il mio tempio. Che gli dei mi permettano di riposare un giorno sotto la sua ombra benefica, di dimenticare il mondo e gli uomini, e di vedere la dea d'Occidente che si rivelerà nel suo fogliame e nel suo tronco, prima di prendermi per mano.

49

Mosè si sdraiò sul suo letto in legno di sicomoro.

La giornata era stata estenuante. Una cinquantina di incidenti minori, due feriti leggeri nel cantiere del palazzo, un ritardo nella consegna delle razioni per quello della terza caserma, un migliaio di mattoni imperfetti da distruggere... Nulla di sorprendente, ma un accumulo di preoccupazioni che, a poco a poco, intaccava la sua resistenza.

Dei sordi interrogativi s'impadronivano nuovamente del suo spirito. Edificare quella capitale lo riempiva di gioia; ma far nascere diversi templi in omaggio alle divinità, tra cui Seth il malefico, non era un'offesa al Dio unico? In qualità di sovrintendente dei cantieri di Pi-Ramses, Mosè contribuiva a plasmare la gloria di un Faraone che perpetuava gli antichi culti.

In un angolo della stanza, accanto alla finestra, qualcuno si era mosso.

— Chi è?

— Un amico.

Dalla penombra emerse un uomo magro dal profilo aquilino che si avvicinò alla luce ondeggiante di una lampada a olio.

— Ofir!

— Vorrei parlarti!

Mosè sedette sul letto.

— Sono stanco e voglio dormire. Ci vedremo domani in cantiere, se ne avrò il tempo.

— Sono in pericolo, amico mio.

— Per quale motivo?

— Lo sai bene! Perché credo nell'unico Dio, salvatore dell'umanità. Il Dio che il tuo popolo venera in segreto e che domani regnerà sul mondo dopo aver distrutto gli idoli. E la sua conquista deve cominciare dall'Egitto.

— Dimentichi che Ramses è il Faraone?

— Ramses è un tiranno. Si fa beffe del divino e si preoccupa solo del proprio potere.

— Rispettalo, sarà meglio. Ramses è mio amico, e io costruisco la sua capitale.

— Apprezzo la nobiltà dei tuoi sentimenti e la tua fedeltà nei suoi riguardi. Ma sei un uomo straziato, Mosè, e ne sei consapevole. In cuor tuo, rifiuti questo regno e speri in quello del vero Dio.

— Stai farneticando, Ofir.

Lo sguardo del libico si fece insistente.

— Sii sincero, Mosè, smetti di mentire.

— Mi conosceresti forse meglio di me stesso?

— Perché no? Noi rifiutiamo gli stessi errori e condividiamo uno stesso ideale. Unendo le nostre forze, trasformeremo questo paese e il futuro dei suoi abitanti. Che tu lo voglia o no, Mosè, sei diventato il capo degli ebrei. Sotto la tua guida, le loro rivalità sono state ridotte al silenzio. A tua insaputa si è formato un popolo.

— Gli ebrei sono sottomessi all'autorità del Faraone, non alla mia.

— Questa dittatura io la contesto! E anche tu la rifiuti.

— Ti sbagli: a ciascuno il proprio ruolo.

— A te spetta guidare il tuo popolo verso la verità; a me,

instaurare il culto dell'unico Dio, facendo salire sul trono d'Egitto Lita, erede legittima di Akhenaton.

— Smetti di delirare; incitare alla rivolta contro il Faraone non può che portare al disastro.

— Conosci forse un altro mezzo per fondare il regno del Dio unico? Quando si possiede la verità bisogna saper lottare per imporla.

— Tu e Lita... Due illuminati! È grottesco.

— Credi veramente che siamo soli?

L'ebreo era incuriosito.

— È ovvio...

— La situazione si è evoluta dal nostro primo incontro — affermò Ofir. — I sostenitori dell'unico Dio sono più numerosi e determinati di quanto immagini. La potenza di Ramses non è che un'illusione nella quale finirà per intrappolare se stesso. Quando tu, Mosè, avrai aperto la via, buona parte della classe dirigente di questo paese ci seguirà.

— Io... Perché io?

— Perché tu hai la capacità di guidarci e di essere alla testa degli adepti della vera fede. Lita deve rimanere nell'ombra fino all'ascesa al trono, e io sono solo un uomo di preghiera, senza influenza sulle masse. Quando si farà sentire, la tua voce sarà capita e ascoltata.

— Chi sei veramente, Ofir?

— Un semplice credente che, come Akhenaton, è convinto che l'unico Dio regnerà su tutti i paesi dopo aver fatto chinare la testa del vanitoso Egitto.

Mosè avrebbe dovuto allontanare da un pezzo quel demente, ma il suo discorso lo affascinava. Ofir formulava delle idee che già affioravano nel pensiero dell'ebreo, idee talmente sovversive che aveva rifiutato di dar loro consistenza.

— Il tuo progetto è insensato, Ofir; non hai nessuna possibilità di riuscita.

— Il fiume del tempo scorre dalla nostra parte, Mosè, e travolgerà tutto sul suo cammino. Mettiti alla testa degli ebrei, dai loro un paese, in modo che possano prosternarsi davanti all'unico Dio e riconoscere la sua onnipotenza. Lita governerà l'Egitto, saremo alleati, e quest'alleanza sarà il focolaio da cui scaturirà la verità per tutti i popoli.

— È solo un sogno.

— Né tu né io siamo dei sognatori.

— Ti ripeto che Ramses è mio amico, e non tollererà nessuna agitazione.

— No, Mosè, non è tuo amico, ma il tuo avversario più feroce. L'uomo che vuole soffocare la verità.

— Esci da casa mia, Ofir.

— Medita sulle mie parole e preparati ad agire. Ci rivedremo fra non molto.

— Non ci contare.

— A presto, Mosè.

L'ebreo trascorse la notte in bianco.

Ogni parola di Ofir echeggiava nella sua mente come un'onda, portando con sé obiezioni e timori. Sebbene Mosè non osasse ancora confessarlo, quell'incontro era proprio quello che aspettava.

Il leone e il cane, sdraiati uno di fianco all'altro, stavano finendo di divorare delle carcasse di pollame. Abbracciati e seduti all'ombra di una palma, Ramses e Nefertari ammiravano la campagna tebana. Non senza difficoltà, il re aveva convinto Serramanna a consentirgli una scappatella. Massacratore e Guardiano non erano forse le migliori guardie del corpo?

Da Menfi arrivavano ottime notizie. La piccola Meritamon apprezzava molto il latte della nutrice e aveva ricevuto la prima visita del fratello Kha, di cui Nedjem, il ministro dell'Agricoltura, si occupava con la vigilanza illuminata di un precettore. La bella Iset si era rallegrata per la nascita della figlia della coppia reale e aveva rivolto a Nefertari pensieri affettuosi.

Il sole di fine giornata, dolce e carezzevole, dorava la pelle di seta di Nefertari. Nell'aria fresca si levarono le note di un flauto; i bovari canticchiavano rientrando con le loro mandrie, gli asini con pesanti carichi trottavano verso le fattorie. A occidente il sole assunse una sfumatura arancione mentre la montagna tebana si infiammava.

All'asprezza della giornata estiva seguiva la dolcezza della sera. Com'era bello l'Egitto, ornato dei suoi ori e dei suoi verdi, con l'argento del Nilo e il fuoco del tramonto! Com'era bella Nefertari, appena coperta da una leggera veste di lino trasparente! Il suo corpo flessuoso e abbandonato emanava un profumo inebriante. Il viso grave e sereno rivelava la nobiltà di un'anima luminosa.

— Sono degno di te? — le chiese Ramses.

— Che strana domanda...

— A volte mi sembri così lontana da questo mondo e dalle sue turpitudini, dalla corte e dalle sue meschinità, dai doveri temporali della nostra posizione.

— Ho fallito il mio compito?

— Al contrario, non commetti il minimo errore, come se fossi da sempre la regina d'Egitto. Io ti amo e ti ammiro, Nefertari!

Le loro labbra si unirono in un bacio caldo e vibrante.

— Avevo deciso di non sposarmi — confessò lei — e rimanere chiusa nel tempio. Non provavo né indifferenza né avversione per gli uomini, ma mi sembravano quasi sempre schiavi di un'ambizione che finiva per renderli piccoli e malati. Tu invece eri oltre l'ambizione, perché il destino aveva scelto la tua strada. Io ti ammiro e ti amo, Ramses.

Entrambi sapevano che il loro pensiero era uno solo, e che nessuna prova li avrebbe separati. Creando insieme la dimora millenaria, avevano compiuto il primo atto magico della coppia reale, punto di partenza di un'avventura alla quale solo la morte avrebbe messo un termine apparente.

— Non dimenticare i tuoi doveri — gli ricordò Nefertari.

— Quali?

— Generare figli maschi.

— Ne ho già uno.

— Te ne serviranno altri. Se la tua vita sarà lunga, forse alcuni moriranno prima di te.

— Perché nostra figlia non dovrebbe succedermi?

— Secondo gli astrologi sarà di natura contemplativa, come il piccolo Kha.

— Non è forse una buona disposizione per regnare?

— Dipende dalle circostanze e dal mondo che ci circonda. Stasera il nostro paese è l'immagine stessa della serenità, ma che sarà domani?

Il galoppo di un cavallo disturbò la pace della sera.

Serramanna saltò a terra, tutto impolverato.

— Scusami se t'importuno, Maestà, ma l'urgenza lo impone.

Ramses lesse il papiro che il sardo gli aveva consegnato.

— Un rapporto del generale di Elefantina — rivelò a Nefertari. — I nubiani in rivolta hanno attaccato un convoglio che trasportava l'oro per i nostri templi più importanti.

— Ci sono vittime?

— Oltre una ventina e molti feriti.

— Si tratta di un furto o dell'inizio di una rivolta?

— Lo ignoriamo.

Sconvolto, Ramses fece qualche passo. Il leone e il cane percepivano la contrarietà del loro padrone e si avvicinarono per leccargli le mani.

Il monarca pronunciò le parole che la grande sposa temeva di udire.

— Parto immediatamente perché tocca al Faraone ristabilire l'ordine. Nefertari, in mia assenza governerai tu l'Egitto.

50

La flottiglia di guerra del Faraone comprendeva una ventina di navi a forma di mezzaluna di cui né la poppa né la prua toccavano l'acqua. Un'enorme vela era fissata da diversi cordami a un unico albero, di una solidità a tutta prova. Al centro, un'ampia cabina riservata all'equipaggio e ai soldati; nella parte anteriore, una cabina più piccola dove alloggiava il capitano.

Sulla nave ammiraglia, Ramses aveva controllato personalmente i due timoni, uno a babordo e l'altro a tribordo. Era stato costruito un recinto coperto per il leone del re e il suo cane, rannicchiato tra le zampe davanti della belva e pronto ad approfittare dell'abbondante pasto quotidiano.

Come era successo nel suo primo viaggio, le colline desertiche, gli isolotti verdi, il cielo blu intenso e la sottile striscia di verzura che resisteva all'assalto del deserto affascinarono Ramses. Quel paese di fuoco, violento e allo stesso tempo oltre qualsiasi conflitto, assomigliava alla sua anima.

Rondini, gru coronate e fenicotteri rosa sorvolarono la flottiglia il cui passaggio venne salutato da babbuini irridenti arrampicati in cima alle palme. Dimenticando lo scopo della loro spedizione, i soldati passavano il tempo a giocare d'azzardo, a bere vino di palma e a dormire al riparo dal sole.

Il superamento dell'ultima cataratta e l'entrata nel paese di Kush ricordarono loro che non erano stati invitati a un viaggio di piacere. Le navi accostarono una riva desolata e gli uomini sbarcarono in silenzio. Vennero montate le tende e intorno al campo vennero disposte palizzate di protezione; poi si attesero gli ordini del Faraone.

Qualche ora dopo, il viceré di Nubia e la sua scorta si presentarono davanti al monarca, seduto su una sedia pieghevole in legno di cedro dorato.

— Le tue spiegazioni — pretese Ramses.

— Abbiamo la situazione saldamente in pugno, Maestà.

— Ho chiesto spiegazioni.

Il viceré di Nubia era molto ingrassato. Si asciugò la fronte con un panno bianco.

— Un incidente deplorevole, certo, ma di cui non bisogna esagerare l'importanza.

— Un convoglio d'oro rubato, soldati e minatori uccisi giustificano forse la presenza del Faraone e di un corpo di spedizione?

— Il messaggio che ti è stato inviato era forse un po' troppo allarmista, ma come non rallegrarsi della tua venuta, Maestà?

— Mio padre aveva pacificato la Nubia e ti aveva affidato il compito di proteggere la pace. Non è forse stata spezzata a causa della tua negligenza e della tua lentezza nell'intervenire?

— La fatalità, Maestà, nient'altro che la fatalità.

— Sei viceré di Nubia, portastendardo alla destra del re, sovrintendente del deserto del Sud, capo dei carristi reali e osi parlarmi di fatalità... Di chi vuoi prenderti gioco?

— La mia condotta è stata irreprensibile, ti assicuro! Ma il mio lavoro è massacrante: controllare i sindaci dei villaggi, verificare che i granai vengano riempiti, indicare...

— E l'oro?

— Io ne sorveglio l'estrazione e la consegna con il massimo zelo, Maestà!

— Dimenticando di proteggere un convoglio?

— Come potevo prevedere l'incursione di un gruppetto di insensati?

— Non è precisamente uno dei tuoi compiti?

— La fatalità, Maestà...

— Portami sul luogo del dramma.

— È sulla pista delle miniere d'oro, in un luogo arido e isolato. Purtroppo non ti sarà d'aiuto!

— Chi sono i colpevoli?

— Una tribù miserabile i cui membri si sono dovuti ubriacare per portare a termine questa triste impresa.

— Li hai fatti cercare?

— La Nubia è grande, Maestà, e i miei effettivi sono ridotti.

— Quindi non è stata condotta nessuna indagine seria?

— Solo tu, Maestà, potevi decidere un intervento militare.

— Non ho più bisogno di te.

— Devo accompagnarti all'inseguimento di quei criminali, Maestà?

— La verità, viceré: la Nubia è pronta a rivoltarsi per sostenerli?

— Ebbene... È poco probabile, ma...

— L'insurrezione è già cominciata?

— No, Maestà, ma le fila di questi banditi sembrano essersi ingrossate. Per questo la tua presenza e il tuo intervento erano auspicabili.

— Bevi — disse Setau a Ramses.

— È indispensabile?

— No, ma preferisco essere prudente. Non sarà Serramanna a proteggerti dai serpenti.

Il re accettò di bere la pericolosa pozione a base di piante urticanti e sangue di cobra diluito che Setau preparava per Ramses a intervalli regolari. Così immunizzato, il sovrano si sarebbe potuto avventurare senza rischi sulla pista dell'oro.

— Ti ringrazio per l'offerta di questo viaggio; anche Loto è felice di rivedere il suo paese. E quanti bei rettili ci aspettano!

— Non sarà una gita di piacere, Setau. Ci scontreremo senz'altro con un avversario temibile.

— E se lasciassi dormire quei poveri diavoli sul loro oro?

— Hanno rubato e ucciso. Nessuno deve restare impunito, se ha violato la legge di Maat.

— Nulla potrà farti desistere?

— Nulla.

— Hai pensato alla tua sicurezza?

— La questione è troppo seria per affidarla a un subalterno.

— Raccomanda ai tuoi uomini la massima prudenza; in questa stagione i rettili sono particolarmente velenosi. Che mangino *assa fœtida*, la gomma-resina della ferula di Persia. Il suo odore spaventoso mette in fuga molti serpenti. Se viene morso un soldato, avvertimi. Vado a dormire in un carro, accanto a Loto.

Il corpo di spedizione avanzò lungo una pista sassosa. In testa, un esploratore, Serramanna e il re, a cavallo di animali robusti; a seguire dei buoi che trainavano i carri, degli asini carichi di armi e giare d'acqua e i soldati di fanteria.

L'esploratore nubiano era convinto che gli assalitori non si fossero allontanati dal punto in cui avevano attaccato il convoglio. Un'oasi a qualche chilometro di distanza, infatti, permetteva loro di nascondere provvisoriamente il bottino prima di negoziarlo.

Secondo la carta in suo possesso, il re poteva avanzare senza timore nel cuore della regione desertica, dato che lungo il cammino erano stati scavati dei pozzi. Stando ai rapporti dell'amministrazione della Nubia, da molti anni nessun minatore aveva più sofferto la sete.

La scoperta di una carcassa d'asino sorprese l'esploratore.

330

Di solito i cercatori d'oro impiegavano soltanto animali in perfetta salute, in grado di sopportare sforzi prolungati.

In prossimità del primo grande pozzo, tornò la serenità. Bere fino a estinguere la sete, riempire gli otri, dormire all'ombra dei teli tirati fra quattro paletti... Dagli ufficiali ai soldati semplici, il sogno era identico. Dato che la notte sarebbe calata in meno di tre ore, il re avrebbe fatto certamente una sosta.

L'esploratore fu il primo a raggiungere il pozzo. Nonostante il caldo, quanto vide gli gelò il sangue. Corse da Ramses.

— Maestà... È secco!

— Forse il livello si è abbassato. Scendi sul fondo.

Aiutandosi con una corda tenuta da Serramanna, l'esploratore obbedì. Quando risalì sembrava invecchiato di molti anni.

— È secco, Maestà.

Il corpo di spedizione non aveva acqua sufficiente per tornare indietro. Solo i più resistenti sarebbero potuti sopravvivere. Quindi bisognava andare avanti, con la speranza di raggiungere il pozzo successivo. Ma dato che i rapporti dell'amministrazione nubiana erano inesatti, non rischiava di essere secco anche quello?

— Potremmo uscire dalla pista principale — propose l'esploratore — e deviare a destra in direzione dell'oasi dei ribelli. Tra questo punto e l'oasi c'è un pozzo di cui hanno bisogno per le loro incursioni.

— Riposo fino al calar della notte — ordinò Ramses. — Poi ripartiamo.

— Marciare di notte è pericoloso, Maestà! I serpenti, un'imboscata...

— Non abbiamo scelta.

Che strane circostanze! Ramses ripensò alla sua prima spedizione nubiana, al fianco di suo padre, durante la quale i soldati avevano subito una prova simile, dopo che una tribù insorta aveva avvelenato i pozzi. Dentro di sé, il re ammetteva di aver sottovalutato il pericolo. Una semplice operazione di ristabilimento dell'ordine poteva trasformarsi in un disastro.

Ramses si rivolse ai suoi soldati e disse loro la verità. Il morale era scosso, ma gli uomini con più esperienza non persero la speranza e rassicurarono i loro compagni. Non erano forse agli ordini di un Faraone che faceva miracoli?

Nonostante i rischi, i soldati di fanteria apprezzarono la marcia notturna. La retroguardia, molto vigile, li avrebbe coperti da un possibile attacco a sorpresa. In testa, l'esploratore avanzava con prudenza, ma grazie alla luna piena il suo sguardo arrivava lontano.

Ramses pensò a Nefertari. Se lui non fosse tornato, la regina avrebbe dovuto portare sulle spalle il peso dell'Egitto. Kha e Meritamon erano di gran lunga troppo giovani per regnare, molte ambizioni soffocate sarebbero rispuntate con un astio la cui forza sarebbe stata pari alle angherie subite.

Improvvisamente il cavallo di Serramanna s'impennò. Sorpreso, il sardo venne disarcionato e cadde sul terreno pietroso. Mezzo tramortito, incapace di reagire, rotolò lungo un pendio sabbioso e rimase immobile in fondo a una buca che non si vedeva dalla pista.

Un curioso rumore, simile a una respirazione forzata, lo allertò.

A due passi da lui, una vipera emetteva un sibilo rauco per la forte espulsione d'aria dai polmoni. Disturbata, era diventata aggressiva e pronta ad attaccare.

Cadendo, Serramanna aveva perso la spada. Disarmato, non gli restava che battere in ritirata evitando qualsiasi movimento brusco. Ma la vipera, spostandosi di lato, glielo impedì.

La caviglia destra gli faceva talmente male che il sardo non riuscì a rimettersi in piedi. Incapace di correre, diventava una facile preda.

— Bestia maledetta! Mi privi di una bella morte in combattimento!

La vipera si avvicinò continuando a sibilare. Serramanna le gettò della sabbia sulla testa aumentando così il suo furore. Nel momento preciso in cui il rettile stava per scagliarsi con un rapido movimento per superare la breve distanza che lo separava dal nemico, un bastone a forca lo inchiodò al suolo.

— Bel colpo! — si congratulò Setau. — Avevo una possibilità su dieci di riuscire.

Prese il serpente per il collo; la coda si agitava furiosamente.

— Com'è bella con i suoi tre colori, blu chiaro, blu scuro e verde. Una signorina molto elegante, non trovi? Fortunatamente per te, il suo soffio si sente da lontano ed è facile identificarla.

— Suppongo che dovrei ringraziarti.

— Il suo morso provoca solo un edema locale che si estende all'arto ferito e scatena un'emorragia, perché il veleno non è abbondante ma molto tossico. Con un cuore solido si può sopravvivere. A dir la verità, la vipera soffiante non è temibile quanto sembra.

51

Setau aveva curato la distorsione di Serramanna con delle erbe e gli aveva fasciato la caviglia con una pezzuola di lino spalmata con un balsamo decongestionante. Nel giro di poche ore non sarebbe rimasta alcuna traccia. Sospettoso, il sardo si chiedeva se l'incantatore di serpenti non avesse organizzato lui stesso quell'attentato con la vipera per fare la figura del salvatore e convincerlo che era veramente amico di Ramses e che non aveva alcuna intenzione di nuocergli. Tuttavia, il comportamento distante di Setau, che non cercava di sfruttare a proprio vantaggio il suo intervento, parlava a suo favore.

Dall'alba fino a metà del pomeriggio si riposarono, poi ripresero la marcia. C'era ancora acqua a sufficienza per gli uomini e le bestie ma presto avrebbero dovuto razionarla. Nonostante la stanchezza e l'angoscia, Ramses fece accelerare la marcia e insistette sull'indispensabile vigilanza della retroguardia. Gli insorti non avrebbero attaccato frontalmente e avrebbero tentato di indebolire i loro avversari cogliendoli di sorpresa.

I soldati non scherzavano più, non discutevano più del ritorno nella valle, non parlavano più.

— Eccolo — annunciò l'esploratore tendendo il braccio.

Qualche erbaccia, un circolo di pietre a secco, una struttura di legno per sostenere il peso di un grosso orcio attaccato a una corda consunta.

Il pozzo.

L'unica speranza di sopravvivenza.

L'esploratore e Serramanna si precipitarono verso l'acqua salvatrice. Rimasero inginocchiati per un lungo istante, poi si rialzarono lentamente.

Il sardo scosse la testa in segno di diniego.

— Questo paese è senz'acqua dall'alba dei tempi, e noi ci moriremo di sete. Nessuno è mai riuscito a scavare un pozzo durevole. Dovremo cercare una sorgente nell'aldilà.

Ramses riunì gli uomini e li informò della gravità della situazione. Le riserve sarebbero finite il giorno dopo. Non potevano né avanzare né tornare indietro.

Molti soldati gettarono a terra le armi.

— Raccoglietele — ordinò Ramses.

— A che scopo — chiese un ufficiale — dato che ci prosciugheremo tutti al sole?

— Siamo venuti in questa regione desertica per ristabilire l'ordine e lo ristabiliremo.

— Come potranno i nostri cadaveri combattere i nubiani?

— Mio padre si è già trovato in una situazione simile — ricordò Ramses — e ha salvato i suoi uomini.

— Allora salvaci!

— Riparatevi dal sole e abbeverate gli animali.

Il re voltò le spalle al suo esercito e guardò il deserto. Setau lo raggiunse.

— Cosa intendi fare?

— Camminare. Camminare finché non trovo l'acqua.

— È insensato.

— Agirò come mio padre mi ha insegnato.

— Resta con noi.

— Un Faraone non aspetta la morte come un vinto.

Serramanna si avvicinò.

— Maestà...

— Evita il panico e mantieni i turni di guardia. Gli uomini non devono dimenticare che corrono il rischio di essere attaccati.

— Non ho il diritto di lasciarti partire da solo in questa desolazione. La tua sicurezza non sarebbe garantita.

Ramses appoggiò una mano sulla spalla del sardo.

— Ti incarico della sicurezza del mio esercito.

— Torna senza indugi. Dei soldati senza capo rischiano di perdere la testa.

Sotto lo sguardo impietrito degli uomini, il re lasciò l'antico punto d'acqua e si avventurò nel deserto rosso, in direzione di una collinetta pietrosa che scalò con passo tranquillo. Dalla cima scoprì una regione desolata.

Come suo padre, doveva cogliere il segreto del sottosuolo, delle vene della terra, dell'acqua che proveniva dall'oceano di energia e si faceva strada attraverso le pietre per riempire il cuore delle montagne. Il re avvertì un dolore al plesso solare, la sua visione si modificò, e il suo corpo cominciò ad ardere, come in preda a una febbre violenta.

Ramses prese la bacchetta da rabdomante in legno d'acacia infilata nella cintura del suo cingilombi, la bacchetta di cui si era servito suo padre per prolungare la sua visione. La magia di cui era impregnata era intatta, ma dove cercare in quell'immensità?

Una voce parlava all'interno del corpo del re, una voce proveniente dall'aldilà, una voce che aveva l'ampiezza della voce di Sethi. Il dolore al plesso solare divenne insopportabile e costrinse Ramses a scuotersi dalla sua immobilità e a scendere dalla collinetta. Non avvertiva più il calore insopportabile, che avrebbe annientato chiunque altro. Il suo ritmo cardiaco era rallentato, come quello di un orice.

La sabbia e le rocce cambiarono forma e colore. Poco a poco lo sguardo di Ramses penetrò nelle profondità del deserto, le sue dita si chiusero sui due sottili rami d'acacia, legati all'estremità da un filo di lino.

La bacchetta si sollevò, esitò, ricadde. Il re continuò a camminare, la voce si fece lontana. Ritornò indietro e si diresse a sinistra, il lato della morte. La voce si fece di nuovo vicina, la bacchetta si animò. Ramses urtò contro un enorme blocco di granito rosa perso in quel mare di rocce.

La forza della terra gli strappò la bacchetta di mano.

Aveva trovato l'acqua.

La lingua secca, la pelle bruciata dal sole, i muscoli doloranti, i soldati spostarono il blocco e scavarono nel punto indicato dal re. Raggiunsero un'enorme falda d'acqua a cinque metri di profondità e lanciarono grida di gioia che salirono fino al cielo.

Ramses fece praticare diversi fori, e i pozzi vennero collegati tra loro da una galleria sotterranea. Con quella tecnica, cara ai minatori, il re non solo salvava il suo esercito da una morte atroce, ma preparava l'irrigazione di una distesa molto vasta.

— Pensi a dei giardini verdeggianti? — chiese Setau.

— Fecondità e prosperità non sono le migliori tracce che possiamo lasciare?

Serramanna insorse.

— Dimentichi i nubiani in rivolta?

— Nemmeno per un attimo.

— Ma i soldati sono stati trasformati in sterratori!

— È un lavoro che spesso fa parte della loro missione, secondo le nostre usanze.

— I pirati non mischiano le competenze. Saremo ancora in grado di difenderci se veniamo attaccati dai selvaggi?

— Non ti ho forse incaricato di garantire la nostra sicurezza?

Mentre i soldati consolidavano i pozzi e la galleria, Setau e Loto catturarono dei magnifici rettili di dimensioni superiori alla media e accumularono preziose riserve di veleno.

Irrequieto, Serramanna moltiplicò le ronde nei dintorni e obbligò i soldati a esercitarsi a turno come in caserma. Molti finivano per dimenticare il convoglio dell'oro e non pensavano che al ritorno della spedizione nella valle del Nilo, sotto la guida di un Faraone che faceva miracoli.

"Principianti" pensò l'ex pirata.

I soldati egiziani non erano di carriera e presto si sarebbero trasformati in manovali o contadini. Non avevano l'abitudine al combattimento, ai corpo a corpo sanguinosi e alle lotte mortali. Niente che uguagliasse la formazione di un pirata, sempre sul chi vive e pronto a tagliare la gola a qualsiasi nemico con qualsiasi arma. Irritato, Serramanna non cercò neanche di insegnare loro gli attacchi mortali e le parate improvvise. Quei fanti non avrebbero mai saputo battersi.

Tuttavia il sardo aveva la sensazione che i nubiani in rivolta non fossero lontani e che, da almeno due giorni, si avvicinassero al campo egiziano per spiarlo. Anche il leone e il cane di Ramses avevano percepito una presenza ostile. Diventavano nervosi, dormivano meno, camminavano a scatti, con il muso al vento.

Se quei nubiani erano dei veri pirati, il corpo di spedizione egiziano sarebbe stato annientato.

La nuova capitale dell'Egitto cresceva a una velocità sorprendente, ma Mosè non la guardava più. Pi-Ramses era per lui solo una città straniera, popolata di falsi dei e uomini smarriti in credenze insensate.

Fedele alla sua missione, continuava ad animare i cantieri e a mantenere il ritmo dei lavori. Ma tutti avevano notato in lui una crescente durezza, soprattutto nei confronti dei capomastri egiziani, di cui criticava, quasi sempre senza motivo, il forte senso della disciplina. Mosè passava sempre più tempo con gli ebrei e, tutte le sere, discuteva con dei piccoli gruppi del futuro del loro popolo. Molti erano soddisfatti della loro condizione e non avevano alcuna voglia di cambiare per costruire una patria indipendente. L'avventura sembrava troppo rischiosa.

Mosè insistette. Ricordò la fede nell'unico Dio, l'originalità della loro cultura, la necessità di liberarsi dal giogo egiziano e di allontanarsi dall'idolatria. Qualcuno cominciò a esitare, altri si dimostrarono irriducibili, ma tutti riconobbero che Mosè aveva la statura del capo, che la sua azione era stata benefica per gli ebrei e che nessuno di loro poteva trascurare le sue parole.

L'amico d'infanzia di Ramses dormiva sempre meno. Sognava a occhi aperti una terra fertile dove il Dio del suo cuore avrebbe regnato, un paese che gli ebrei avrebbero governato da soli e di cui avrebbero difeso le frontiere come il bene più prezioso.

Finalmente conosceva la natura del fuoco che divorava la sua anima da tanti anni! Nominava quel desiderio inestinguibile, assumeva il governo di un popolo che avrebbe guidato alla verità. E l'angoscia gli stringeva la gola. Ramses avrebbe accettato una sedizione e una simile negazione del suo potere? Mosè avrebbe dovuto convincerlo, fargli accettare il suo ideale.

Il flusso dei ricordi scorreva. Ramses non era un semplice compagno di giochi, ma un vero amico, un uomo animato da un fuoco identico al suo e tuttavia così diverso. Mosè non l'avrebbe tradito fomentando un complotto contro di lui. L'avrebbe affrontato a viso aperto e l'avrebbe piegato. Anche se la vittoria sembrava impossibile, lui l'avrebbe ottenuta.

Perché Dio era con lui.

52

Con la parte anteriore del cranio rasata, anelli alle orecchie, il naso schiacciato, le guance tatuate, i fianchi cinti da una pelle di pantera e collane di perle multicolori, i nubiani in rivolta avevano accerchiato l'accampamento egiziano nelle prime ore del pomeriggio, mentre la maggior parte dei soldati di Ramses facevano la siesta. Brandendo dei grandi archi in legno d'acacia, prima che il corpo di spedizione fosse in grado di reagire, trafissero con le frecce un gran numero di egiziani.

Il loro capo esitava a dare l'ordine di attaccare a causa di un gruppetto di uomini, armati anch'essi di archi potenti, nascosti dietro a uno sbarramento formato da scudi e palme. Alla loro testa, Serramanna aspettava l'assalto. I soldati scelti di fanteria riuniti dal sardo avrebbero sicuramente sfoltito i ranghi nubiani. Il capo degli insorti ne era consapevole, anche se la vittoria sembrava certa.

Il tempo sembrò immobilizzarsi, nessuno si muoveva.

Il consigliere principale del capo nubiano gli raccomandò di tirare e abbattere il maggior numero di nemici possibile, mentre alcuni guerrieri veloci si sarebbero scagliati contro lo sbarramento. Ma il capo era abituato ai combattimenti, e il viso di Serramanna non presagiva nulla di buono. Quel gigante baffuto non stava forse tendendo loro una o più trappole che non erano stati in grado di scoprire? Quell'uomo non assomigliava agli egiziani che aveva ucciso. E il suo istinto di cacciatore gli diceva che era meglio non fidarsi.

Quando Ramses uscì dalla tenda, tutti gli sguardi si puntarono su di lui. Portava una corona blu svasata sul retro che aderiva alla forma del cranio, una camicia di lino pieghettata a maniche corte e un cingilombi dorato, alla cui cintura era fissata una coda di toro selvaggio. Il Faraone stringeva nella mano destra lo scettro "magia", una sorta di bastone da pastore, di cui teneva l'estremità appoggiata contro il petto.

Dietro al re camminava Setau che portava i sandali bianchi del monarca. Nonostante la gravità della situazione, pensò ad Ameni, il portasandali del Faraone, che si sarebbe meravigliato nel vedere il suo amico rasato, con parrucca e cingilombi, simile in tutto a un dignitario di corte tranne che per un particolare: uno strano sacco che gli pendeva sulla schiena fissato alla cintura.

Sotto gli sguardi inquieti dei soldati egiziani, il Faraone e Setau arrivarono al limite dell'accampamento e si fermarono a una trentina di metri dai nubiani.

— Io sono Ramses, Faraone d'Egitto. Chi è il vostro capo?

— Io — rispose il nubiano avanzando di un passo.

Due piume fissate dietro la testa, trattenute da una fascia rossa, i muscoli prominenti, il capo degli insorti brandiva una zagaglia decorata con piume di struzzo.

— Vieni verso di me, se non sei un vigliacco.

Il consigliere principale manifestò il suo dissenso, ma né Ramses né il suo portasandali erano armati, mentre lui disponeva di una zagaglia e il consigliere di un pugnale a doppio taglio. Il capo lanciò uno sguardo in direzione di Serramanna.

— Rimani alla mia sinistra — ordinò al consigliere.

Se il gigante baffuto avesse dato l'ordine di tirare, il capo sarebbe stato protetto da uno scudo umano.

— Hai paura? — chiese Ramses.

I due nubiani si staccarono dal gruppo di guerrieri e andarono verso il re e il suo portasandali. Si fermarono a meno di tre metri dai loro avversari.

— Così sei tu il Faraone che opprime il mio popolo.

— Nubiani ed egiziani vivevano in pace. Tu hai spezzato quest'armonia uccidendo gli uomini del convoglio dell'oro e rubando quanto era destinato ai templi d'Egitto.

— Quell'oro è nostro, non vostro. Sei tu il ladro.

— La Nubia è una provincia egiziana, dunque sottoposta alla legge di Maat. Delitto e furto devono essere puniti severamente.

— Io mi beffo della tua legge, Ramses! Qui io faccio la mia. Altre tribù sono pronte a unirsi a me. Quando ti avrò ucciso sarò un eroe! Tutti i guerrieri si metteranno ai miei ordini e cancelleremo per sempre gli egiziani dalla nostra terra!

— Inginocchiati — ordinò il re.

Il capo e il suo consigliere si guardarono stupiti.

— Deponi la tua arma, inginocchiati e sottomettiti alla Regola.

Un sogghigno alterò il viso del capo nubiano.

— Se m'inchino, mi concederai il tuo perdono?

— Ti sei messo tu stesso fuori dalla Regola. Perdonarti significherebbe negarla.

— La clemenza ti è sconosciuta...

— È così.

— Perché dovrei sottomettermi?

— Perché sei un ribelle e la tua unica libertà è quella d'inchinarti davanti al Faraone.

Il consigliere principale passò davanti al suo capo e brandì il pugnale.

— Che il Faraone muoia e saremo liberi!

Setau, che non aveva distolto lo sguardo dai due nubiani, aprì il sacco e liberò la vipera che vi aveva imprigionato. Strisciando sulla sabbia bruciante, veloce come la morte che rapisce, morse il nubiano a un piede prima che potesse completare il gesto.

Terrorizzato, l'uomo si inginocchiò e aprì la ferita con il pugnale per fare uscire il sangue.

— È già più freddo dell'acqua e brucia più della fiamma — disse Setau guardando il capo dritto negli occhi. — Il suo corpo è madido di sudore, non vede più il cielo, la saliva cola dalle sue labbra. Gli occhi si contraggono e le sopracciglia si aggrottano, il viso si gonfia, la sua sete si fa intensa, sta per morire. Non riesce più ad alzarsi, la pelle si arrossa prima di annerire ed è scosso dal tremito.

Setau brandì il suo sacco pieno di vipere.

I guerrieri nubiani indietreggiarono.

— In ginocchio — ordinò di nuovo il Faraone. — Altrimenti vi attende una morte atroce.

— Sarai tu a morire!

Il capo sollevò la zagaglia sopra la testa, ma un ruggito lo immobilizzò. Si voltò di lato ed ebbe appena il tempo di veder balzare su di lui il leone di Ramses con le fauci spalancate. La belva lacerò con gli artigli il petto del nubiano e chiuse le mascelle sulla testa del malcapitato.

A un segno di Serramanna, gli arcieri egiziani imbracciarono gli archi contro i nubiani disorientati. I fanti si precipitarono contro il nemico e lo disarmarono.

— Legate loro le mani dietro la schiena! — ordinò il sardo.

Quando la vittoria di Ramses fu resa nota, centinaia di nubiani uscirono dai loro nascondigli e dai villaggi per rendergli omaggio. Il re scelse un capotribù anziano, dai capelli bianchi, e gli assegnò la nuova zona fertile creata intorno ai pozzi. Gli affidò anche i prigionieri, che avrebbero effettuato i lavori agricoli sotto la sorveglianza di poliziotti nubiani. La pena capitale avrebbe colpito i fuggitivi e i recidivi.

Poi il corpo di spedizione egiziano si diresse verso l'oasi dove i ribelli avevano stabilito il loro quartier generale. Non incontrarono che una debole resistenza e ritrovarono l'oro destinato a ornare le statue e le porte dei templi.

Al calar della notte, Setau raccolse due pezzi di nervature di palma ben secchi, li strinse tra le ginocchia e in mezzo strofinò sempre più forte una bacchetta di legno asciutto. La polvere di legno prese fuoco. Ogni soldato di guardia avrebbe alimentato il fuoco che teneva lontani cobra, iene e altri animali indesiderabili.

— Hai fatto il tuo raccolto di rettili? — chiese Ramses.

— Loto è felice. Stasera ci riposeremo.

— Non è sublime questo paese?

— Lo ami quanto noi, mi sembra.

— Mi mette alla prova costringendomi a superare me stesso. La sua potenza è mia.

— Senza la mia vipera, i ribelli ti avrebbero ucciso.

— Ma non è avvenuto, Setau.

— Tuttavia il tuo piano era rischioso.

— Ha evitato sanguinosi combattimenti.

— Sei sempre consapevole delle tue imprudenze?

— A che servirebbe?

— Io sono solo Setau e posso divertirmi con i serpenti vèlenosi. Ma tu, tu sei il signore delle Due Terre. La tua morte getterebbe il paese nella disperazione.

— Nefertari regnerebbe con saggezza.

— Hai solo venticinque anni, Ramses, ma non hai più il diritto di essere giovane. Lascia ad altri la foga guerriera.

— Il Faraone può forse essere un codardo?

— Smetterai mai di essere eccessivo? Ti chiedo solo un po' di prudenza.

— Non sono forse protetto da ogni parte? La magia della grande sposa reale, tu e i tuoi rettili, Serramanna e i suoi mercenari, Guardiano e Massacratore... Nessuno è più fortunato di me.

— Non sprecare la tua fortuna.

— È inesauribile.

— Dato che sei refrattario a qualsiasi forma di ragionamento, preferisco dormire.

Setau voltò le spalle al re e si distese contro Loto. Il sospiro di piacere di lei spinse il re ad allontanarsi. Il riposo dell'incantatore di serpenti rischiava di essere di breve durata.

Come convincerlo che era un uomo di Stato e che aveva la stoffa del grande ministro? Setau era il primo grande fallimento di Ramses. Deciso a seguire il suo cammino, rifiutava di fare carriera. Bisognava lasciarlo libero delle sue scelte o costringerlo a diventare uno dei primi personaggi del regno?

Ramses passò la notte a contemplare il cielo stellato, dimora luminosa dell'anima di suo padre e dei Faraoni che l'avevano preceduto. Era fiero di aver trovato l'acqua nel deserto come Sethi e di aver domato i ribelli, ma quella vittoria non lo soddisfaceva. Nonostante l'intervento di Sethi, una tribù si era sollevata. Dopo un periodo di calma, una situazione identica si sarebbe ripetuta. Avrebbe potuto mettere fine a quelle convulsioni solo strappando il male alla radice. Ma come scovarla?

All'alba Ramses avvertì una presenza dietro di sé. Si voltò lentamente e lo vide.

Un enorme elefante, che era entrato nell'oasi senza alcun rumore, senza far scricchiolare le nervature delle palme che costellavano il terreno. Il leone e il cane avevano aperto gli occhi, ma erano rimasti in silenzio, come se sapessero che il loro padrone era al sicuro.

Era lui, il grande maschio dalle ampie orecchie e le lunghe zanne che Ramses aveva salvato tanti anni prima estirpando una freccia dalla sua proboscide!

Il re d'Egitto accarezzò la proboscide del signore della savana, e il colosso emise un barrito di gioia che svegliò tutto l'accampamento.

L'elefante si allontanò a passo tranquillo, percorse un centinaio di metri e voltò la testa verso il re.

— Dobbiamo seguirlo — decise Ramses.

53

Ramses, Serramanna, Setau e una dozzina di soldati agguer-
riti seguirono l'elefante che attraversò una pianura stretta e
desertica e poi li guidò lungo un sentiero costeggiato da
piante spinose verso un altipiano, sul quale si ergeva un'acacia ultracentenaria.

Finalmente l'elefante si fermò. Ramses lo raggiunse.

Guardando nella stessa direzione del colosso, il Faraone
scoprì il più sublime dei paesaggi. Un grandioso sperone
roccioso, punto di riferimento per la navigazione, domina-
va un'ampia curva del Nilo. Lui, lo sposo dell'Egitto, contemplava il mistero del flusso creatore, il fiume divino in
tutta la sua maestà. Sulle rocce, alcuni geroglifici ricordava-
no che quel luogo era sotto la protezione della dea Hathor,
sovrana delle stelle e dei navigatori, che vi sostavano volentieri.

Con la zampa anteriore destra l'elefante fece rotolare un
blocco di arenaria che precipitò lungo le rocce e cadde tra
due promontori in una colata di sabbia color ocra. A nord,
l'altipiano precipitava a picco fino quasi a raggiungere l'acqua. A sud, se ne discostava e lasciava libera un'ampia spia-
nata che si apriva verso est.

Un ragazzo aveva accostato la sua barca, un tronco di palma svuotato, e si era addormentato.

— Andate a prenderlo — ordinò il re a due soldati.

Non appena li vide arrivare, il nubiano fuggì a gambe levate. Quando ormai credeva di essere sfuggito ai soldati, urtò contro una roccia che spuntava dalla sabbia e finì lungo disteso sulla sponda del Nilo. Gli egiziani gli piegarono le braccia dietro la schiena e lo portarono dal re.

Il ragazzo roteava gli occhi spaventato, temendo che gli avrebbero tagliato il naso.

— Non sono un ladro! Quella barca è mia, lo giuro, e...

— Rispondi alla mia domanda — disse Ramses — e sarai libero: come si chiama questo posto?

— Abu Simbel.

— Puoi andare.

Il ragazzo corse fino alla sua imbarcazione e pagaiò con le mani il più velocemente possibile.

— Non rimaniamo qui — si raccomandò Serramanna. — Questo posto non mi sembra sicuro.

— Non ho trovato la minima traccia di serpenti — obiettò Setau. — Strano... Forse la divina Hathor li spaventa?

— Non mi seguite — ordinò il re.

Serramanna si avvicinò.

— Maestà!

— Devo ripetermi?

— La tua sicurezza...

Ramses cominciò a scendere verso il fiume. Setau trattenne il sardo.

— Obbedisci, sarà meglio.

Serramanna cedette borbottando. Il re, solo, in quel posto sperduto, in un paese ostile! In caso di pericolo, nonostante gli ordini, il sardo si ripromise di intervenire.

Giunto sulla sponda del fiume, Ramses si voltò verso lo sperone di arenaria.

Era quello il cuore della Nubia, ma essa non ne era ancora

consapevole. Spettava a lui, Ramses, fare di Abu Simbel una meraviglia che avrebbe sfidato il tempo e suggellato la pace tra l'Egitto e la Nubia.

Il Faraone meditò per molte ore ad Abu Simbel, assorbendo la purezza del cielo, lo scintillio del Nilo e la potenza della roccia. Qui avrebbe costruito il più grande santuario della provincia, che avrebbe raccolto le energie divine ed emanato un fascio di protezione così intenso da far scomparire il fragore delle armi.

Ramses osservò il sole. I suoi raggi non si limitavano a colpire la scogliera, penetravano nel cuore della roccia illuminandola dall'interno. Gli architetti che avrebbero lavorato sul posto avrebbero dovuto preservare quel miracolo.

Quando il re risalì in cima allo sperone di roccia, Serramanna, con i nervi a fior di pelle, stava per presentargli le sue dimissioni. Ma la calma dell'elefante lo dissuase. Non si sarebbe dimostrato meno paziente di un animale, per quanto grande fosse.

— Torniamo in Egitto — decretò il re.

Dopo essersi purificato la bocca con il natron, Shenar affidò il suo viso a un barbiere estremamente delicato che sapeva anche depilarlo senza strappargli un solo gemito di dolore. Il fratello maggiore di Ramses apprezzava molto la frizione con gli oli profumati, particolarmente sul cranio, prima di mettere la parrucca. Quelle piccole gioie rendevano leggera l'esistenza e lo rassicuravano sulla sua prestanza. Sebbene fosse meno bello e atletico di Ramses, poteva competere con il fratello in eleganza.

Dalla sua costosa clessidra ad acqua, si rese conto che l'ora dell'incontro si avvicinava.

La sua portantina, comoda e spaziosa, era la più bella di Menfi. La superava solo quella del Faraone, ma un giorno lui l'avrebbe occupata. Si fece lasciare sulle rive del grande canale che permetteva alle pesanti chiatte di raggiungere il porto principale di Menfi e consegnare il carico.

Il mago Ofir prendeva il fresco seduto sotto un salice. She-nar si appoggiò al tronco di un albero e guardò passare un'imbarcazione di pescatori.

— Hai fatto progressi, Ofir?

— Mosè è un uomo eccezionale, ma ha un carattere diffici-le da piegare.

— In altre parole, hai fallito.

— Non credo.

— Le impressioni non mi bastano, Ofir. Mi servono i fatti.

— Il cammino che porta al successo è spesso lungo e tor-tuoso.

— Risparmiami la tua filosofia. Sei riuscito, sì o no?

— Mosè non ha respinto le mie proposte. Non è un risul-tato apprezzabile?

— Interessante, l'ammetto. Ha riconosciuto la validità dei tuoi progetti?

— Il pensiero di Akhenaton gli è familiare. Sa che ha con-tribuito a modellare la fede degli ebrei e che la nostra colla-borazione potrebbe essere fruttuosa.

— La sua popolarità tra i compatrioti?

— Sempre maggiore. Mosè ha la stoffa di un vero capo, s'imporrà senza problemi sui diversi clan. Quando la costru-zione di Pi-Ramses sarà ultimata, prenderà il volo.

— Quanto tempo ancora?

— Qualche mese. Mosè ha dato un tale impulso ai matto-nai che hanno mantenuto un ritmo di lavoro straordinario.

— Maledetta capitale! Grazie a lei la fama di Ramses var-cherà le frontiere del nord.

— Dov'è il Faraone?

— In Nubia.

— Un paese pericoloso.

— Non sognare, Ofir. I messaggeri reali hanno riportato notizie eccellenti. Ramses ha persino realizzato un nuovo mi-racolo scoprendo una falda d'acqua nel deserto, e il suo eser-cito ha creato un'area agricola. Il Faraone riporterà l'oro rubato e lo offrirà ai templi. Una spedizione riuscita, una vittoria esemplare.

— Mosè non ignora che dovrà affrontare Ramses.

— Il suo migliore amico.

— La fede nell'unico Dio sarà più forte, il conflitto è inevitabile. Quando si scatenerà, dovremo sostenere Mosè.

— Sarà il tuo ruolo, Ofir. Tu capisci che mi è impossibile agire in prima linea.

— Mi dovrai aiutare.

— Di cosa hai bisogno?

— Una dimora a Menfi, dei servi, libertà di circolazione per i miei sostenitori.

— Accordato, a condizione che tu mi rimetta dei rapporti regolari sulle tue attività.

— È il minimo dei miei doveri.

— Quando tornerai a Pi-Ramses?

— Domani. Incontrerò Mosè e gli dirò che i nostri effettivi aumentano costantemente.

— Non preoccuparti più delle tue condizioni di vita e pensa solo a convincere Mosè a lottare per l'affermazione della sua fede, contro la tirannia di Ramses.

Abner il mattonaio canticchiava. In meno di un mese, la prima caserma di Pi-Ramses sarebbe stata ultimata e i primi soldati di fanteria trasferiti da Menfi vi avrebbero preso alloggio. I locali erano spaziosi e ben aerati, le rifiniture notevoli.

Grazie a Mosè, che aveva riconosciuto i suoi meriti, Abner dirigeva ora una piccola squadra di dieci mattonai di provata esperienza e laboriosi. Il ricatto esercitato da Sary non era che un brutto ricordo. Abner si sarebbe stabilito nella nuova capitale con la sua famiglia e sarebbe stato assegnato alla manutenzione degli edifici pubblici. Lo aspettava una vita felice.

Quella sera, l'ebreo avrebbe gustato una trota del Nilo con i compagni e avrebbe giocato al gioco del serpente, sperando nella regolare progressione delle sue pedine sulle caselle, senza cadere nelle trappole disseminate sul corpo del rettile. Vinceva chi arrivava primo al termine del percorso e Abner sentiva che la fortuna gli avrebbe sorriso.

Pi-Ramses cominciava ad animarsi. Poco a poco l'immenso cantiere si trasformava in una città il cui cuore non avrebbe tardato a battere. E già si pensava al grandioso momento dell'inaugurazione, quando il Faraone avrebbe dato vita alla sua capitale. Nel gioco del destino, Abner aveva avuto il privilegio di servire l'ideale di un grande re e di conoscere Mosè.

— Come stai, Abner?

Sary portava una tunica libica a larghe strisce verticali gialle e nere, stretta in vita da una cintura di cuoio verde. Il suo viso era sempre più emaciato.

— Che vuoi da me?

— Avere notizie sulla tua salute.

— Continua per la tua strada.

— Diventi insolente?

— Ignori che ho ottenuto una promozione? Non sono più ai tuoi ordini.

— Il piccolo Abner si pavoneggia come un gallo! Andiamo... Non ti irritare.

— Ho fretta.

— Cosa ci può essere di più urgente dell'accontentare il tuo vecchio amico Sary?

Abner non riusciva a nascondere la paura. Sary ne era divertito.

— Il piccolo Abner è un uomo ragionevole, vero? Desidera un'esistenza modesta e tranquilla a Pi-Ramses, ma sa bene che le modeste cose tranquille hanno un prezzo. E il prezzo lo stabilisco io.

— Fuori di qui!

— Sei solo un insetto, ebreo, e gli insetti non protestano quando vengono schiacciati. Esigo la metà dei tuoi guadagni e dei premi. Quando la città sarà terminata, ti offrirai volontario per diventare mio servo. Avere un domestico ebreo mi farà felice. A casa mia non ti annoierai. Hai molta fortuna, piccolo Abner. Se io non ti avessi notato, non saresti stato che feccia.

— Mi rifiuto, io...

— Non dire sciocchezze e obbedisci.

Sary si allontanò. Abner si accovacciò, le natiche appoggiate contro i talloni, sconvolto.

Questa volta era troppo. Avrebbe parlato a Mosè.

54

Nefertari, dall'ineguagliabile bellezza, simile alla stella del mattino che appare all'inizio di un'annata felice, dalle dita carezzevoli come i fiori di loto. Nefertari luminosa, dai capelli profumati e sciolti, una trappola in cui era bello abbandonarsi.

Amarla significava rinascere.

Ramses le massaggiò delicatamente i piedi, poi le abbracciò le gambe e fece scorrere le mani sul suo corpo flessuoso, dorato dal sole. Lei era il giardino dove sbocciavano i fiori più rari, il bacino d'acqua fresca, il paese lontano degli alberi d'incenso. Quando si univano, il loro desiderio aveva la potenza di un fiume in piena e la dolcezza di un'armonia di oboe nella pace del tramonto.

Al ritorno del re, che aveva scostato parenti e consiglieri per ritrovare la sua sposa, Nefertari e Ramses si erano offerti l'uno all'altra sotto le fronde verdeggianti di un sicomoro. L'ombra rinfrescante del grande albero dalle foglie turchesi e i fichi innestati, rossi come il diaspro, era uno dei tesori del palazzo di Tebe, dove la coppia era riuscita ad appartarsi.

— Che viaggio interminabile...

— Nostra figlia?

— Kha e Meritamon stanno benissimo. Tuo figlio dice che la sorellina è molto carina e poco rumorosa, ma vorrebbe già insegnarle a leggere. Il precettore ha dovuto calmare i suoi ardori.

Ramses strinse la sposa tra le braccia.

— Ha torto... Perché spegnere il fuoco di una creatura?

Nefertari non fece in tempo a protestare: le labbra del re si posarono sulle sue. Sotto il vento del nord, i rami del sicomoro si piegarono, complici e rispettosi.

Il decimo giorno del quarto mese della stagione dell'inondazione, nell'anno terzo del regno di Ramses, Bakhen, con un lungo bastone, precedeva la coppia reale per mostrarle il tempio di Luxor, i cui lavori erano stati completati. Da Karnak, un'enorme processione l'aveva seguito e aveva imboccato il viale delle sfingi che collegava i due templi.

La nuova facciata di Luxor imponeva il silenzio. I due obelischi, i colossi reali e la massa possente ed elegante del pilone formavano un insieme perfetto, degno dei migliori costruttori del passato.

Gli obelischi disperdevano le energie negative e attiravano le potenze celesti verso il tempio, dove avrebbero dimorato per nutrire il *ka* che emanava. Alla base, dei cinocefali, le grandi scimmie che incarnavano l'intelligenza del dio Thot, celebravano la nascita della luce, che essi favorivano, tutti i giorni all'alba, emettendo i suoni del primo mattino. Ogni elemento, dal geroglifico al colosso, contribuiva alla resurrezione quotidiana del sole che troneggiava tra le due torri del pilone, sopra la porta centrale.

Ramses e Nefertari la varcarono ed entrarono in un grande cortile a cielo aperto, i cui muri erano circondati da colonne massicce, espressione della potenza del *ka*. Tra loro, i colossi eretti a effigie del re ne esprimevano la forza inestinguibile. Teneramente stretta alla gamba del gigante, la regina Nefertari, fragile e solida allo stesso tempo.

Nebu, sommo sacerdote di Karnak, avanzò verso la coppia reale, scandendo la sua lenta andatura con il bastone dorato.

Il vegliardo si inchinò.

— Maestà, ecco il tempio del *ka*. Qui, a ogni istante, si creerà l'energia del tuo regno.

La festa di inaugurazione di Luxor riunì tutta la popolazione di Tebe e della regione, dal cittadino più umile al più ricco. Per dieci giorni, nelle strade avrebbero cantato e ballato, le taverne e i locali all'aperto sarebbero stati sempre pieni. Per grazia del Faraone, la birra dolce sarebbe stata distribuita gratuitamente e avrebbe rallegrato i ventri.

Il re e la regina presiedettero un banchetto che rimase negli annali. Ramses proclamò che il tempio del *ka* era completo e che nessun elemento architettonico sarebbe stato aggiunto in futuro. Restavano da scegliere le tematiche e le rappresentazioni simboliche relative al regno, che avrebbero ornato il pilone e i muri del cortile principale. Tutti ritennero saggia la volontà del monarca di rimandare questa decisione per prenderla di comune accordo con i ritualisti della Casa della Vita.

Ramses apprezzò l'atteggiamento di Bakhen, quarto profeta di Amon, che non parlò dei propri meriti per vantare quelli degli architetti che avevano costruito Luxor secondo le leggi dell'armonia. Al termine dei festeggiamenti il re consegnò al sommo sacerdote di Amon l'oro nubiano, la cui estrazione e spedizione sarebbero avvenute, d'ora in avanti, sotto stretta sorveglianza.

Prima di partire per il Nord, la coppia reale andò sul sito del Ramesseo. Anche lì Bakhen aveva rispettato i suoi impegni. Livellatori, sterratori e cavapietre erano all'opera; la dimora millenaria cominciava a sorgere dal deserto.

— Affrettati, Bakhen. Che le fondamenta siano terminate al più presto.

— La squadra di Luxor sarà qui domani, così potrò disporre di un effettivo numeroso e qualificato.

Ramses constatò che il suo progetto era stato seguito alla lettera. Già immaginava le cappelle, la grande sala ipostila, gli altari delle offerte, il laboratorio, la biblioteca... Milioni di anni sarebbero scorsi nelle vene di pietra dell'edificio.

Il re percorse l'area sacra con Nefertari e le descrisse il suo sogno, come se già potesse toccare le pareti scolpite e le colonne con i geroglifici.

— Il Ramesseo sarà la tua grande opera.

— Forse.

— Perché dubiti?

— Perché voglio coprire l'Egitto di santuari, dare alle divinità mille luoghi di culto affinché il paese intero venga nutrito dalla loro energia e questa terra assomigli al cielo.

— Quale tempio potrà sorpassare la dimora millenaria?

— In Nubia ho scoperto un luogo straordinario. Mi ci ha condotto un elefante.

— Ha un nome?

— Abu Simbel. È sotto la protezione della dea Hathor ed è un luogo di sosta per i marinai. Il Nilo arriva all'apogeo della sua bellezza, il fiume si sposa con la roccia, le falesie di arenaria sembrano attendere la nascita del tempio che portano in sé.

— Aprire un cantiere in una regione così lontana non presenta difficoltà insormontabili?

— Apparentemente insormontabili.

— Nessuno dei tuoi predecessori ha tentato un'avventura simile.

— È vero, ma io ci riuscirò. Da quando ho visto Abu Simbel, non posso fare a meno di pensarci . L'elefante era un messaggero dell'invisibile; il suo nome in geroglifici, *Abu*, non è forse lo stesso del luogo e non significa "inizio, principio"? Il nuovo inizio dell'Egitto, il principio del suo territorio, deve essere là, nel cuore della Nubia, ad Abu Simbel. Non esiste nessun altro mezzo per pacificare quella provincia e renderla felice.

— Ma non è un'impresa insensata?

— Certo! Ma non è forse espressione del *ka*? Il fuoco che mi anima diventa pietra d'eternità. Luxor, Pi-Ramses, Abu Simbel sono il mio pensiero e il mio desiderio. Se mi accontentassi di gestire l'ordinaria amministrazione, tradirei la mia funzione.

— Il mio capo si posa sulla tua spalla e conosco il riposo della donna amata... Ma anche tu puoi riposarti su di me, come un colosso sul suo piedistallo.

— Approvi il progetto di Abu Simbel?

— Devi maturarlo, lasciarlo crescere in te finché la sua visione non sarà folgorante e imperiosa. A quel punto, potrai agire.

All'interno del perimetro della dimora millenaria, Ramses e Nefertari si sentirono animati da una forza strana che li rendeva invulnerabili.

Laboratori, magazzini e caserme erano pronti. Le strade principali della capitale collegavano i quartieri residenziali e arrivavano davanti ai templi maggiori in via di costruzione, i cui naos potevano già ospitare i riti essenziali.

Ai mattonai, il cui compito era ormai concluso, già succedevano i giardinieri e i pittori, oltre ai decoratori specializzati che avrebbero dato a Pi-Ramses un volto affascinante. Rimaneva una preoccupazione: sarebbe piaciuta a Ramses?

Mosè salì sul tetto del palazzo e contemplò la città. Anche lui, come il Faraone, aveva compiuto un miracolo. La fatica degli uomini e la rigorosa organizzazione del lavoro non erano bastate. C'era voluto l'entusiasmo, una qualità che non era di natura umana ma proveniva dall'amore di Dio per la sua creazione. Come sarebbe piaciuto a Mosè offrirgli quella città, invece di abbandonarla ad Amon, a Seth e ai loro pari! Quanti talenti sprecati per soddisfare degli idoli muti...

La prossima città l'avrebbe costruita per la gloria del vero Dio, nel suo paese, su una terra santa. Ramses, se era un amico vero, avrebbe capito il suo ideale.

Mosè colpì con il pugno il parapetto del balcone.

Il re d'Egitto non avrebbe mai tollerato la rivolta di una minoranza, mai avrebbe consegnato il suo trono a una discendente di Akhenaton! Un sogno insensato gli aveva turbato inutilmente l'anima.

Giù, accanto a una delle entrate secondarie del palazzo, scorse Ofir.

— Posso parlarti? — chiese il mago.

— Vieni.

Ofir aveva imparato a muoversi con discrezione. Credevano fosse un architetto consulente del sovrintendente dei cantieri di Ramses.

— Io lascio — dichiarò Mosè. — Inutile discuterne ancora.

Il mago era glaciale.

— È successo qualcosa d'imprevisto?

— Ho riflettuto, i nostri progetti sono folli.

— Stavo per annunciarti che le fila dei partigiani di Aton si sono molto ingrossate. Anche personalità di grande statura ritengono che Lita debba salire al trono d'Egitto, con la benedizione del Dio unico. In questo caso gli ebrei sarebbero liberi.

— Rovesciare Ramses... Vuoi scherzare!

— Le nostre convinzioni sono ferme.

— Credete che i vostri discorsi impressioneranno il re?

— Chi ti ha detto che ci accontenteremmo di discorsi?

Mosè osservò Ofir come se lo vedesse per la prima volta...

— Non oso capire...

— Al contrario, Mosè. Tu sei arrivato alla mia stessa conclusione, ed è questo che ti spaventa. Akhenaton è stato sconfitto e perseguitato perché non ha osato utilizzare la violenza contro i suoi nemici. Senza violenza non si può vincere nessuna battaglia. Chi può essere tanto ingenuo da credere che Ramses abbandoni una sola particella del suo potere a chicchessia? Noi lo vinceremo dall'interno e voi ebrei vi rivolterete.

— Centinaia, forse migliaia di morti... Desideri una carne-ficina?

— Se prepari il tuo popolo alla guerra, ne uscirà vittorio-so. Dio non è forse con voi?

— Mi rifiuto di ascoltarti oltre. Sparisci, Ofir.

— Ci rivedremo qui o a Menfi, come vorrai.

— Non ci contare.

— Non esistono altre strade, lo sai bene. Non resistere al tuo desiderio, Mosè, non tentare di soffocarne la voce. Lot-teremo fianco a fianco e Dio trionferà.

55

Raia, il mercante siriano, si accarezzò la barbetta a punta. Poteva ritenersi soddisfatto dei risultati della sua attività commerciale, i cui benefici aumentavano di anno in anno. La qualità delle sue conserve di carne e dei vasi importati dall'Asia allettava sempre più i clienti agiati, a Menfi come a Tebe. Inoltre, con la creazione della nuova capitale, Pi-Ramses, si spalancava per lui un nuovo mercato! Raia aveva già ottenuto l'autorizzazione ad aprire un grande negozio nel cuore del quartiere commerciale e stava preparando dei venditori capaci di soddisfare gli appassionati più esigenti.

In previsione di quei giorni felici, aveva ordinato un centinaio di vasi preziosi, dalle forme insolite, provenienti dai laboratori siriani. Ogni pezzo era unico e sarebbe stato messo in vendita a un prezzo molto alto. Secondo Raia, gli artigiani egiziani lavoravano meglio dei suoi compatrioti, ma il gusto per l'esotismo e soprattutto lo snobismo gli garantivano una fortuna crescente.

Sebbene gli ittiti avessero ordinato al loro informatore di sostenere Shenar contro Ramses, dopo un tentativo fallito Raia aveva rinunciato a organizzare un attentato contro il Faraone. Era troppo ben protetto, e un secondo fallimento rischiava di offrire a chi indagava una pista che poteva risalire sino a lui.

Da tre anni Ramses regnava con la stessa autorità di Sethi, alla quale si aggiungeva la fiamma della giovinezza. Il re sembrava un torrente che poteva travolgere qualsiasi ostacolo. Nessuno era in grado di opporsi alle sue decisioni, anche se il suo programma di costruzioni sfidava il buonsenso. Soggiogati, il popolo e la corte sembravano stupiti dal dinamismo di un monarca che aveva spazzato via tutti i suoi oppositori.

Tra i vasi importati due erano in alabastro.

Raia chiuse la porta del magazzino e vi incollò l'orecchio per un momento. Certo di essere solo, affondò la mano all'interno del vaso con il collo segnato da un discreto puntino rosso e ne estrasse una tavoletta in legno di pino dove delle cifre precisavano le dimensioni dell'oggetto e il luogo di provenienza.

Raia conosceva il codice a memoria e decifrò senza fatica il messaggio ittita che l'importatore della Siria del Sud, membro della sua rete, gli trasmetteva.

Stupito, il mercante distrusse la tavoletta e corse fuori dal laboratorio.

— Splendido — constatò Shenar ammirando il vaso blu dal collo a forma di cigno che Raia gli presentava. — Il prezzo?

— Temo che sarà elevato, signore. Ma è un pezzo unico.

— Parliamone, vuoi?

Raia seguì il fratello maggiore di Ramses stringendo il vaso al petto. Shenar lo portò su una delle terrazze coperte della villa, dove avrebbero potuto parlare senza rischiare di essere ascoltati.

— Raia, se non sbaglio hai utilizzato la procedura d'urgenza.

— Esatto.

— Per quale motivo?

— Gli ittiti hanno deciso di passare all'azione.

Shenar aveva atteso quella notizia pur temendola. Se fosse stato lui Faraone al posto di Ramses, avrebbe messo le truppe in stato di allerta e rafforzato le difese alle frontiere. Ma il nemico più pericoloso dell'Egitto gli offriva la possibilità di regnare, quindi doveva sfruttare a suo vantaggio il segreto di Stato di cui era depositario.

— Raia, potresti essere più preciso?

— Sembri turbato.

— Mi sembra il minimo, no?

— È vero, signore. Io stesso sono ancora sconvolto. Questa decisione rischia di capovolgere le posizioni già acquisite.

— Molto di più, Raia, molto di più... È in gioco il destino del mondo. Tu e io saremo i principali attori del dramma che si sta preparando.

— Io non sono che un modesto agente informativo.

— Tu sarai il mio contatto con gli alleati esterni. La mia strategia si basa anche sulla qualità delle tue informazioni.

— Tu mi accordi un'importanza...

— Desideri rimanere in Egitto dopo la nostra vittoria?

— Qui ho le mie abitudini...

— Diventerai ricco, Raia, molto ricco. Non sarò ingrato verso chi mi avrà aiutato a prendere il potere.

Il commerciante si inchinò.

— Tuo servitore.

— Hai delle indicazioni più precise?

— No, non ancora.

Shenar fece qualche passo, appoggiò i gomiti al parapetto della terrazza e guardò verso nord.

— Questo è un grande giorno, Raia. Un giorno che ricorderemo per aver segnato l'inizio del declino di Ramses.

L'amante egiziana di Asha era una piccola meraviglia. Maliziosa, inventiva, mai sazia, aveva saputo esprimere con il suo corpo originali sfumature di piacere. Succedeva a due libanesi e a tre siriane, carine ma noiose. Nei giochi d'amore, il giovane diplomatico esigeva fantasia, perché solo la fantasia era in grado di liberare i sensi e di fare del corpo un'arpa dalle melodie inaspettate. Stava per iniziare a succhiare il mignolo del piede alla ragazza, quando il suo attendente, per quanto debitamente avvertito di non disturbarlo per nessun motivo, tamburellò alla porta di camera sua.

Furibondo, Asha andò ad aprire senza neanche rivestirsi.

— Scusami... Un messaggio urgente dal ministero.

Asha esaminò la tavoletta di legno. Solo tre parole: "Indispensabile presenza immediata".

Alle due di notte le strade di Menfi erano deserte. Il cavallo di Asha percorse al galoppo la distanza che separava la sua dimora dal ministero degli Affari esteri. Il diplomatico non perse tempo a fare l'offerta a Thot e salì quattro a quattro gli scalini che portavano all'ufficio dove l'aspettava il suo segretario.

— Ho ritenuto opportuno disturbarti.

— Per quale motivo?

— A causa di un dispaccio allarmante da uno dei nostri agenti della Siria del Nord.

— Se si tratta ancora di una pseudorivelazione priva d'interesse, prenderò provvedimenti.

La base del papiro sembrava vergine. Riscaldandola alla fiamma della lampada a olio apparvero dei caratteri ieratici. Quel modo rapido di scrivere i geroglifici li deformava sino a renderli irriconoscibili. La grafia della spia egiziana della Siria del Nord controllata dagli ittiti non assomigliava a nessun'altra.

Asha lesse e rilesse.

— Urgenza giustificata? — chiese il segretario.

— Lasciami solo.

Asha spiegò una mappa e verificò le indicazioni del suo informatore. Se non si sbagliava, si poteva prevedere il peggio.

— Il sole non si è ancora alzato — borbottò Shenar sbadigliando.

— Leggi questo — raccomandò Asha presentando al ministro il messaggio della spia.

Il testo risvegliò il fratello maggiore di Ramses.

— Gli ittiti avrebbero assunto il controllo di molti villaggi della Siria centrale e sarebbero usciti dalla zona d'influenza stabilita dall'Egitto...

— Il testo è molto esplicito.

— Né morti né feriti, si direbbe. Potrebbe essere una provocazione.

— In effetti, non sarebbe la prima volta, ma gli ittiti non si sono mai spinti tanto a sud.

— Cosa concludi?

— Preparano un attacco in piena regola contro la Siria del Sud.

— Certezza o ipotesi?

— Ipotesi.

— Potresti trasformarla in certezza?

— Data la situazione, i messaggi dovrebbero succedersi a brevi intervalli.

— Comunque sia, manteniamo il silenzio il più a lungo possibile.

— È molto rischioso.

— Ne sono consapevole, Asha. Tuttavia questa dovrà essere la nostra strategia. Volevamo ingannare Ramses, fargli commettere degli errori che lo avrebbero portato a una pesante sconfitta, ma gli ittiti sembrano impazienti, vogliono agire. Dobbiamo quindi ritardare al massimo i preparativi dell'esercito egiziano.

— Non ne sono sicuro — obiettò Asha.

— Il motivo?

— Tanto per cominciare, guadagneremo solo qualche giorno, il che è del tutto insufficiente a impedire una controffensiva; inoltre, il mio segretario sa che ho ricevuto un messaggio importante. Differirne la trasmissione al re susciterebbe sospetti.

— Allora non serve a niente esserne informati per primi!

— Al contrario, Shenar. Ramses mi ha nominato capo dei servizi segreti, si fida di me. Crederà a quanto gli dirò.

Shenar sorrise.

— Un gioco molto pericoloso; non si dice forse che Ramses legga nel pensiero?

— Il pensiero di un diplomatico è indecifrabile. Dal canto tuo, affrettati a confidargli le tue preoccupazioni dopo i miei avvertimenti. Così sembrerai sincero e credibile.

Shenar si abbandonò su una poltrona.

— La tua intelligenza è pericolosa, Asha.

— Conosco bene Ramses. Crederlo sprovvisto di acume sarebbe un errore imperdonabile.

— D'accordo, seguiremo il tuo piano.

— Rimane un problema essenziale: conoscere le vere intenzioni degli ittiti.

Shenar le conosceva. Ma giudicò preferibile non rivelare le sue fonti ad Asha perché, a seconda dell'evoluzione della situazione, forse sarebbe stato costretto a sacrificarlo ai suoi amici ittiti.

56

Mosè correva da una parte all'altra, entrava negli edifici pubblici, esaminava muri e finestre, attraversava i quartieri sul suo carro, sollecitava i pittori perché terminassero il lavoro. Non rimanevano che pochi giorni all'arrivo della coppia reale e all'inaugurazione ufficiale di Pi-Ramses.

Mille difetti gli saltavano agli occhi, ma come rimediare in così breve tempo? I mattonai avevano accettato di dare man forte ad altre squadre di operai sovraccarichi di lavoro. Nella frenesia dell'ultimo momento, la popolarità di Mosè rimaneva inalterata. La sua volontà era ancora comunicativa e trascinante, tanto più che ora il sogno si trasformava in realtà.

Nonostante la spossatezza, Mosè passava lunghe serate con i fratelli ebrei, ascoltava le loro lamentele e le loro speranze, e non esitava più ad affermarsi come guida di un popolo in cerca della propria identità. Le sue idee spaventavano la maggior parte dei suoi interlocutori, ma la sua personalità li affascinava. Quando la grandiosa avventura di Pi-Ramses sarebbe terminata, Mosè avrebbe aperto un nuovo cammino agli ebrei?

Esausto, Mosè non trovava che un sonno agitato dove rivedeva continuamente il volto di Ofir. L'adoratore di Aton non si sbagliava. In quel momento cruciale, i discorsi non bastavano più; bisognava agire, e l'azione si nutriva spesso di violenza.

Mosè aveva compiuto la missione che Ramses gli aveva affidato, liberandosi così da qualsiasi obbligo verso il re d'Egitto. Ma non aveva il diritto di tradire l'amico, e si era giurato di avvertirlo del pericolo che lo minacciava. Una volta purificata la coscienza, sarebbe stato completamente libero.

Secondo il messaggero reale, il Faraone e la sua sposa sarebbero entrati a Pi-Ramses il giorno dopo, verso mezzogiorno. La popolazione delle città e dei villaggi circostanti si era riunita nelle immediate vicinanze della capitale per non mancare all'avvenimento. Sovraccariche di lavoro, le forze di sicurezza non riuscivano a impedire ai curiosi di prendere posto.

Mosè sperava di passare le sue ultime ore da sovrintendente dei cantieri fuori città, passeggiando in campagna. Ma mentre stava per lasciare Pi-Ramses, un architetto corse verso di lui.

— Il colosso... il colosso è impazzito!

— Quello del tempio di Amon?

— Non riusciamo più a fermarlo.

— Vi avevo ordinato di non toccarlo!

— Pensavamo...

Il carro di Mosè attraversò la città veloce come la tempesta.

Davanti al tempio di Amon la situazione era disastrosa. Un colosso di duecento tonnellate, che rappresentava il re seduto sul trono, scivolava lentamente verso la facciata dell'edificio. Rischiava sia di urtarla, causando enormi danni, sia di crollare e schiantarsi. Che spettacolo da offrire a Ramses il giorno dell'inaugurazione!

Una cinquantina di uomini sconvolti tiravano invano le corde che fissavano la gigantesca scultura a una slitta di legno. Molti dei pezzi di cuoio di protezione, sistemati nei punti in cui la corda toccava la pietra, erano lacerati.

— Cos'è successo? — chiese Mosè.

— Il capomastro che era salito sul colosso per dirigere la manovra è caduto in avanti. Per evitare che venisse schiacciato gli operai hanno azionato i freni di legno. Il colosso ha deviato dal sentiero di limo umido che serviva da guida di scorrimento e ha continuato ad avanzare. La rugiada del mattino, la slitta bagnata...

— Vi servivano almeno centocinquanta uomini!

— I tecnici sono impegnati altrove...

— Portatemi delle giare di latte.

— Quante?

— Migliaia! E fate venire immediatamente dei rinforzi.

Tranquillizzati dalla presenza di Mosè, gli artigiani ritrovarono il sangue freddo. Quando videro il giovane ebreo arrampicarsi sul lato destro del colosso, rimanendo in piedi su un ripiano di granito per versare il latte sulla guida e imporre una nuova direzione, ritrovarono la speranza. Venne formata una catena in modo che a Mosè non mancasse il liquido grasso sul quale l'enorme peso sarebbe scivolato. Obbedendo alle direttive dell'ebreo, i primi rinforzi, accorsi in fretta, fissarono lunghe corde ai lati e dietro la slitta. Il centinaio di operai attaccati alle corde le avrebbero utilizzate per frenare la corsa del colosso.

Poco a poco la statua cambiò traiettoria e prese la direzione giusta.

— La trave di frenaggio! — urlò Mosè.

Trenta uomini, sino a quel momento come inebetiti, piazzarono la trave su cui erano state praticate alcune tacche, per bloccare la slitta nel punto che la statua di Ramses avrebbe occupato, davanti al tempio di Amon.

Il colosso seguì docilmente la guida di latte, venne fatto rallentare al momento giusto e s'immobilizzò al suo posto.

Mosè saltò a terra zuppo di sudore. Data la sua collera, tutti prevedevano pesanti sanzioni.

— Portatemi il responsabile di quella manovra sbagliata, l'uomo che è caduto dalla statua.

— Eccolo.

Due operai spinsero avanti Abner, che s'inginocchiò davanti a Mosè.

— Perdonami — gemette. — Ho avuto un malore, io...

— Tu non sei un mattonaio?

— Sì... Mi chiamo Abner.

— Cosa facevi in questo cantiere?

— Io... io mi nascondevo.

— Hai perso il senno?

— Devi credermi!

Abner era ebreo, Mosè non poteva punirlo prima di aver ascoltato le sue spiegazioni. Capì che il mattonaio, terrorizzato, non avrebbe parlato davanti a tutti.

— Seguimi, Abner.

Un architetto egiziano si ribellò.

— Quest'uomo ha commesso un errore grave. Perdonarlo significherebbe insultare i suoi compagni.

— Lo interrogherò. Dopo prenderò una decisione.

L'architetto si piegò davanti al suo superiore gerarchico. Se Abner fosse stato egiziano, Mosè non avrebbe avuto tanta sensibilità. Da qualche settimana il sovrintendente dei cantieri reali dimostrava uno spirito partigiano che avrebbe finito per rivoltarsi contro di lui.

Mosè fece salire Abner sul suo carro e lo legò con una cordicella di cuoio.

— Le cadute bastano per oggi, non credi?

— Perdonami, ti prego!

— Smettila di piagnucolare e raccontami tutto.

Un cortiletto riparato dal vento si apriva davanti alla residenza di rappresentanza di Mosè. Il carro si fermò sulla soglia e i due uomini scesero. Mosè si tolse il panno che gli cingeva i fianchi e la parrucca e indicò una pesante giara.

— Sali sul muretto — ordinò ad Abner — e versami lentamente l'acqua sulle spalle.

Mosè cominciò a frizionarsi la pelle con delle erbe, mentre il suo compatriota sollevava a forza di braccia la pesante giara e cominciava a versare l'acqua.

— Hai perso la lingua, Abner?

— Ho paura.

— Perché?

— Mi hanno minacciato.

— Chi?

— Io... io non posso dirlo.

— Se continui a tacere, ti consegno nelle mani della giustizia per errore professionale grave.

— No, perderei il lavoro!

— Sarebbe giusto.

— No, te lo giuro!

— Allora parla.

— Mi derubano, mi ricattano...

— Chi è il colpevole?

— Un egiziano — rispose Abner abbassando la voce.

— Il suo nome?

— Non posso. Ha conoscenze influenti.

— Non ripeterò la domanda.

— Si vendicherà!

— Hai fiducia in me?

— Ho spesso pensato di parlarti, ma ho talmente paura di quell'uomo!

— Smetti di tremare e dimmi il suo nome. Non ti importunerà più.

In preda al panico, Abner lasciò andare la giara che si fracassò per terra.

— Sary... È Sary.

La flottiglia reale imboccò il grande canale che portava a Pi-Ramses. La corte al gran completo accompagnava Ramses e Nefertari. Tutti erano impazienti di scoprire la nuova capitale, dove ormai bisognava risiedere se si voleva compiacere il re. Le critiche che venivano sussurrate ruotavano tutte intorno a uno stesso rimprovero: come avrebbe potuto rivaleggiare con Menfi una città costruita troppo in fretta? Senza dubbio Ramses si preparava a un fallimento strepitoso che, presto o tardi, l'avrebbe costretto a dimenticare Pi-Ramses.

A prua, il Faraone guardava il Nilo aprirsi nel Delta, mentre la nave lasciava il corso principale per entrare nel canale che conduceva al porto della capitale.

Shenar si appoggiò al parapetto, accanto al fratello.

— Non è il momento, ne sono consapevole, ma devo parlarti di una questione importante.

— È così urgente?

— Temo di sì. Se avessi potuto parlartene prima, avrei evitato d'importunarti in questi istanti felici, ma eri innavvicinabile.

— Ti ascolto, Shenar.

— La carica che mi hai affidato mi sta a cuore, e vorrei darti solo notizie eccellenti.

— Non è così?

— Se devo credere ai rapporti che mi vengono consegnati, dobbiamo temere un peggioramento della situazione.

— Arriva al punto.

— Sembra che gli ittiti siano usciti dalla zona d'influenza tollerata da nostro padre e abbiano invaso la Siria centrale.

— È sicuro?

— È troppo presto per pronunciarsi, ma volevo essere il primo ad avvertirti. Le provocazioni degli ittiti sono state frequenti, e possiamo sperare che questa non sia che un'altra furfanteria. Tuttavia sarebbe bene prendere qualche precauzione.

— Ci penserò.

— Sei scettico?

— L'hai detto tu stesso, quest'invasione non è ancora certa. Non appena riceverai informazioni, comunicamele.

— Maestà, puoi contare sul tuo ministro.

La corrente era forte, il vento soffiava nella direzione giusta e la nave avanzava veloce. L'intervento di Shenar lasciò Ramses pensieroso. Il fratello maggiore prendeva veramente sul serio il suo ruolo? Shenar era capace di essersi inventato quel tentativo d'invasione ittita per mettersi in luce e dar prova delle sue capacità come ministro degli Affari esteri.

La Siria centrale... Una zona neutrale che né gli egiziani né gli ittiti controllavano, impedendosi vicendevolmente di occuparla militarmente e accontentandosi di tenervi degli informatori più o meno affidabili. Da quando Sethi aveva rinunciato a conquistare Qadesh, una guerriglia larvata sembrava soddisfare i due campi.

Forse la creazione di Pi-Ramses, che occupava una posizione strategica, aveva risvegliato gli ardori bellici degli ittiti, preoccupati dell'attenzione che il giovane e previdente Faraone prestava all'Asia e al loro impero. Un solo uomo avrebbe detto la verità a Ramses: il suo amico Asha, capo dei servizi segreti. I rapporti ufficiali consegnati a Shenar non erano che la facciata esterna della situazione; Asha, grazie alla sua rete, doveva conoscere le vere intenzioni dell'avversario.

Un mozzo in cima all'albero maestro non poté contenere la sua gioia.

— Là in fondo, il porto, la città... Pi-Ramses!

57

Solo sul carro dorato, il Figlio della Luce imboccò la strada principale di Pi-Ramses in direzione del tempio di Amon. In pieno sole, egli apparve come l'astro i cui raggi davano alla luce la città. A fianco dei due cavalli bardati camminava il leone, a capo eretto, la criniera al vento.

Soggiogata dalla potenza emanata dalla persona del re e dalla magia che gli permetteva di avere una belva colossale come guardia del corpo, la folla rimase in silenzio per qualche istante. Poi un grido si levò: "Lunga vita a Ramses!", seguito da dieci, da cento, da mille altri... L'esultanza divenne presto indescrivibile lungo tutto il percorso del re, che non alterò la sua andatura lenta e maestosa.

Nobili, artigiani e contadini indossavano gli abiti della festa; i capelli brillavano per l'olio dolce di moringa, le parrucche più belle ornavano il capo delle donne, le mani dei bambini e dei servi erano cariche di fiori e foglie che gettavano lungo il percorso del carro.

Fervevano i preparativi per il banchetto all'aperto; l'intendente del nuovo palazzo aveva ordinato mille pani di farina fine, duemila pagnotte ben cotte, diecimila dolci, carne secca a profusione, latte, scodelle di carrube, uva, fichi e melograni; oche arrosto, selvaggina, pesce, cetrioli e pere, senza contare le centinaia di giare di vino uscite dalle cantine reali e altre di birra fatta il giorno prima, avrebbero poi completato il pranzo.

Nel giorno della nascita della capitale, il Faraone invitava il popolo alla sua tavola.

Non c'era una sola ragazzina che non avesse indossato un variopinto vestito nuovo, non un cavallo che non fosse bardato con strisce di stoffa e coccarde di cuoio, non un asino che non portasse al collo una ghirlanda di fiori. Cani, gatti e scimmie domestiche avrebbero avuto doppia razione, e gli anziani, indipendentemente dalla loro condizione e origine, sarebbero stati serviti per primi dopo essersi accomodati su comodi sedili all'ombra dei sicomori e delle persee.

Molti avevano presentato delle suppliche, chi per un alloggio, chi per un impiego, chi per un terreno, chi per una vacca, e Ameni le avrebbe raccolte ed esaminate con benevolenza in quel giorno felice in cui la generosità era di rigore.

Gli ebrei non erano tra gli ultimi a manifestare la loro gioia. Un lungo riposo giustamente remunerato avrebbe coronato lo sforzo intenso, e loro potevano vantarsi di aver edificato con le loro mani la nuova capitale del regno d'Egitto. Tra molte generazioni si sarebbe parlato ancora della loro impresa.

Quando il carro si fermò davanti al colosso a effigie di Ramses, lo stesso che il giorno prima aveva rischiato di provocare un disastro, il popolo trattenne il respiro.

Davanti alla sua immagine Ramses levò la testa e fissò il suo sguardo negli occhi del gigante di pietra, rivolti al cielo. Sulla fronte della statua, l'ureo, il cobra dal bruciante veleno che accecava sputando i nemici del re; sul capo, "i due poteri" riuniti, la corona bianca dell'Alto Egitto e la corona rossa del Basso Egitto. Seduto sul trono, le mani appoggiate sul cingilombi, il Faraone di granito contemplava la sua città.

Ramses scese dal carro. Anche lui portava la duplice corona e indossava un'ampia veste di lino dalle larghe maniche, sotto la quale scintillava un cingilombi dorato trattenuto in vita da una cintura argentata. Sul petto del monarca, una collana d'oro.

— A te, che incarni il *ka* del mio regno e della mia città, io apro la bocca, gli occhi e le orecchie. Ora sei un essere vivente e chi oserà toccarti sarà punito con la morte.

Il sole era allo zenit, in verticale sopra al Faraone. Ramses si voltò verso il suo popolo.

— Pi-Ramses è nata, Pi-Ramses è la nostra capitale!

Migliaia di voci entusiaste ripeterono le sue parole.

Per l'intera giornata, Ramses e Nefertari avevano percorso i vasti viali, le strade e i vicoli, e visitato tutti i quartieri di Pi-Ramses. Abbagliata, la grande sposa reale le aveva trovato un soprannome, "la città di turchese", che presto fu su tutte le bocche. Era l'ultima sorpresa che Mosè aveva riservato al re: le facciate delle case, delle ville e delle abitazioni modeste erano rivestite di piastrelle smaltate blu, di eccezionale luminosità. Quando aveva fatto installare sul posto il laboratorio che le fabbricava, Ramses non aveva immaginato che gli artigiani sarebbero stati in grado di produrne un tal numero in così poco tempo. Grazie a loro, la capitale aveva trovato la sua omogeneità.

Mosè, elegante e raffinato, fungeva da cerimoniere. Nessuno ora dubitava che Ramses avrebbe nominato il suo amico d'infanzia visir e primo ministro del paese. La complicità tra loro era evidente, il successo di Mosè eclatante. Il re non mosse alcuna critica, mostrando che le sue speranze erano state realizzate, anzi, superate.

Shenar era furioso. Il mago Ofir gli aveva mentito o si era sbagliato affermando di aver manipolato l'ebreo. Dopo un trionfo del genere, Mosè sarebbe diventato un uomo ricco e un cortigiano zelante. Affrontare Ramses per una stupida disputa religiosa sarebbe stato un suicidio; quanto al suo popolo, si mischiava così bene alla popolazione che non aveva nessun interesse a uscirne. I soli veri alleati di Shenar rimanevano gli ittiti. Pericolosi come vipere, ma alleati.

Il ricevimento dato a palazzo reale, la cui grande sala ipostila era ornata di pitture che rappresentavano una natura ordinata e piacevole, incantò la corte, sedotta dalla bellezza e dalla nobiltà di Nefertari. La prima dama del paese, magica protettrice della residenza reale, ebbe una parola amabile e giusta per tutti.

Gli sguardi non abbandonavano i bei pavimenti di piastrelle smaltate; queste formavano quadri deliziosi che evocavano bacini di acqua fresca, giardini in fiore, anatre che svolazzavano in una foresta di papiri, fiori di loto dischiusi o pesci che nuotavano in uno stagno. Verde pallido, blu chiaro, bianco sporco, giallo oro e viola acceso si mischiavano in una sinfonia di colori teneri che cantavano la perfezione della creazione.

Le voci beffarde e dileggiatrici vennero ridotte al silenzio. I templi di Pi-Ramses erano ben lungi dall'essere terminati, ma i palazzi non erano inferiori in nulla, per lusso e raffinatezza, a quelli di Menfi e di Tebe. Qui nessun cortigiano si sarebbe sentito a disagio. Possedere una villa a Pi-Ramses era già l'ossessione di tutti i nobili e di tutti gli alti personaggi dello Stato.

Con incredibile costanza, Ramses continuava a fare miracoli.

— Ecco l'uomo a cui la città deve la propria esistenza — disse il Faraone appoggiando la mano sulla spalla di Mosè.

Le conversazioni s'interruppero.

— Il protocollo vorrebbe che io mi sedessi sul trono, che Mosè si prosternasse davanti a me e che io gli offrissi collane d'oro in cambio dei suoi buoni e leali servigi. Ma è mio amico, mio amico d'infanzia, e abbiamo condotto insieme questa battaglia. Io ho concepito questa capitale, lui l'ha realizzata secondo i miei disegni.

Ramses strinse Mosè in un abbraccio solenne. Non esisteva onore più grande da parte di un Faraone.

— Mosè rimarrà sovrintendente dei cantieri reali ancora per qualche mese, il tempo necessario per formare il suo successore. Poi lavorerà al mio fianco, per la maggior gloria dell'Egitto.

Shenar aveva avuto ragione a temere il peggio. La forza dei due amici uniti li avrebbe resi più temibili di un intero esercito.

Ameni e Setau si congratularono con Mosè, il cui nervosismo li sorprese. Lo attribuirono all'emozione.

— Ramses si sbaglia — dichiarò l'ebreo. — Mi riconosce qualità che io non posseggo.

— Sarai un ottimo visir — intervenne Ameni.

— Ma sarai comunque agli ordini di quel piccolo scriba tignoso — affermò Setau. — In realtà, è lui che governa.

— Stai attento, Setau!

— Il cibo è eccellente. Se io e Loto scoveremo qualche bel serpente, forse ci sistemeremo qui. Perché Asha non c'è?

— Lo ignoro — rispose Ameni.

— Un punto negativo per la sua carriera. È un gesto assai poco diplomatico.

I tre amici guardarono Ramses avvicinarsi alla madre Tuya e baciarla sulla fronte. Nonostante la tristezza che avrebbe per sempre velato il suo viso grave e delicato, la vedova di Sethi non celava il suo orgoglio. Quando la donna aveva annunciato che avrebbe iniziato subito ad abitare nel palazzo di Pi-Ramses, il trionfo del figlio era stato completo.

Sebbene terminata, la voliera era ancora vuota, senza gli uccelli esotici che avrebbero rallegrato la vista e le orecchie dei cortigiani. Appoggiato a una colonna, il viso tirato,

Mosè non osava guardare il suo amico Ramses. Doveva dimenticare l'uomo e rivolgersi all'avversario, il Faraone d'Egitto.

— Dormono tutti, tranne noi due.

— Sembri esausto, Mosè. Non potremmo rimandare questo colloquio a domani?

— Non reciterò oltre la commedia.

— Quale commedia?

— Io sono ebreo e credo in un unico Dio. Tu sei egiziano e adori gli idoli.

— Ancora con questo discorso infantile!

— Ti disturba perché è la verità.

— Sei stato educato nella saggezza degli egiziani, Mosè, e il tuo unico Dio, senza forma e inconoscibile, è la potenza nascosta nel cuore di ogni particella di vita!

— Non s'incarna in un montone!

— Amon è il segreto della vita, che si rivela nel vento invisibile che gonfia le vele della barca, nelle corna dell'ariete la cui spirale riproduce lo sviluppo armonioso della creazione, nella pietra che forma la carne dei nostri templi. È tutto questo ed è ben altro. Questa saggezza, Mosè, tu la conosci quanto me.

— È solo illusione! Dio è uno.

— Questo gli impedisce forse di moltiplicarsi nelle sue creature rimanendo Uno?

— Non ha bisogno dei tuoi templi e delle tue statue!

— Ti ripeto che sei esausto.

— La mia decisione è presa. E nemmeno tu potrai cambiarla.

— Se il tuo Dio ti rende intollerante, non fidarti di lui. Ti condurrà al fanatismo.

— Sei tu, Ramses, che non devi fidarti! In questo paese sta crescendo una forza ancora incerta, ma che lotta per la verità.

— Spiegati.

— Ti ricordi di Akhenaton e della sua fede in un unico Dio? Quel Faraone aveva indicato la strada, Ramses. Ascolta la sua voce, ascolta la mia. Altrimenti il tuo impero crollerà.

58

Per Mosè la situazione era chiara. Non aveva tradito Ramses, l'aveva persino messo in guardia contro il pericolo che lo minacciava. Con la coscienza acquietata, ora poteva andare verso il suo destino e dare libero sfogo al fuoco che gli divorava l'anima.

Il Dio unico, Geova, era in una montagna. E lui doveva scoprirla, qualunque fossero le difficoltà del viaggio. Alcuni ebrei avevano deciso di partire con lui, rischiando di perdere tutto. Mosè stava finendo di preparare i bagagli quando gli venne in mente una promessa non mantenuta. Prima di lasciare l'Egitto per sempre, si sarebbe liberato di quel debito morale.

Dovette percorrere solo un breve tragitto per arrivare alla dimora di Sary, a ovest della città, circondata da un antico palmeto di alberi vigorosi. Trovò il proprietario che beveva birra fresca in riva a uno stagno ricco di pesci.

— Mosè! Che piacere accogliere il vero artefice di Pi-Ramses! A cosa debbo l'onore?

— Il piacere non è condiviso e non si tratta di un onore.

Sary si alzò, irritato.

— Il tuo promettente avvenire non ti consente la maleducazione. Dimentichi con chi stai parlando?

— Con una canaglia.

Sary alzò la mano per schiaffeggiare l'ebreo, ma Mosè gli bloccò il polso, obbligando l'egiziano a piegarsi fino a cadere in ginocchio.

— Tu perseguiti un certo Abner.

— Il suo nome mi è del tutto sconosciuto.

— Tu menti, Sary. Tu l'hai derubato e lo ricatti.

— Non è che un mattonaio ebreo.

Mosè serrò la presa e Sary gemette.

— Anch'io sono solo un ebreo, ma potrei spezzarti il braccio e metterti fuori gioco.

— Non oserai!

— La mia pazienza ha un limite, ti avverto. Non importunare più Abner o ti trascinerò per il collo davanti a un tribunale. Giura!

— Io... giuro di non importunarlo più.

— Sul nome del Faraone?

— Sul nome del Faraone.

— Se tradirai il giuramento, sarai maledetto.

Mosè lasciò andare Sary.

— Te la cavi a buon mercato.

Se l'ebreo non fosse stato sul punto di partire avrebbe denunciato Sary, ma sperava che l'avvertimento bastasse.

Tuttavia venne colto da un dubbio. Negli occhi dell'egiziano aveva letto l'odio, non la sottomissione.

Mosè si nascose dietro a una palma. Non dovette aspettare a lungo.

Sary uscì di casa con un randello e si diresse a sud, verso le case dei mattonai.

L'ebreo lo seguì a breve distanza. Lo vide entrare nella casa di Abner, che aveva lasciato la porta socchiusa. Dopo poco sentì dei gemiti.

Mosè corse dentro e nella penombra vide Sary bastonare Abner, disteso sul pavimento di terra battuta, che cercava di proteggersi la faccia con le mani.

Mosè strappò il bastone dalle mani di Sary e lo colpì violentemente sulla testa. L'egiziano crollò, la nuca insanguinata.

— Alzati, Sary, e vattene.

Ma l'egiziano non si muoveva. Abner strisciò fino a lui.

— Mosè... sembra... morto.

— Impossibile, non l'ho colpito così forte!

— Non respira più.

Mosè s'inginocchiò, ma le sue mani si posarono su un cadavere.

Aveva ucciso un uomo.

Il vicolo era silenzioso.

— Devi fuggire, Mosè. Se la polizia ti arresta...

— Tu mi difenderai, Abner, e spiegherai che ti ho salvato la vita!

— Ma chi mi crederà? Ci accuseranno di complicità. Vattene, vattene in fretta!

— Hai un sacco grande?

— Sì, per metterci gli strumenti.

— Dammelo.

Mosè vi infilò il cadavere di Sary e si caricò il fardello sulle spalle. Avrebbe sotterrato il corpo in un terreno sabbioso e si sarebbe nascosto in una villa non ancora occupata, il tempo di riprendersi.

Il levriero della pattuglia di polizia emise un insolito guaito. Lui, di solito così tranquillo, tirava il guinzaglio fin quasi a spezzarlo. Il padrone lo liberò e il cane filò a tutta velocità verso un terreno sabbioso ai margini della città.

Il levriero scavò con accanimento. Quando il poliziotto e i suoi colleghi si avvicinarono, scoprirono prima un braccio, poi una spalla, poi il viso di un morto che il cane stava dissotterrando.

— Io lo conosco — disse uno dei poliziotti. — È Sary.

— Il marito della sorella del re?

— Sì, proprio lui... Guarda, sangue secco sulla nuca!

Liberarono completamente il cadavere. Non era possibile nutrire dubbi: avevano ammazzato Sary. Il colpo era stato mortale.

Mosè si era rigirato nel letto tutta la notte come un orso siriano in gabbia. Aveva sbagliato a comportarsi così, a cercare di occultare il cadavere di quel mascalzone e a scappare da una giustizia che l'avrebbe scagionato. Ma c'era Abner, la sua paura, la sua esitazione... Ed erano ebrei, tutti e due. I nemici di Mosè non avrebbero mancato di usare quel dramma per provocare la sua rovina. Lo stesso Ramses sarebbe stato prevenuto contro di lui e si sarebbe mostrato di un rigore inflessibile.

Qualcuno era entrato nella villa, completa solo nella sua parte centrale. La polizia, di già... Si sarebbe battuto, non sarebbe caduto nelle loro mani.

— Mosè... Mosè, sono io, Abner! Se sei qui, mostrati.

L'ebreo apparve.

— Testimonierai in mio favore?

— La polizia ha scoperto il cadavere di Sary. Sei accusato di omicidio.

— Chi ha osato?

— I miei vicini. Ti hanno visto.

— Ma sono ebrei come noi!

Abner chinò il capo.

— Non vogliono aver problemi con le autorità, come me. Scappa, Mosè. Non c'è più futuro per te in Egitto.

Mosè si ribellò. Lui, il sovrintendente dei lavori del re, il futuro primo ministro delle Due Terre ridotto allo stato di criminale, di fuggiasco! In poche ore, cadere dalla vetta all'abisso... Non era forse Dio a colpirlo con quella sventura per mettere alla prova la sua fede? Invece di un'esistenza comoda e vuota in un paese impuro, gli offriva la libertà.

— Partirò al calar della notte. Addio, Abner.

Mosè passò dal quartiere dei mattonai. Sperava di convincere i suoi sostenitori a partire con lui e formare un clan che, poco a poco, avrebbe attirato altri ebrei, anche se la loro prima patria sarebbe stata solo una regione isolata e desertica. L'esempio... Bisognava dare l'esempio, a qualsiasi prezzo!

Qualche lampada era ancora accesa. I bambini dormivano e le casalinghe si scambiavano confidenze. Seduti sotto le tettoie, i loro mariti bevevano una tisana prima di andare a dormire.

Nel vicolo dove abitavano gli amici di Mosè, due uomini lottavano. Mosè si avvicinò e li riconobbe. I suoi due più accesi sostenitori! Si insultavano per uno sgabello che uno avrebbe rubato all'altro.

Mosè li divise.

— Tu...

— Smettetela di battervi per delle sciocchezze e seguitemi. Lasciamo l'Egitto e partiamo alla ricerca della nostra vera patria.

L'ebreo più anziano guardò Mosè con disprezzo.

— Chi ti ha nominato nostro principe e nostra guida? Se non ti obbediamo, ci ucciderai come hai ucciso l'egiziano?

Colpito al cuore, Mosè rimase in silenzio. Il suo sogno grandioso si era spezzato. Non era che un criminale in fuga, abbandonato da tutti.

59

Ramses aveva voluto vedere il cadavere di Sary, il primo morto di Pi-Ramses dalla fondazione ufficiale della capitale.

— È un omicidio, Maestà — affermò Serramanna. — Un violento colpo di bastone alla nuca.

— Mia sorella è stata avvertita?

— Se ne è occupato Ameni.

— Il colpevole è stato arrestato?

— Maestà...

— Che significa quest'esitazione? Chiunque sia, sarà giudicato e condannato.

— Il colpevole è Mosè.

— Assurdo.

— Abbiamo testimonianze esplicite.

— Voglio ascoltare i testimoni!

— Tutti ebrei. L'accusatore principale è un mattonaio, Abner. Ha assistito al crimine.

— Cos'è successo?

— Una rissa finita male. Mosè e Sary si detestavano da un pezzo. Secondo la mia indagine, avevano già litigato a Tebe.

— E se tutti questi testimoni si sbagliassero? Mosè non può essere un assassino.

— Gli scribi della polizia hanno trascritto le deposizioni e loro le hanno confermate.

— Mosè si difenderà.

— No, Maestà; è fuggito.

Ramses diede ordine di perquisire tutte le case di Pi-Ramses, ma le sue indagini non diedero nessun risultato. I poliziotti a cavallo perlustrarono il Delta interrogando gli abitanti dei paesi, ma di Mosè non trovarono traccia. La polizia di frontiera nordorientale ricevette consegne molto rigorose, ma non era già troppo tardi?

Il re continuava a chiedere rapporti ma non otteneva nessuna informazione precisa sul cammino intrapreso da Mosè. Si era forse dissimulato in qualche villaggio di pescatori nei pressi delle rive del Mediterraneo, si era nascosto su una nave in partenza per il Sud, si celava tra i reclusi in qualche santuario di provincia?

— Dovresti mangiare qualcosa — si raccomandò Nefertari. — Da quando Mosè è sparito non hai fatto un pasto decente.

Il sovrano strinse teneramente la mano della sposa.

— Mosè era esausto, Sary lo avrà provocato. Se fosse qui, davanti a me, si spiegherebbe. La sua fuga è stata l'errore di un uomo sovraffaticato.

— Non rischia forse di essere divorato dal rimorso?

— È quello che temo.

— Il tuo cane è triste, crede che lo disdegni.

Ramses permise a Guardiano di salirgli in grembo. Pazzo di gioia, il cane leccò le guance al padrone e appoggiò la testa sulla sua spalla.

Quei tre anni di regno erano stati meravigliosi... Luxor ingrandita, sontuosa, la dimora millenaria in costruzione, la nuova capitale inaugurata, la Nubia pacificata e, improvvisamente, quell'orribile crepa nell'edificio! Senza Mosè, il mondo che Ramses aveva cominciato a edificare crollava.

— Tu trascuri anche me — disse Nefertari a mezza voce.
— Non posso aiutarti a superare questo dolore?

— Sì, tu sola puoi farlo.

Shenar e Ofir s'incontrarono al porto di Pi-Ramses, sempre più animato. Venivano scaricate derrate alimentari, mobili, utensili domestici e una gran quantità di altre ricchezze di cui la nuova capitale aveva bisogno. Le navi trasportavano asini, cavalli e buoi; i granai si riempivano e i grandi vini venivano immagazzinati nelle cantine. Nei circoli dei commercianti all'ingrosso, in lotta per conquistare i primi posti nell'approvvigionamento della capitale, si scatenavano discussioni ardenti, come a Menfi o a Tebe.

— Ormai Mosè è solo un assassino in fuga, Ofir.

— Questa notizia non sembra rattristarti affatto.

— Ti eri sbagliato sul suo conto, non avrebbe mai cambiato campo. La follia che ha commesso priva Ramses di un prezioso alleato.

— Mosè è un uomo sincero. La sua fede nell'unico Dio non è un capriccio.

— Contano solo i fatti: o non si farà più vivo, o verrà arrestato e condannato. Ormai è impossibile cercare di manipolare gli ebrei.

— Da diversi anni i sostenitori di Aton sono abituati a combattere le avversità. Continueranno. Ci aiuterai?

— Non torniamoci sopra. Quali sono le tue proposte concrete?

— Ogni notte io scalzo le fondamenta sulle quali posa la coppia reale.

— Sono al culmine della loro potenza! Ignori l'esistenza della dimora millenaria?

— Nulla di quanto Ramses ha intrapreso è terminato. Sta a noi saper sfruttare il minimo momento di debolezza per insinuarci nella prima breccia che si aprirà.

La tranquilla fermezza del mago impressionò Shenar. Se gli

ittiti avessero messo in atto il loro piano, non avrebbero mancato di indebolire il *ka* di Ramses. E se quest'ultimo veniva attaccato anche dall'interno, il Faraone, per forte che fosse, avrebbe finito per crollare sotto i colpi visibili e invisibili.

— Intensifica la tua azione, Ofir. Non hai a che fare con un ingrato.

Setau e Loto avevano deciso di aprire un nuovo laboratorio a Pi-Ramses. Ameni, sistemato nei suoi nuovi uffici fiammanti, lavorava giorno e notte. Tuya si occupava dei mille problemi posti dai cortigiani, Nefertari adempiva i suoi doveri religiosi e protocollari, la bella Iset e Nedjem curavano l'educazione del piccolo Kha, Meritamon cresceva come un fiore, Romè, l'intendente, correva dalle cucine alle cantine e dalle cantine alla sala da pranzo di palazzo, Serramanna perfezionava costantemente il suo sistema di sicurezza... La vita a Pi-Ramses sembrava armoniosa e piacevole, ma il Faraone non sopportava l'assenza di Mosè.

Nonostante le loro discussioni, la forza dell'ebreo era stata un dono per la costruzione del suo regno. In quella città, da cui era fuggito, Mosè aveva lasciato molto della sua anima. Il loro ultimo incontro dimostrava che il suo amico ebreo era vittima di influenze perniciose, imprigionato in legami di cui non era consapevole.

Avevano stregato Mosè.

Ameni, le braccia cariche di papiri, si diresse a passo veloce verso il re che camminava avanti e indietro nella sala d'udienza.

— Asha è arrivato e desidera vederti.

— Che entri.

Perfettamente a suo agio nell'elegante veste verde pallido ornata da un bordo rosso, il giovane diplomatico, arbitro dell'eleganza maschile, aveva il dono di lanciare le mode. Tuttavia sembrava meno vivace del solito.

— La tua assenza all'inaugurazione di Pi-Ramses mi ha molto rattristato.

— Ero rappresentato dal mio ministro, Maestà.

— Dov'eri, Asha?

— A Menfi. Ho raccolto i messaggi dei miei informatori.

— Shenar mi ha parlato di un tentativo di intimidazione degli ittiti nella Siria centrale.

— Non è un tentativo di intimidazione e la Siria centrale non è la sola interessata.

La voce di Asha non aveva più nulla di servile.

— Pensavo che il mio diletto fratello si prendesse un po' troppo sul serio e si abbandonasse alle esagerazioni.

— Sarebbe stato preferibile. Raffrontando varie informazioni affidabili, mi sono convinto che gli ittiti abbiano iniziato una manovra di vasta portata contro Canaan e la Siria, tutta la Siria. Gli stessi porti libanesi sono indubbiamente minacciati.

— Attacchi diretti contro i nostri soldati sul posto?

— Non ancora, ma si sono impossessati di villaggi e campi considerati neutrali. Fino a questo momento, sono solo misure amministrative, apparentemente non violente. In realtà, gli ittiti hanno assunto il controllo dei territori che noi governiamo e che ci pagavano tributi.

Ramses si chinò sulla carta del Vicino Oriente spiegata su un tavolino basso.

— Gli ittiti scendono lungo il corridoio d'invasione, a nordest del nostro paese; quindi mirano a invadere direttamente l'Egitto.

— Conclusione affrettata, Maestà.

— Altrimenti quale sarebbe lo scopo di quest'offensiva strisciante?

— Occupare il territorio, isolarci, terrorizzare la popolazione, indebolire il prestigio dell'Egitto, demoralizzare le nostre truppe... Gli obiettivi non mancano.

— La tua impressione?

— Maestà, gli ittiti si preparano alla guerra.

Con un tratto furioso di inchiostro rosso, Ramses cancellò l'Anatolia dalla mappa.

— Quel popolo non ama che il furore, il sangue e la violenza. Finché non sarà distrutto metterà in pericolo qualsiasi forma di civiltà.

— La diplomazia...

— Uno strumento fuori uso!

— Tuo padre aveva trattato...

— Una zona di frontiera a Qadesh, lo so! Ma gli ittiti non rispettano nulla. Esigo un rapporto quotidiano sui loro movimenti.

Asha s'inchinò. Non era più l'amico a parlare, ma il Faraone che ordinava.

— Sai che Mosè è accusato di omicidio ed è sparito?

— Mosè? Ma è pazzesco!

— Credo che sia vittima di un complotto. Diffondi la sua segnalazione nei nostri protettorati, Asha, e trovalo.

Nefertari suonava il liuto nel giardino del palazzo. Alla sua destra, la figlia dalle guance piene e colorite dormiva nella sua culla; alla sinistra, il piccolo Kha, seduto in posizione da scriba, leggeva un racconto che vantava le imprese di un mago che trionfava su orribili demoni; davanti a lei, Guardiano era occupato a dissotterrare il germoglio di tamarindo che Ramses aveva piantato il giorno prima. Il muso affondato nel terreno umido, scavava la buca con le zampe anteriori, con un impegno tale che la regina non osò rimproverarlo.

Improvvisamente, il cane s'interruppe e corse verso l'ingresso del giardino. I suoi latrati di gioia e i salti disordinati salutarono l'arrivo del padrone.

Dal suo passo, Nefertari percepì la profonda contrarietà di Ramses. Si alzò e andò incontro al re.

— Mosè è forse...

— No, sono sicuro che è vivo.

— Tua madre?

— Tuya sta bene.

— Qual è la causa della tua sofferenza?

— L'Egitto, Nefertari. Il sogno si spezza... Il sogno di un paese felice, che vive in pace gustando le gioie quotidiane.

La regina chiuse gli occhi.

— La guerra...

— Mi sembra inevitabile.

— Quindi partirai.

— Chi altro potrebbe comandare l'esercito? Tollerare ulteriormente l'avanzata degli ittiti significherebbe condannare a morte l'Egitto.

Il piccolo Kha aveva lanciato un'occhiata alla coppia abbracciata per poi rituffarsi nella lettura, Meritamon dormiva tranquilla, Guardiano scavava una buca sempre più profonda.

Nella quiete del giardino, Nefertari si rannicchiò contro Ramses. In lontananza, un grande ibis bianco si alzò in volo dai campi.

— La guerra ci separa, Ramses; dove trovare il coraggio per superare questa prova?

— Nell'amore che ci unisce, e che ci unirà sempre, qualsiasi cosa avvenga. In mia assenza sarai tu, la grande sposa reale, a regnare sulla mia città di turchese.

Nefertari fissò l'orizzonte.

— Sei nel giusto — disse. — Non bisogna trattare con il male.

Il grande ibis bianco dal volo maestoso sorvolò la coppia reale, che il sole al tramonto avvolgeva nella sua luce.

LA MAGICA AVVENTURA DI RAMSES CONTINUA...

Forza e armonia: il carattere del Faraone
si rivela nella bellezza della nuova capitale,
Pi-Ramses. Il miracolo è compiuto,
e un'era di ricchezza e pace sembra dispiegarsi.
Ma Nefertari, la bella tra le belle, scruta il cielo:
gli uccelli sono nervosi, si prepara una tempesta
che scuoterà la famiglia reale, e vedrà il nemico
varcare il sacro suolo d'Egitto.
Ramses, il figlio del Sole, dovrà affrontarlo
in una prova decisiva, che le generazioni
a venire non dimenticheranno:

LA BATTAGLIA DI QADESH

IN LIBRERIA:

CHRISTIAN JACQ
LE EGIZIANE

Le donne egiziane, ai tempi dei faraoni,
erano spiritualmente e materialmente uguali
agli uomini. In queste pagine
Christian Jacq ci invita a fare la loro conoscenza:
donne di potere come le regine
e le "grandi spose reali", mogli, madri,
amanti, lavoratrici, sacerdotesse, donne d'affari,
nutrici... E, oltre alla vita delle più celebri
tra loro (come le regine Isis, Nefertiti
e Cleopatra), ci descrive il mondo
meno noto di una donna-visir,
delle donne-scriba, delle "Divine Adoratrici"
e delle musiciste dei templi.

I Classici del Giallo
Periodico quattordicinale
Direttore responsabile: Stefano Magagnoli
Supplemento al N. 792 - 3 giugno 1997
Pubblicazione registrata presso il Tribunale di Milano
n. 423 del 10 dicembre 1966
Redazione, amministrazione: Arnoldo Mondadori Editore S.p.a.
20090 Segrate, Milano
Sede legale: Arnoldo Mondadori Editore S.p.A.
via Bianca di Savoia 12 - 20122 Milano

Questo volume è stato stampato
nel mese di maggio 1997
presso la Nuova Stampa Mondadori - Cles (TN)
Stampato in Italia - Printed in Italy